Rode draak

Van Thomas Harris zijn verschenen:

Zwarte zondag
De schreeuw van het lam* (The Silence of the Lambs)
Hannibal

*In Poema-pocket verschenen

THOMAS HARRIS

RODE DRAAK

Men kan alleen zien wat men waarneemt, en men neemt alleen die
dingen waar die al in de geest aanwezig zijn.

ALPHONSE BERTILLON

Uitgeverij Luitingh ~ Sijthoff

Voor meer informatie: kijk op **www.boekenwereld.com**

De film *Red Dragon* wordt in Nederland en België uitgebracht door UIP

Derde druk
© 1981 Thomas Harris
All rights reserved
© 2002 Nederlandse vertaling
Uitgeverij Luitingh-Sijthoff B.V., Amsterdam
Alle rechten voorbehouden
Oorspronkelijke titel: *Red Dragon*
Vertaling: Elly Schurink
Redactionele bewerking: Henny van Gulik en Ingrid Tóth
Omslagontwerp: Edd, Amsterdam
Omslagfotografie: Cover Art Copyright © 2002 Universal Studios Publishing
Rights, a division of Universal Studios Licensing LLLP.

ISBN 90 245 4869 1
NUR 332

For Mercy has a human heart,
Pity a human face,
And Love, the human form divine,
And Peace, the human dress.

WILLIAM BLAKE
Songs of Innocence (The Divine Image)

Cruelty has a Human Heart,
And Jealousy a Human Face,
Terror the Human Form Divine,
And Secrecy the Human Dress.

The Human Dress is forged Iron,
The Human Form a fiery Forge,
The Human Face a Furnace seal'd,
The Human Heart its hungry Gorge.

WILLIAM BLAKE
Songs of Experience (A Divine Image)*

* Na de dood van Blake werd dit gedicht gevonden samen met tekeningen van *Songs of Experience*. Het komt alleen voor in postume uitgaven.

I

Will Graham gebaarde dat Crawford plaats mocht nemen aan een picknicktafel tussen het huis en de zee en reikte hem een glas ijsthee aan.

Jack Crawford keek naar het gezellige oude huis, met het zout-zilverige hout in het heldere licht. 'Ik had je in Marathon na je werk moeten opwachten,' zei hij. 'Hier wil je er toch niet over praten.'

'Ik wil er nergens over praten, Jack. Maar jij moet het kennelijk kwijt, dus vooruit maar. Alleen, geen foto's. Als je foto's bij je hebt, laat ze dan in je tas zitten... Molly en Willy kunnen elk ogenblik terugkomen.'

'Hoeveel weet je?'

'Wat er in de *Miami Herald* en in de *Times* stond,' zei Graham. 'Twee gezinnen, die een maand na elkaar vermoord zijn. In Birmingham en Atlanta. Onder gelijksoortige omstandigheden.'

'Niet gelijksoortig. Dezelfde.'

'Hoeveel tips zijn er tot nu toe binnengekomen?'

'Zesentachtig toen ik vanmiddag langsging,' zei Crawford. 'Niet veel bijzonders. Geen van de bellers wist details te vertellen. Hij heeft de spiegels stukgesmeten en de scherven gebruikt. Geen van de tipgevers wist dat.'

'Wat heb je nog meer buiten de publiciteit gehouden?'

'Hij is blond, rechtshandig en vreselijk sterk. Hij draagt schoenen maat 44. Hij kan een paalsteek leggen. Er zijn alleen afdrukken van gladde handschoenen te vinden.'

'Dat heb je bekendgemaakt.'

'Hij is niet al te handig met sloten,' zei Crawford. 'De laatste keer heeft hij een glassnijder en een zuignap gebruikt om het huis binnen te komen. O, en hij heeft bloedgroep AB positief.'

'Is hij gewond geraakt?'

'Voor zover we weten niet. We hebben sperma en speeksel gevonden. Dat is onderzocht.' Crawford liet zijn blik over de vlakke zee dwalen. 'Will, ik wil je iets vragen. Je hebt hierover in de krant gelezen. De tweede zaak is breed uitgemeten op de televisie. Heb je er ooit over gedacht me te bellen?'

'Nee.'

'Waarom niet?'

'Over het geval in Birmingham werden aanvankelijk weinig details bekendgemaakt. Het had van alles kunnen zijn... wraak, een bloedverwant.'

'Maar na de tweede moord wist je waar het om ging.'

'Ja. Een psychopaat. Ik heb je niet gebeld omdat ik dat niet wilde. Ik weet wie je hierbij helpen. Je hebt het beste lab tot je beschikking. Je hebt Heimlich in Harvard, Bloom van de universiteit in Chicago...'

'En ik heb jou. Maar jij moet hier zo nodig motorboten repareren!'

'Ik geloof niet dat ik je van veel nut zou zijn, Jack. Ik denk er nooit meer aan.'

'Echt niet? Je hebt er twee te pakken gekregen. De laatste twee die we hadden, heb jij opgespoord.'

'Hoe? Door dezelfde dingen te doen die jij en de anderen ook doen.'

'Dat is niet helemaal waar, Will. Het gaat om jouw manier van denken.'

'Volgens mij is er een hoop lulkoek verteld over de wijze waarop ik denk.'

'Je hebt een aantal zetten gedaan die je nooit hebt uitgelegd.'

'Het bewijs was er,' zei Graham.

'Zeker. Zeker was dat er. Meer dan genoeg... Achteraf. Vóór de ontknoping was er erg weinig waar we op af konden gaan.'

'Je hebt de mensen die je nodig hebt, Jack. Ik geloof niet dat je met mij beter af bent. Ik ben hierheen gekomen om me daarvan los te maken.'

'Dat weet ik. De laatste keer ben je gewond geraakt. Nu zie je er goed uit.'

'Ik voel me ook best. Dat wil ik zo houden. Het heeft jou ook geraakt.'

'Het heeft mij geraakt, maar niet zó.'

'Daar gaat het niet om. Ik heb gewoon besloten ermee te stoppen. Ik geloof niet dat ik het kan uitleggen.'

'Als je het niet meer zou kunnen zien... Mijn god, ik ben de eerste die dat kan begrijpen.'

'Nee, dat is het niet. Zien... Het is nooit leuk, maar het lukt wel, zolang ze dood zijn. Het ziekenhuis, de interviews... dat is veel erger. Je moet het van je afschudden en blijven nadenken. Ik geloof niet dat ik dat nu nog zou kunnen. Ik zou wel kunnen kijken, maar ik zou niet meer nadenken.'

'Ze zijn allemaal dood, Will,' zei Crawford zo vriendelijk mogelijk.

Jack Crawford hoorde het ritme en de woordkeus van zijn eigen taalgebruik doorklinken in Grahams stem. Hij had Graham dat wel vaker horen doen bij anderen. Graham nam bij een indringend gesprek dikwijls de manier van spreken van de ander over. Aanvankelijk dacht Crawford dat hij het opzettelijk deed; dat het een truc was om de uitwisseling van woorden gaande te houden. Later besefte Crawford dat Graham het onwillekeurig deed, dat hij het soms zelfs probeerde te vermijden, maar daar niet in slaagde.

Crawford tastte met twee vingers in de zak van zijn jas. Hij haalde twee foto's te voorschijn en legde die met de beeldzijde naar boven op tafel. 'Allemaal dood,' zei hij.

Graham keek hem even aan voor hij de foto's oppakte.

Het waren gewone kiekjes: een vrouw gevolgd door drie kinderen en een eend; ze droegen picknickspulletjes naar de oever van een meer. Een gezin dat bij een taart stond.

Na een halve minuut legde hij de foto's weer neer. Met zijn vinger schoof hij ze over elkaar terwijl zijn blik naar het strand gleed, waar de jongen neerhurkte, iets in het zand scheen te onderzoeken. De vrouw stond erbij te kijken, een hand op haar heup, terwijl de golven rond haar enkels speelden. Ze boog haar hoofd naar achteren om het natte haar van haar schouders te schudden.

Zonder acht te slaan op zijn bezoeker keek Graham net zo lang naar Molly en de jongen als hij naar de foto's had gekeken.

Crawford voelde zich tevreden. Met dezelfde zorgvuldigheid waarmee hij de plaats voor dit gesprek had uitgekozen, hield hij nu de voldoening uit zijn blik. Hij meende dat hij Graham had. Laat het maar pruttelen.

Drie opvallend lelijke honden kwamen op hun gemak aanlopen en ploften neer op de grond rond de tafel.

'Allemachtig!' zei Crawford.

'Hoogstwaarschijnlijk zijn het honden,' verklaarde Graham. 'Er worden hier voortdurend puppy's gedumpt. De leuke raak ik wel aan iemand kwijt. De rest blijft hier rondhangen en wordt groot.'

'Ze zien er weldoorvoed uit.'

'Molly heeft een zwak voor loslopende honden.'

'Je hebt hier een best leventje, Will. Met Molly en de jongen. Hoe oud is hij?'

'Elf.'

'Een knappe knul. Hij wordt beslist langer dan jij.'

Graham knikte. 'Dat was zijn vader ook. Ik ben hier gelukkig. Dat besef ik heel goed.'

'Ik had het idee om met Phyllis hierheen te komen. Florida. Een plek zoeken om me terug te trekken als ik gepensioneerd ben en dit gejaagde leven kan opgeven. Maar ze zegt dat al haar vriendinnen in Arlington wonen.'

'Ik had haar nog willen bedanken voor de boeken die ze me in het ziekenhuis heeft gebracht, maar ik heb het nooit gedaan. Wil je het tegen haar zeggen?'

'Dat zal ik doen.'

Twee kleine brutale vogels streken op de tafel neer in de hoop iets te eten te vinden. Crawford keek toe hoe ze rondhupten alvorens weer weg te vliegen.

'Will, dit monster schijnt gelijk te lopen met de maan. Hij heeft de familie Jacobi in Birmingham op zaterdagnacht 28 juni vermoord, met vollemaan. De Leeds in Atlanta heeft hij in de nacht van 26 juli, eergisteren, vermoord. Een dag vóór vollemaan. Dus met een beetje geluk hebben we iets meer dan drie weken voor hij weer toeslaat.

Ik kan me niet voorstellen dat je hier rustig in de Keys wilt zitten wachten tot je erover leest in je *Miami Herald*. Verdomme, ik ben de paus niet! Ik schrijf je de wet niet voor, maar ik wil je wel vragen of je waarde aan mijn oordeel hecht, Will.'

'Ja.'

'Ik ben van mening dat we meer kans hebben hem vlug te pakken te krijgen als jij meehelpt. Verdomme, Will, pak je spullen en help ons! Ga naar Atlanta en Birmingham. Kijk daar rond. Kom dan naar Washington.'

Graham gaf geen antwoord.

Crawford wachtte tot vijf golven het strand overspoeld hadden. Toen stond hij op en slingerde zijn colbert over zijn schouder. 'Laten we er na het eten verder over praten.'

'Blijf hier eten.'

Crawford schudde zijn hoofd. 'Ik kom straks wel terug. Er kunnen bij de Holiday Inn boodschappen voor me binnengekomen zijn. Bovendien moet ik nog een paar telefoontjes plegen. Bedank Molly in ieder geval.'

Crawfords huurauto deed een dunne stofwolk opwaaien, die neersloeg op het struikgewas langs de schelpenweg.

Graham keerde terug naar de tafel. Hij was bang dat hij zich Sugarloaf Key zo zou herinneren: ijs dat in twee theeglazen lag te smelten, papieren servetjes die door de zeebries van de roodhouten tafel werden geblazen en Molly en Willy ver beneden hem op het strand.

Zonsondergang op Sugarloaf, de reigers zwijgen en de rode zon zwelt.

Will Graham en Molly Graham-Foster zaten op een uitgebeten stuk drijfhout, hun gezichten oranje in de zonsondergang, hun ruggen in violetkleurige schaduw.

Ze pakte zijn hand.

'Crawford is bij me langsgekomen in de winkel vóór hij hierheen kwam,' zei ze. 'Hij vroeg hoe hij moest rijden naar ons huis. Ik heb geprobeerd je te bellen. Het zou wel handig zijn als je af en toe de telefoon eens oppakt. Toen we thuiskwamen, zagen we zijn auto staan en zijn we doorgelopen naar het strand.'

'Wat heeft hij je nog meer gevraagd?'

'Hoe het met je ging.'

'En wat heb je gezegd?'

'Ik heb gezegd dat het goed met je gaat en dat hij je verdomme met rust moest laten. Wat wil hij van je?'

'Dat ik bewijsmateriaal bekijk. Ik ben forensisch-deskundige, Molly. Je hebt mijn diploma gezien.'

'Je hebt een scheur in het behang met je diploma afgedekt, dat heb ik gezien, ja.' Ze ging schrijlings op het stuk hout zitten om hem aan te kijken. 'Als je je vroegere leven zou missen – wat je vroeger deed – zou je er volgens mij over praten. Dat doe je nooit. Je bent nu onbevangen, rustig en op je gemak... Dat vind ik heerlijk.'

'We hebben het fijn samen, hè?'

Het kortstondige knipperen met haar ogen vertelde hem dat hij iets beters had moeten zeggen. Voor hij iets wist te bedenken, praatte ze al verder.

'Wat je voor Crawford hebt gedaan, was slecht voor jou. Hij heeft een heleboel anderen tot zijn beschikking. Godbetert de hele overheid vermoedelijk. Waarom kan hij ons niet met rust laten?'

'Heeft Crawford je dat niet verteld?' Hij was mijn superieur tijdens de twee zaken waarvoor ik de FBI-academie verliet om weer het veld in te gaan. Die twee zaken waren de enige die met deze te vergelijken zijn in al die jaren dat Jack dit werk al doet. Nu heeft hij weer zo'n zaak. Een dergelijk type psychopaat is uiterst zeldzaam. Hij weet dat ik... eh... ervaring heb.'

'Ja, die heb je,' zei Molly. Zijn hemd hing open en ze kon het gebogen litteken op zijn maag zien. Het was vingerbreed en verdikt en het werd nooit bruin. Het liep van zijn linkerheupbeen naar beneden en vervolgens omhoog naar zijn ribbenkast aan de andere kant.

Dr. Hannibal Lecter had dat met een stanleymes gedaan. Dit was gebeurd een jaar voor Molly Graham leerde kennen en het had bijna zijn dood betekend. Dr. Lecter, door de sensatiepers 'Hannibal de Kannibaal' genoemd, was de tweede psychopaat die Graham had gevangen.

Toen hij eindelijk uit het ziekenhuis was ontslagen, had Graham de FBI verlaten, was hij uit Washington vertrokken en had hij een baan gevonden als dieselmonteur bij de scheepswerf van Marathon in de Florida Keys. Het was een vak waarin hij was opgegroeid. Hij sliep in een caravan bij de werf tot hij Molly ontmoette en bij haar in haar gezellige, bouwvallige huis ging wonen.

Nu ging hij schrijlings op het stuk drijfhout zitten en pakte haar beide handen vast, terwijl hij haar voeten onder de zijne verborg. 'Goed dan, Molly. Crawford denkt dat ik een speciale neus voor monsters heb. Het is een soort bijgeloof van hem.'

'En denk jij dat ook?'

Graham keek naar drie pelikanen die achter elkaar boven het strand vlogen. 'Molly, een intelligente psychopaat – vooral een sadist – is om diverse redenen moeilijk te vangen. In de eerste plaats is er geen aanwijsbaar motief, dus dat is niet de manier om hem te vinden. Verder heb je meestal geen enkele hulp van informanten. Weet je, bij de meeste arrestaties wordt meer gewerkt met lokvogels dan met speurwerk, maar in een geval als dit zijn er gewoon geen aanwijzingen voor lokvogels. Misschien weet de dader zelf niet eens dat hij doet wat hij doet. Je moet het dus doen met de gegevens die je hebt. Je probeert zijn gedachtegang te reconstrueren. Je probeert een patroon te vinden.'

'En je volgt en vindt hem,' zei Molly. 'Ik ben bang dat als je achter deze maniak – of wat hij dan ook is – aangaat, hij je hetzelfde zal aandoen als de vorige deed. Dat is het. Daar ben ik zo bang voor.'

'Hij zal me nooit te zien krijgen of mijn naam horen, Molly. De politie moet hem oppakken als ze hem kunnen vinden. Niet ik. Crawford verlangt alleen maar een ander gezichtspunt.'

Ze keek hoe de rode zon zich boven de zee uitspreidde. Erboven gloeiden hoge wolken.

Graham hield van de manier waarop ze haar hoofd draaide, waarbij ze hem ongekunsteld haar minst fraaie profiel toonde. Hij zag de kloppende ader in haar hals en herinnerde zich plotseling duidelijk de zoute smaak van haar huid. Hij slikte en zei: 'Wat moet ik verdomme doen?'

'Wat je allang besloten hebt. Als je hier blijft en er worden nog meer mensen vermoord, krijg je misschien een hekel aan deze plek. Je heldencomplex en al die flauwekul. Als het zo is, zou je me niets moeten vragen.'

'En als ik het je wél vroeg, wat zou je dan zeggen?'

'Blijf hier bij mij. Mij. Mij. Mij. En bij Willy. Ik zou hem er met de haren bijslepen, als dat enige zin had. Maar ik veronderstel dat ik mijn tranen moet drogen en je met mijn zakdoek moet nazwaaien. Als het allemaal verkeerd afloopt, heb ik tenminste de voldoening dat je het enige juiste gedaan hebt. Die zal ik dan zo lang smaken als een eresaluut duurt. Daarna kan ik naar huis en één kant van het bed openslaan.'

'Ik zou me op de achtergrond houden.'

'Ja, vast wel. Ik ben egoïstisch, hè?'

'Dat kan me niets schelen.'

'Mij ook niet. Het is hier fijn en veilig. Door wat je vroeger hebt meegemaakt, besef je dat. Waardeer je dat, bedoel ik.'

Hij knikte.

'Ik wil dat niet verliezen. Op geen enkele manier,' zei ze.

'Nee. Dat zal niet gebeuren.'

De duisternis viel snel, laag aan de zuidwestelijke hemel verscheen Jupiter.

Vergezeld door de opkomende halve maan liepen ze terug naar het huis. Ver van het strand sprongen aasvissen voor hun leven.

Na het avondeten kwam Crawford terug. Hij had zijn jasje uitgetrokken, zijn das afgedaan en zijn mouwen nonchalant opgerold. Molly vond Crawfords dikke witte onderarmen weerzinwekkend. Hij deed haar denken aan een akelig verstandige aap. Ze bracht hem zijn koffie onder de ventilator op de veranda en ging bij hem zitten terwijl Graham en Willy de honden gingen voeren. Ze zei niets. Nachtvlinders tikten zachtjes tegen de horren.

'Hij ziet er goed uit, Molly,' zei Crawford. 'Jullie allebei... gezond en bruin.'

'Wat ik ook zeg, je neemt hem toch mee, hè?'

'Ja. Ik moet wel. Ik kan niet anders. Maar ik zweer je, Molly, dat ik hem zal ontzien waar ik maar kan. Hij is veranderd. Het is geweldig dat jullie getrouwd zijn.'

'Het gaat steeds beter met hem. Hij droomt nu niet zo vaak meer. Een tijdlang is hij geobsedeerd geweest door die honden. Nu verzorgt hij ze gewoon; hij praat niet meer de hele tijd over ze. Jij bent zijn vriend, Jack. Waarom kun je hem niet met rust laten?'

'Omdat hij de pech heeft de beste te zijn. Omdat hij niet denkt zoals andere mensen. Op de een of andere manier krijgt de routine geen vat op hem.'

'Hij denkt dat je hem wat aanwijzingen wilt laten nagaan.'

'Dat wil ik ook. Niemand is daar zo goed in als hij. Maar hij heeft bovendien dat andere... verbeeldingskracht, projectievermogen. Noem het wat je wilt. Dat deel ervan vindt hij niet prettig.'

'Dat zou jij ook niet vinden als je het had. Beloof me iets, Jack. Beloof me dat je erop toe zult zien dat hij er niet te nauw bij betrokken raakt. Ik denk dat het zijn dood zal betekenen als hij zou moeten vechten.'

'Hij hoeft niet te vechten. Dat beloof ik je.'

Toen Graham de honden verzorgd had, hielp Molly hem met pakken.

2

Langzaam reed Will Graham langs het huis waar het gezin van Charles Leeds had gewoond en was gestorven. De vensters waren donker. Een buitenlicht brandde. Twee blokken verder parkeerde hij zijn auto, en hij liep terug door de warme avond. In een kartonnen doos droeg hij de verslagen van de politie van Atlanta. Graham had erop gestaan alleen te gaan. Elke andere aanwezige in het huis zou hem afleiden... Dat was de reden die hij Crawford had opgegeven. Maar hij had nog een andere, een persoonlijke reden: hij wist niet goed hoe hij zou reageren. Hij wilde niet dat er voortdurend ogen op hem gericht zouden zijn.

In het lijkenhuis had hij nergens last van gehad. Het twee verdiepingen tellende stenen huis was door een bebost stuk grond van de weg gescheiden. Lange tijd stond Graham onder de bomen naar het huis te kijken. Hij probeerde zijn innerlijk tot bedaren te brengen. In zijn hoofd zwaaide een zilveren slinger duister heen en weer. Hij wachtte tot de slinger stil hing.

Enkele buren reden voorbij, keken steels naar het huis en toen vlug de andere kant op. Een huis waarin gemoord is, is voor de buren verdacht, als het gezicht van iemand die hen verraden heeft. Alleen buitenstaanders en kinderen staren.

De gordijnen waren open, zag Graham opgelucht. Dat betekende dat er geen familieleden binnen waren geweest. Familieleden doen de gordijnen altijd dicht.

Hij liep om het huis heen, waarbij hij zich voorzichtig bewoog en geen zaklantaarn gebruikte. Twee keer bleef hij staan om te luisteren. De politie van Atlanta was van zijn aanwezigheid hier op de hoogte, maar de buren niet. Ze zouden zenuwachtig zijn. Misschien zouden ze schieten.

Hij tuurde door een raam aan de achterkant van het huis en kon langs silhouetten van meubelstukken helemaal door het huis heen kijken, tot het buitenlicht aan de voorkant. Er hing een zware geur van jasmijn in de lucht. Er liep langs bijna de hele achterkant van het huis een veranda. Op de verandadeur zat het zegel van de politie van Atlanta. Graham verwijderde het zegel en ging naar binnen. De deur van de veranda naar de keuken was voorzien van triplex waar de politie het glas eruit had gehaald. Bij het licht van zijn zaklantaarn ontsloot hij de deur met de sleutel die de politie hem had gegeven. Hij wilde de lichten aandoen. Hij wilde zijn glimmende insigne opspelden en wat officiële geluiden maken om zijn aanwezigheid te rechtvaardigen in het stille huis waar vijf mensen waren gestorven. Hij deed niets van dat alles. Hij liep de donkere keuken in en ging aan de ontbijttafel zitten.

Twee controlelampjes op het fornuis gloeiden blauw op in de duisternis. Hij rook boenwas en appels.

De thermostaat klikte en de airconditioning trad in werking. Graham schrok op bij het geluid en voelde een zweem van angst. Angst was hem vertrouwd. Met deze angst wist hij wel raad. Hij was gewoon bang en kon toch doorgaan.

Als hij bang was, kon hij beter zien en horen; hij kon zich minder duidelijk uitdrukken en soms maakte angst hem onhebbelijk. Hier was niemand meer om tegen te spreken, er was niemand meer die hij kon beledigen.

Razernij was dit huis binnengekomen via die deur in deze keuken, zich voortbewegend op schoenmaat vierenveertig. Zittend in de duisternis bespeurde hij de krankzinnigheid zoals een bloedhond een hemd ruikt.

Gedurende het grootste gedeelte van de dag en een deel van de avond had Graham de politierapporten over de Atlanta-moorden bestudeerd. Hij herinnerde zich dat het licht op de wasemkap boven het fornuis had gebrand toen de politie arriveerde. Hij deed het nu aan.

Aan de muur naast het fornuis hingen twee ingelijste merklappen. Op de ene stond: 'Een kus duurt niet eeuwig, koken wel'. Op de andere: 'Onze vrienden komen het liefste naar de keuken; daar voelen ze de hartslag van het huis en koesteren ze zich in haar gezelligheid.'

Graham keek op zijn horloge. Halftwaalf. Volgens de patholoog hadden de moorden plaatsgevonden tussen elf uur 's avonds en één uur 's nachts.

Allereerst was daar het binnendringen. Dat stelde hij zich voor... *De krankzinnige schoof de haak van de hordeur buiten. Hij stond in de duisternis van de veranda en haalde iets uit zijn zak. Een zuignap, misschien van het soort waarmee een puntenslijper op een bureaublad wordt bevestigd.*

Ineengedoken tegen de houten onderkant van de keukendeur bracht de krankzinnige zijn hoofd omhoog om door het glas te gluren. Hij stak zijn tong uit en bevochtigde de zuignap, drukte hem tegen het glas en klikte het hendeltje om, waardoor die op zijn plek werd gehouden. Een kleine glassnijder was met een touwtje aan de zuignap bevestigd, zodat hij een cirkel uit het glas kon snijden.

Zacht gekras van de glassnijder en een flinke tik om het glas te
breken. Eén hand om te tikken, één hand om de zuignap vast te
houden. Het glas mocht niet vallen. Het losgesneden stuk glas is
enigszins eivormig doordat het touw zich rond de zuignap had ge-
wonden toen hij aan het snijden was. Een licht schurend geluid als
hij het stuk glas naar buiten trekt. Het kan hem niets schelen dat
hij speeksel op het glas achterlaat.
Zijn hand in de strakke handschoen kruipt door het gat naar bin-
nen, vindt het slot. De deur gaat geruisloos open. Hij is binnen.
In het licht van de wasemkap kan hij zijn lichaam in deze vreem-
de keuken zien. Het is aangenaam koel in het huis.

Will Graham at twee Rennies. Het gekraak van de wikkeltjes toen
hij die in zijn zak stopte, irriteerde hem. Hij liep door de woonkamer, terwijl hij zijn zaklantaarn gewoontegetrouw een flink eind
voor zich uit hield. Hoewel hij de plattegrond bestudeerd had, ging
hij één keer de verkeerde kant op voor hij de trap vond. De treden kraakten niet.

Nu stond hij in de deuropening van de ouderlijke slaapkamer. Zonder het licht van de zaklantaarn kon hij alles vaag onderscheiden.
Een digitale wekker op een nachtkastje projecteerde de tijd op het
plafond en een oranje nachtlampje brandde boven de plint bij de
badkamer. De koperachtige geur van bloed was sterk.

Ogen die aan de duisternis gewend waren, konden voldoende zien.
De krankzinnige kon meneer Leeds van zijn vrouw onderscheiden.

Hij had voldoende licht om de kamer door te lopen, Leeds bij de
haren te pakken en zijn keel door te snijden. Wat dan? Terug naar
de schakelaar in de muur, een groet voor mevrouw Leeds en vervolgens het schot dat haar buiten gevecht stelde?

Graham deed de lichten aan en bloedspetters schreeuwden hem
toe vanaf de muren, vanaf de matras en de vloer. De hele atmosfeer was bezoedeld met gegil. Hij kromp ineen bij het gekrijs in
deze stille kamer vol met donkere, opgedroogde vlekken.

Graham ging op de vloer zitten tot zijn hoofd weer rustig was. Stil,
stil, wees stil.

De hoeveelheid en de verscheidenheid van de bloedvlekken had
verwarring gesticht onder de rechercheurs van Atlanta die de misdaad probeerden te reconstrueren. Alle slachtoffers waren afge-
slacht in hun bed aangetroffen. Dat was niet te rijmen met de plaatsen waar de bloedvlekken zich bevonden. In het begin dachten ze

dat Charles Leeds in de kamer van zijn dochter was overvallen en dat zijn lichaam naar de ouderlijke slaapkamer was gesleept. Deze lezing moesten ze herzien nadat ze de patronen van de bloedspatten nauwkeuriger onderzocht hadden. De exacte handelingen van de moordenaar waren vooralsnog niet vastgesteld.

Nu, geholpen door het autopsierapport en de laboratoriumverslagen, begon Will Graham een idee te krijgen hoe het gegaan moest zijn. De indringer had Charles Leeds de keel doorgesneden terwijl die naast zijn vrouw lag te slapen, was toen teruggelopen naar de muurschakelaar en had het licht aangedaan... een gladde handschoen had haren en haarvet afkomstig van meneer Leeds' hoofd op de lichtschakelaar achtergelaten. Hij had mevrouw Leeds neergeschoten toen ze overeind kwam, waarna hij naar de kamers van de kinderen was gegaan. Leeds was, ondanks zijn doorgesneden keel uit bed gestrompeld en had geprobeerd de kinderen te beschermen, terwijl het bloed uit de doorgesneden slagader gutste. Hij was weggeduwd, was gevallen en was samen met zijn dochter in haar kamer gestorven.

Een van de twee jongens was in bed doodgeschoten. De andere jongen was eveneens in bed aangetroffen, maar hij had plukken stof in zijn haar. De politie was van mening dat hij onder zijn bed vandaan was gehaald en toen was doodgeschoten.

Toen ze allemaal dood waren – behalve misschien mevrouw Leeds – was het vernielen van de spiegels begonnen, het selecteren van de scherven, waarna de moordenaar zich verder aan mevrouw Leeds had gewijd.

Graham had volledige kopieën van alle autopsieprotocollen bij zich. Hij bekeek dat van mevrouw Leeds. De kogel was rechts van haar navel haar lichaam binnengedrongen en was blijven steken in haar lendewervels, maar wurging was de doodsoorzaak.

De verhoogde hoeveelheid serotonine en vrije histamine in de schotwond wees erop dat ze nadat ze getroffen werd nog minstens vijf minuten had geleefd. Het histaminegehalte was hoger dan het serotoninegehalte, dus had ze niet langer dan vijftien minuten geleefd. De meeste van haar overige verwondingen waren vermoedelijk – maar dat stond niet vast – na het intreden van de dood toegebracht. Als die overige verwondingen inderdaad postmortaal waren, wat had de moordenaar dan gedaan in de tijd dat mevrouw Leeds op haar dood lag te wachten, vroeg Graham zich af.

Zich Leeds van het lijf houden en de anderen vermoorden... alles goed en wel, maar dat zou niet meer dan een minuut in beslag hebben genomen. Het verbrijzelen van de spiegels. Maar wat nog meer? De rechercheurs uit Atlanta hadden hun werk grondig verricht. Onvermoeibaar hadden ze gemeten en gefotografeerd, alles hadden ze uitgekamd en tot in de kleinste hoekjes onderzocht en zelfs de afvoerbuizen hadden ze opengemaakt. Niettemin ging Graham zelf nog eens op onderzoek uit.

Aan de hand van de politiefoto's en de gemarkeerde omtrekken op de matrassen kon Graham zien waar de lichamen waren gevonden. Het bewijs – nitraatsporen op het beddengoed bij de schotwonden – duidde erop dat ze waren gevonden in vrijwel dezelfde posities als waarin ze waren gestorven.

Maar de enorme hoeveelheid bloedvlekken en de grillige glijsporen op het tapijt in de hal bleven onverklaarbaar. Een van de rechercheurs had geopperd dat enkele van de slachtoffers hadden getracht kruipend voor de moordenaar weg te vluchten. Graham geloofde dat niet... de moordenaar had hen kennelijk weggesleept nadat ze dood waren en ze vervolgens teruggesleept naar de plaatsen waar hij hen gedood had.

Wat hij met mevrouw Leeds had gedaan, was duidelijk. Maar hoe zat het met de anderen? Die had hij niet, zoals mevrouw Leeds, verder misvormd. De kinderen hadden allemaal één schotwond in het hoofd. Charles Leeds was, rochelend bloed opgevend, doodgebloed. Het enige wat er verder nog op zijn lichaam te vinden was, was een oppervlakkige afdruk van een band rond zijn borst, die waarschijnlijk na zijn dood ontstaan was. Wat had de moordenaar met hen gedaan nadat hij ze had gedood?

Graham haalde de politiefoto's te voorschijn, evenals de laboratoriumrapporten over de individuele organische en bloedvlekken in de kamer en de standaardreferentietekeningen van bloeddruppelbanen.

Minutieus onderzocht hij de kamers boven, waarbij hij probeerde de verwondingen in verband te brengen met de vlekken en de gebeurtenissen te reconstrueren. Elke spat tekende hij op een schets op schaal van de ouderlijke slaapkamer, waarbij hij gebruik maakte van de standaardreferentietekeningen om de richting en snelheid van de bloedspatten te beoordelen. Op deze manier hoopte hij erachter te komen hoe de lichamen op bepaalde momenten hadden gelegen.

Hier was een krans van drie bloedvlekken die schuin omhoog en rond een hoek van de slaapkamermuur liep. Op het tapijt eronder waren drie vage vlekken te zien. De muur boven het hoofdeinde van het bed, aan de kant van Charles Leeds, vertoonde bloedspetters en er zaten vegen op de plinten. Grahams schets begon zo langzamerhand te lijken op een cijferpuzzel waarin de cijfers waren weggelaten. Hij staarde ernaar, keek de kamer rond en richtte zijn blik vervolgens weer op de schets tot hij er hoofdpijn van kreeg.

Hij ging naar de badkamer en pakte zijn laatste twee aspirientjes, die hij innam met wat water uit de kraan van de wastafel. Hij maakte zijn gezicht nat en droogde het met een slip van zijn shirt af. Water spetterde op de grond. Hij was vergeten dat de afvoer was opengemaakt. Afgezien van de kapotte spiegel en de sporen van het rode poeder voor vingerafdrukken, dat drakenbloed genoemd werd, zag de badkamer er ordelijk uit. Tandenborstels, gezichtscrèmes en een scheerapparaat lagen netjes op hun plaats. De badkamer zag eruit alsof het gezin er nog steeds gebruik van maakte. De panty van mevrouw Leeds hing over het handdoekenrekje, waar ze hem had opgehangen om te drogen. Hij zag dat ze een van de benen had afgeknipt omdat er een ladder in zat; op die manier kon ze twee eenbenige panty's over elkaar aantrekken en zo geld uitsparen. De uitgekiende, huiselijke zuinigheid van mevrouw Leeds trof hem: Molly deed precies hetzelfde.

Graham klom door een raam op het dak van de veranda en ging op de korrelige dakbedekking zitten. Hij sloeg zijn armen om zijn knieën en voelde hoe zijn vochtige shirt kil tegen zijn rug plakte. Hij blies de geur van het bloedbad uit zijn neusgaten.

De lichten van Atlanta gaven de nachtelijke hemel een roestige kleur en de sterren waren nauwelijks zichtbaar. In de Keys zou de nacht helder zijn. Hij had met Molly en Willy naar vallende sterren kunnen kijken, luisterend naar het suizende geluid dat een vallende ster volgens hen moest maken. De Delta Aquariden-meteorenzwerm was op zijn hoogtepunt en Willy was ervoor opgebleven.

Hij huiverde en snoof opnieuw. Hij wilde nu niet aan Molly denken. Dat was smakeloos en bovendien leidde het hem af.

Met dit soort dingen had Graham vaak problemen. Dikwijls waren zijn gedachten niet erg fijntjes. Zijn geest kon geen doeltreffend onderscheid maken. Wat hij zag en ondervond, raakte al het andere dat hij wist. Sommige verbindingen waren moeilijk te verdragen. Maar hij kon ze niet vóór zijn, ze niet blokkeren en terugdringen. Zijn aangeleerde waarden van fatsoen en gepastheid werden verdrongen, geschokt door zijn herinneringen, ontzet in zijn dromen; jammer dat zijn schedeldak geen fort huisvestte voor datgene wat hij beminde. Zijn associaties kwamen met de snelheid van het licht. Zijn waardeoordelen waren te vergelijken met boeiende lectuur. Ze konden nooit zijn gedachten in stand houden en leiden. Hij beschouwde zijn eigen mentaliteit als belachelijk maar nuttig, als een uit een gewei gemaakte stoel. Hij kon er niets aan veranderen.

Graham deed de lichten in het huis van de familie Leeds uit en ging via de keuken naar buiten. Het licht van zijn zaklantaarn bescheen op de veranda aan de achterkant van het huis een fiets en een rieten hondenmand. In de achtertuin stond een hondenhok, met daarvoor een etensbak.

Dit duidde erop dat de familie Leeds in hun slaap verrast werd. Terwijl hij de zaklantaarn tussen kin en borst klemde, maakte hij een notitie: *Jack, waar was de hond?*

Graham reed terug naar zijn hotel. Hoewel er, om halfvijf in de morgen, maar weinig verkeer op de weg was, moest hij zich toch op het rijden concentreren. Hij had nog steeds hoofdpijn en keek uit naar een apotheek die de hele nacht geopend was.

Hij vond er een in Peachtree. Bij de deur zat een nachtwaker te dutten. Een apotheker, wiens witte jas zo smerig was dat zelfs de hoofdroos erop zichtbaar was, verkocht Graham aspirine. Het verblindende licht in de zaak deed pijn. Graham had een hekel aan jonge apothekers. Ze maakten een smerige indruk. Dikwijls waren ze zelfvoldaan en hij vermoedde dat ze thuis niet te genieten waren.

'Verder nog iets?' vroeg de apotheker, met zijn vingers boven de toetsen van de kassa. 'Nou?'

De FBI van Atlanta had een kamer voor hem geboekt in een belachelijk hotel vlak bij het nieuwe Peachtree Center. Het had glazen liften in de vorm van een cocon om hem erop attent te maken dat hij nu in een echte stad was.

Op weg naar boven deelde Graham de lift met twee congresgangers, die naamplaatjes droegen waarop 'Hoi!' stond afgedrukt. Ze hielden zich vast aan de stang langs de wand en keken uit over de lobby terwijl ze naar boven gleden.

'Kijk... daar heb je Wilma,' zei de langste van de twee. 'Allemachtig, wat zou ik die graag eens te grazen nemen!'

'Haar naaien tot ze om genade smeekt,' zei de ander. Angstig en geil, en woede om de angst.

'Zeg... weet je waarom een vrouw benen heeft?'

'Nou?'

'Dan laat ze geen spoor achter als een slak.'

De liftdeuren gingen open.

'Is het hier? Hier is het,' zei de lange. Hij stootte tegen de zijwand aan toen hij de lift uit waggelde.

'De lamme helpt de blinde,' zei de ander.

Graham legde de kartonnen doos op de toilettafel in zijn kamer. Toen pakte hij hem weer op en stopte hem in een lade waar hij hem niet kon zien. Hij had zijn buik vol van de starende doden.

Hij wilde Molly bellen, maar het was nog te vroeg.

Om acht uur 's morgens had hij een bespreking op het hoofdbureau van de politie van Atlanta. Hij zou hun maar weinig kunnen vertellen.

Hij moest maar proberen wat te slapen. Zijn geest was een rumoerig logement vol twistzieke geluiden en ergens verderop in de gang waren ze aan het ruziën. Hij voelde zich als verdoofd en leeg.

Voor hij ging liggen, dronk hij een whisky uit het glas op de wastafel. De duisternis drukte te zwaar op hem. Hij deed het licht in de badkamer aan en ging daarna weer in bed liggen. Hij stelde zich voor dat Molly in de badkamer haar haren stond te borstelen.

Passages uit de autopsierapporten weerklonken in zijn geest met zijn eigen stem, hoewel hij ze nooit hardop gelezen had... 'de feces waren gevormd... een spoor van talkpoeder op het rechteronderbeen. Beschadiging van de binnenste oogkaswand veroorzaakt door het binnendringen van een scherf spiegelglas...'

Graham probeerde te denken aan het strand van Sugarloaf Key, probeerde de golven te horen. Hij haalde zich zijn werkbank voor de geest en dacht na over de veerregelaar voor de waterklok die hij en Willy aan het bouwen waren. Hij neuriede 'Whiskey River' en probeerde zich in gedachten 'Black Mountain Rag' van het begin tot het eind te herinneren. Molly's muziek. Het gitaargedeelte van Doc Watson ging goed, maar op het moment dat de viool inviel, raakte hij altijd de draad kwijt. In de achtertuin had Molly geprobeerd hem de klompendans te leren en ze sprong in het rond... en eindelijk viel hij in slaap.

Nog geen uur later werd hij stijf en zwetend wakker. Tegen het licht vanuit de badkamer zag hij het kussen naast zich en daar lag mevrouw Leeds, aan stukken gescheurd en gebeten, met glazige ogen en bloed dat als de poten van een bril langs haar slapen en oren liep. Hij kon zijn hoofd niet draaien om haar aan te kijken. Zijn hersens krijsten als een rookmelder en hij stak zijn hand uit en voelde droog beddengoed.

Door het stellen van die daad voelde hij zich onmiddellijk enigszins opgelucht. Met bonkend hart stond hij op en trok een droog shirt aan. Het natte gooide hij in de badkuip. Hij kon zich er niet toe brengen op de droge helft van het bed te gaan liggen. In plaats daarvan legde hij een handdoek op de plaats waar hij had liggen zweten en ging daarop liggen, steunend tegen het houten hoofdeinde met een stevige borrel in zijn hand. Hij sloeg een derde ervan achterover.

Hij probeerde ergens aan te denken, onverschillig waaraan. Ten slotte dacht hij aan de apotheek waar hij de aspirine had gekocht; misschien omdat het zijn enige ervaring die dag was die geen verband hield met de dood.

Hij kon zich van vroeger drogisterijen herinneren met fristapinstallaties. Als jongen hadden die oude drogisterijen iets stiekems voor hem gehad. Als je er naar binnen ging, dacht je er altijd over om condooms te kopen. Of je die nodig had of niet. Op de planken lagen dingen waarnaar je niet al te lang mocht kijken.

In de apotheek waar hij de aspirine had gekocht, lagen de voorbehoedsmiddelen met hun geïllustreerde verpakkingen op een opvallende plaats achter de kassa, tentoongesteld als kunstvoorwerpen.

Hij gaf de voorkeur aan de drogisterijen uit zijn kinderjaren. Graham was bijna veertig en het gevoel van de wereld van toen begon aan hem te trekken, als een groot anker dat in een zware storm achter hem aansleepte.

Hij dacht aan Smoot. Ouwe Smoot had de fristap bediend en was als bedrijfsleider in dienst van de eigenaar van de plaatselijke drugstore toen Graham nog een kind was. Smoot, die tijdens zijn werk dronk, vergat het zonnescherm naar beneden te doen waardoor het plastic in de etalage smolt. Smoot vergat de koffiemachine uit te schakelen, waardoor de brandweer moest uitrukken. Smoot verkocht ijsjes aan kinderen op de pof.

Zijn grootste vergrijp was het bestellen van vijftig poppen van een vertegenwoordiger, terwijl de eigenaar met vakantie was. Toen deze terugkeerde, stuurde hij Smoot voor een week de laan uit. Daarna hielden ze een poppenverkoop. De vijftig poppen werden in een halve cirkel in de etalage gezet, zodat ze iedereen die naar binnen keek aanstaarden.

Ze hadden grote ogen, korenbloemblauw. Het was een boeiend gezicht en Graham had er lang naar staan kijken. Hij wist dat het maar poppen waren, maar hij voelde hun aandacht op zich gericht. Al die ogen die hem aanstaarden. Veel mensen bleven staan om naar de poppen te kijken. Gipsen poppen, allemaal met hetzelfde dwaze spuuglokje... toch was zijn gezicht onder hun geconcentreerde blik gaan gloeien.

Graham begon zich op het bed wat te ontspannen. Starende poppen! Hij nam een slok, hield zijn adem in en verslikte zich meteen. Hij tastte naar het bedlampje en pakte de kartonnen doos uit de lade. Hij haalde de autopsierapporten van de drie kinderen Leeds en zijn schets van de ouderlijke slaapkamer te voorschijn en spreidde alles op het bed uit.

Daar waren de drie bloedvlekken die langs de muur omhoog en de hoek om gingen en daar de corresponderende vlekken op het tapijt. Daar waren de afmetingen van de drie kinderen. Broertje, zusje, grote broer. Gelijk. Gelijk. Gelijk.

Ze hadden naast elkaar tegen de muur gezeten, met hun gezichten naar het bed. Een publiek. Een dood publiek. En Leeds. Rond zijn borst vastgebonden tegen het hoofdeinde van het bed. Zodanig dat hij rechtop zat. Dat bleek uit de afdruk van de band rond zijn borst en de vlek op de muur boven het hoofdeinde.

Waar hadden ze naar gekeken? Nergens naar. Ze waren allemaal dood. Maar hun ogen waren open. Ze keken naar een voorstelling, met in de hoofdrollen de krankzinnige en het lichaam van mevrouw Leeds, naast meneer Leeds in het bed. Een publiek. De gek kon zich tot hun gezichten wenden.

Graham vroeg zich af of hij een kaars had aangestoken. Het flik-

kerende licht zou uitdrukking op hun gezicht gesimuleerd hebben. Er was geen kaars gevonden. Misschien zou hij de volgende keer op dat idee komen...
Deze eerste kleine link tot de moordenaar jeukte en prikte als een bloedzuiger. Graham beet in het laken en dacht na.
Waarom heb je hen nog eens verplaatst? Waarom heb je ze daar niet laten zitten? vroeg Graham zich af. *Er is iets met je wat je voor me wilt verbergen. Iets waarvoor je je schaamt. Of is het soms iets wat ik beslist niet te weten mag komen?*
Heb je hun ogen geopend?
Mevrouw Leeds was mooi, hè? Je deed het licht aan nadat je zijn keel had doorgesneden, zodat mevrouw Leeds hem kon zien vallen, hè? Het was afschuwelijk om handschoenen te moeten dragen toen je haar aanraakte, hè?
Er zat talkpoeder op haar been.
Er stond geen talkpoeder in de badkamer.
Het leek net of iemand anders die twee feiten op vlakke toon uitsprak.
Je hebt je handschoenen uitgetrokken, hè? Het poeder kwam uit een rubber handschoen toen je die uittrok om haar aan te raken, NIETWAAR? SMEERLAP? Je hebt haar met je blote handen aangeraakt en daarna heb je je handschoenen weer aangetrokken en haar afgeveegd.
Maar HEB JE HUN OGEN GEOPEND toen je je handschoenen uit had?
Jack Crawford beantwoordde de telefoon toen die voor de vijfde keer overging. Al vele malen was hij 's nachts door de telefoon gestoord. Hij was dan ook niet verrast.
'Jack, met Will.'
'Ja, Will.'
'Houdt Price zich nog steeds met verborgen vingerafdrukken bezig?'
'Ja. Hij gaat er niet veel meer op uit. Doet alleen nog maar vingerafdrukken.'
'Ik vind dat hij naar Atlanta moet komen.'
'Waarom? Je zei zelf dat de man die ze hier hebben goed is.'
'Hij is ook goed, maar niet zo goed als Price.'
'Wat moet hij doen? Waar moet hij naar kijken?'
'De vinger- en teennagels van mevrouw Leeds. Ze zijn gelakt, het

is een glad oppervlak. En de hoornvliezen van al hun ogen. Ik vermoed dat hij zijn handschoenen uit heeft gedaan, Jack.'
'Jezus, dan mag Price wel opschieten,' zei Crawford. 'Vanmiddag is de begrafenis.'

3

'Volgens mij moest hij haar aanraken,' zei Graham als begroeting. Crawford overhandigde hem een bekertje Cola uit het apparaat dat op het hoofdbureau van politie stond. Het was tien voor acht 's morgens.
'Ja, hij heeft met haar rondgezeuld,' zei Crawford. 'Op haar polsen en achter haar knieën waren afdrukken van zijn greep te zien. Maar allemaal van niet-poreuze handschoenen. Geen zorgen: Price is hier. Die ouwe brompot. Hij is op dit moment op weg naar het begrafenisgebouw. Het lijkenhuis heeft de lichamen vannacht vrijgegeven, maar de begrafenisonderneming doet nog niets. Je ziet er verwilderd uit. Heb je wel wat geslapen?'
'Een uurtje misschien. Ik geloof dat hij haar met zijn blote handen moest aanraken.'
'Ik hoop dat je gelijk hebt, maar het lab in Atlanta zweert dat hij de hele tijd latex handschoenen heeft gedragen,' zei Crawford. 'De scherven van de spiegel vertoonden van die gladde afdrukken. Op de achterkant van de scherf die hij tussen de schaamlippen had geduwd, zat een afdruk van de wijsvinger, op de voorkant een smoezelige afdruk van de duim,' zei Graham.
'Die heeft hij schoongeveegd nadat hij die had geplaatst, zodat hij zijn ellendige tronie erin kon zien, vermoed ik,' zei Graham.
'De scherf in haar mond zat onder het bloed. Hetzelfde geldt voor de ogen. Hij heeft geen enkele keer zijn handschoenen uitgedaan.'
'Mevrouw Leeds was een knappe vrouw,' zei Graham. 'Je hebt de familiefoto's toch gezien? Tijdens een intiem samenzijn zou ik haar huid willen aanraken. Jij niet?'
'*Intiem?*' De afkeer klonk door in Crawfords stem. Plotseling zocht hij drukdoenerig in zijn zakken naar kleingeld.
'Intiem... Ze hadden alle privacy. De anderen waren dood. Hij had

hun ogen kunnen openen of sluiten, net wat hij maar wilde.'
'En hoe hij het maar wilde,' zei Crawford. 'Natuurlijk hebben ze haar huid op vingerafdrukken onderzocht. Niets. In haar hals hebben ze de afdruk van een hand gevonden.'
'Het rapport zei niets over zoeken naar vingerafdrukken op de nagels.'
'Ik denk dat haar vingernagels besmeurd waren toen ze de uitstrijkjes namen. Het materiaal onder haar nagels was afkomstig van haar eigen handpalmen. Ze heeft hem nergens gekrabd.'
'Ze had mooie voeten,' zei Graham.
'Mmmm. Laten we naar boven gaan,' zei Crawford. 'De troepen staan op het punt zich te verzamelen.'

Jimmy Price had heel wat uitrusting bij zich – twee zware koffers plus zijn cameratas en statief. Met veel gestommel betrad hij het Lombard Uitvaartcentrum in Atlanta. Hij was een tengere oude man en zijn humeur was er na de lange taxirit vanaf het vliegveld tijdens de ochtendspits niet beter op geworden.
Een overgedienstige jongeman met een modieus kapsel bracht hem haastig naar een in abrikoos- en roomtinten aangekleed kantoor. Het bureau was leeg, behalve voor een sculptuur dat *De biddende handen* voorstelde.
Price stond de vingertoppen van de biddende handen te bestuderen toen meneer Lombard binnenkwam. Uiterst nauwkeurig controleerde Lombard de introductiepapieren van Price.
'Uw kantoor of agentschap of hoe het ook heet in Atlanta heeft me natuurlijk gebeld, meneer Price. Maar gisteravond hebben we een onaangenaam heerschap door de politie moeten laten verwijderen omdat hij probeerde foto's te maken voor de *National Tattler*. Daarom ben ik extra voorzichtig. U zult dat vast wel begrijpen. Meneer Price, de lichamen werden ons pas om één uur vanmorgen ter beschikking gesteld en de begrafenis is vanmiddag om vijf uur. We kunnen die eenvoudig niet uitstellen.'
'Dit zal niet zoveel tijd in beslag nemen,' zei Price. 'Ik heb één redelijk begaafde assistent nodig. Heeft u die? En heeft u de lichamen aangeraakt, meneer Lombard?'
'Nee.'
'Ga na wie dat wel heeft gedaan. Ik zal van allemaal de vingerafdrukken moeten nemen.'

De instructiebijeenkomst van rechercheurs die aan de zaak Leeds werkten, ging hoofdzakelijk over tanden.

Hoofdinspecteur te Atlanta R.J. (Buddy) Springfield, een forse man in hemdsmouwen, stond bij de deur met dr. Dominic Princi toen de drieëntwintig detectives binnenkwamen.

'Oké, jongens, trek even een grote grijns als jullie langslopen,' zei Springfield. 'Laat dr. Princi je tanden zien. Goed zo, leg je hele gebit maar bloot. Jezus, Sparks, is dat je tong of probeer je een eekhoorn door te slikken? Vooruit, doorlopen.'

Op het prikbord, dat vooraan in het instructielokaal stond, was een grote frontale afbeelding van een gebit geprikt. Het deed Graham denken aan de celluloid strook met gedrukte tanden in een tot gezicht gesneden holle pompoen. Hij en Crawford gingen achter in het vertrek zitten, terwijl de rechercheurs achter lessenaars plaatsnamen.

Hoofdcommissaris van de veiligheidsdienst van Atlanta, Gilbert Lewis, en zijn persagent zaten naast hen op klapstoelen. Lewis had over een uur een persconferentie.

Hoofdinspecteur Springfield nam de leiding.

'Nou dan. Genoeg gegrijnsd. Als jullie vanmorgen een beetje hebben opgelet, hebben jullie kunnen constateren dat we niets zijn opgeschoten. We zullen het huis-aan-huisonderzoek voortzetten in een straal van vier extra blokken rond het bewuste huis. De researchafdeling heeft ons twee ambtenaren geleend om te helpen bij het nalopen van vliegtuigreserveringen en autoverhuur in Birmingham en Atlanta. Luchthaven en hotels staan vandaag opnieuw op het programma. Jazeker, vandaag weer. Ondervraag elk kamermeisje en iedere bediende alsmede het administratief personeel. Hij heeft zich ergens moeten wassen en misschien heeft hij wat rommel achtergelaten. Als je iemand vindt die abnormale troep heeft moeten opruimen, werk dan onverschillig wie uit de kamer, verzegel het vertrek en neem als de bliksem contact op met de wasserij. Deze keer kunnen we jullie iets geven om de mensen te laten zien. Dr. Princi?'

Dr. Dominic Princi, eerste lijkschouwer van Fulton County, liep naar voren en ging onder de afbeelding van het gebit staan. Hij hield een model van een gebit omhoog.

'Heren, zo ziet het gebit van het sujet er ongeveer uit. Het Smithsonian in Washington heeft het gereconstrueerd aan de hand van de tandafdrukken op mevrouw Leeds en een duidelijke hap uit een stuk kaas uit de koelkast van de familie Leeds,' zei Princi. 'Zoals u kunt zien, zijn de laterale snijtanden geboord – deze tanden, hier en hier.' Princi wees het aan op het model in zijn hand en vervolgens op de afbeelding boven hem. 'De tanden staan scheef en deze centrale snijtand mist een hoek. De andere snijtand is gegroefd – hier. Het ziet eruit als een "kleermakerssnee", slijtage die optreedt door het doorbijten van garen.'

'Een schoft met een paardenbek,' mompelde iemand.

'Hoe weet u dat het de dader was die een stuk uit de kaas heeft gehapt, doc?' vroeg een lange detective op de voorste rij.

Princi hield er niet van 'doc' genoemd te worden, maar hij slikte het deze keer.

'Het speeksel op de kaas en de bijtwonden kwam overeen met de bloedgroep,' zei hij. 'De gebitten en bloedgroepen van de slachtoffers zijn anders.'

'Mooi zo, dokter,' zei Springfield. 'We zullen foto's van het gebit laten rondgaan.'

'Geven we die ook aan de pers?' vroeg public-relationsman Simpkins. 'Laten we in de kranten zoiets plaatsen als: "Heeft u dit gebit weleens gezien?"'

'Wat mij betreft is daar geen bezwaar tegen,' zei Springfield. 'Wat vindt u daarvan, commissaris?'

Lewis knikte instemmend.

Simpkins was nog niet klaar. 'Dr. Princi, de pers zal vragen waarom het vier dagen in beslag nam om tot deze afbeelding van het gebit te komen. En waarom het allemaal in Washington moest gebeuren.'

Crawford bestudeerde het knopje van zijn balpen.

Princi werd rood, maar zijn stem bleef rustig. 'Bijtsporen op vlees worden vervormd als een lichaam wordt verplaatst, meneer Simpson...'

'Simpkins.'

'Simpkins dan. We konden dit model niet alleen aan de hand van de bijtafdrukken op het slachtoffer vervaardigen. Daarom is de kaas zo belangrijk. Kaas is betrekkelijk stevig, maar het is moeilijk afdrukken daaruit over te nemen. Het moet eerst ingevet worden om het vocht uit het gietsel te houden. Meestal kun je maar één poging wagen. Het Smithsonian heeft zoiets al eerder gedaan voor het misdaadlab van de FBI. Ze zijn beter uitgerust om een aangezichtsregistratie te maken en ze hebben een anatomische articulator. Zij beschikken over een consulterend gerechtelijke tandarts. Wij niet. Verder nog iets?'

'Zou het correct zijn te stellen dat de vertraging werd veroorzaakt door de FBI en niet hier?'

Princi keerde zich naar hem toe. 'Wat correct zou zijn, meneer Simpkins, is te zeggen dat speciaal agent Crawford van de FBI de kaas in de koelkast heeft gevonden twee dagen nadat uw mensen het huis hadden onderzocht. Op mijn verzoek heeft hij vaart gezet achter het labonderzoek. Het zou correct zijn te zeggen dat ik blij ben dat niet een van uw mensen een hap uit dat vervloekte ding genomen heeft.'

Commissaris Lewis kwam tussenbeide. Zijn zware stem dreunde door het instructievertrek. 'Niemand trekt uw oordeel in twijfel, dokter Princi. Simpkins, het laatste wat we nu kunnen gebruiken is gekibbel met de FBI. Vooruit, laten we verder gaan.'

'We werken allemaal aan dezelfde zaak,' zei Springfield. 'Jack, hebben jullie er nog iets aan toe te voegen?'

Crawford nam het woord. De gezichten tegenover hem waren niet bepaald vriendelijk. Daar moest hij iets aan doen.

'Ik wil graag de lucht een beetje opklaren. Jaren geleden heerste er heel wat rivaliteit over wie er met de eer ging strijken. Beide partijen, federaal en lokaal, hielden informatie voor elkaar achter. Hierdoor ontstond een gat waardoor de misdadiger kon ontsnappen. Dat is op dit moment niet de politiek van de FBI, noch van mij. Het kan mij geen barst schelen wie de eer krijgt toegezwaaid. Datzelfde geldt voor rechercheur Graham. Hij zit daar achterin, voor het geval niet iedereen hem mocht kennen. Als de vent die dit gedaan heeft door een vuilniswagen zou worden overreden, is dat mij best... zolang het hem maar van de straat houdt. Ik neem aan dat u er net zo over denkt.'

Crawford liet zijn blik over de rechercheurs gaan en hoopte dat ze door zijn woorden waren getroffen. Hij hoopte dat ze niet op eigen houtje aan het werk zouden gaan.

Commissaris Lewis richtte het woord tot hem. 'Heeft rechercheur Graham al vaker aan een dergelijke zaak gewerkt?'

'Ja, commissaris.'

'Kunt u er nog iets aan toevoegen, meneer Graham? Hebt u nog een suggestie?'

Crawford keek Graham vragend aan.

'Wilt u naar voren komen?' vroeg Springfield.

Graham wenste dat hij de kans had gekregen Springfield onder vier ogen te spreken. Hij wilde niet naar voren komen. Toch ging hij. Verfomfaaid en door de zon geblakerd zag Graham er niet bepaald als een FBI-agent uit. Springfield vond dat hij er eerder uitzag als een huisschilder die een pak had aangetrokken om voor het gerecht te verschijnen. De rechercheurs schoven van de ene bil op de andere. Toen Graham zijn gezicht naar zijn toehoorders wendde, schitterden zijn felblauwe ogen in zijn gebruinde gezicht.

'Een paar dingen maar,' zei hij. 'We kunnen niet zomaar aannemen dat hij een ex-psychiatrische patiënt is of iemand met een strafblad op het gebied van seksuele misdrijven. Hoogstwaarschijnlijk heeft hij helemaal geen strafblad. Is dat wel het geval, dan zal dat eerder op het gebied van inbraak en insluiping liggen dan op dat van zedendelicten.

Het is mogelijk dat hij al vaker van zijn tanden gebruik heeft gemaakt bij lichtere vergrijpen – caféruzies of kindermishandeling. Het personeel van de poliklinieken en van de kinderbescherming zal ons op dat gebied het beste behulpzaam kunnen zijn. Iedere ernstige bijtwond die ze zich kunnen herinneren, is de moeite van het onderzoeken waard, ongeacht wie het slachtoffer was of hoe het volgens hen gebeurd was. Meer heb ik niet te zeggen.'

De lange rechercheur op de voorste rij stak zijn hand op en vroeg op hetzelfde moment: 'Maar tot nu toe heeft hij alleen vrouwen gebeten, nietwaar?'

'Voor zover we nu weten wel. Maar dat deed hij dan ook grondig. Mevrouw Leeds had zes ernstige bijtwonden en mevrouw Jacobi acht. Dat is meer dan gemiddeld.'

'Wat is gemiddeld?'

'Bij een seksuele moord drie. Hij bijt graag.'

'Vrouwen.'

'Bij seksuele misdrijven vertoont de bijtplek in het midden meestal een vurige plek, een zuigplek. Dat is bij deze niet het geval. Dr. Princi vermeldde het al in zijn autopsierapport en ik heb het zelf in het lijkenhuis gezien. Geen zuigplekken. Misschien is bijten voor hem net zoiets als een seksuele handeling.'

'Dat kan ik me nauwelijks voorstellen,' zei de rechercheur.

'Toch is het de moeite waard het na te gaan,' zei Graham. 'Dat geldt voor elke bijtwond. Mensen vertellen niet altijd de ware toedracht. Ouders van een kind dat gebeten is, zullen een dier daarvan de schuld geven en het kind tegen hondsdolheid laten inenten om te verhullen dat ze een bijter in de familie hebben... Jullie hebben dat allemaal weleens meegemaakt. Het is de moeite waard om in de ziekenhuizen navraag te doen wie ze tegen hondsdolheid hebben laten inenten. Dat is alles.' De spieren van Grahams dijbenen trilden toen hij ging zitten.

'Het loont de moeite navraag te doen. Dat zullen we dan ook doen,' zei hoofdinspecteur Springfield. 'Welnu... de Veiligheidsdienst werkt met Inbraak de buurt af. Zoek uit hoe dat met die hond zit. De gegevens en foto's vinden jullie in het dossier. Ga na of iemand een vreemde met de hond gezien heeft. Zedendelicten en Narcotica gaan de homobars en de leernichtententen af nadat jullie met je gewone werk klaar zijn. Marcus en Whitman... jullie gaan naar de begrafenis. Hebben jullie familieleden, vrienden van het gezin ingeschakeld om hun ogen open te houden? Mooi zo. En de fotograaf? Goed. Lever het gastenboek van de begrafenis in bij de researchafdeling. Dat van Birmingham hebben ze al. De overige instructies staan op het prikbord. Aan de slag.'

'Nog één ding,' zei commissaris Lewis. De rechercheurs gingen weer zitten. 'Ik heb sommige agenten over de moordenaar horen praten als over de "tandenfee". Het kan me niet schelen hoe jullie hem onder elkaar noemen, want ik begrijp best dat jullie hem een naam moeten geven. Maar laat ik niet horen dat enige politieman hem in het openbaar aanduidt met "tandenfee". Het klinkt ongepast. In interne memoranda zullen jullie die naam evenmin gebruiken.

Dat was het.'

Crawford en Graham volgden Springfield naar diens kantoor. De hoofdinspecteur liet koffie voor hen komen terwijl Crawford zich in verbinding stelde met de centrale en snel zijn boodschappen noteerde.

'Toen je hier gisteren arriveerde, was ik niet in de gelegenheid met je te praten,' zei Springfield tegen Graham. 'Het was hier verdomme net een gekkenhuis. Je heet Will, hè? Hebben de jongens je alles gegeven wat je nodig had?'

'Ja, ze waren geweldig.'

'We hebben geen barst en dat weten we maar al te goed,' zei Springfield. 'O, aan de hand van de voetafdrukken in het bloemperk hebben we een looppatroon ontwikkeld. Hij heeft modderige grond gemeden, zodat we niet meer dan zijn schoenmaat en misschien zijn lengte te weten kunnen komen. De afdruk van de linkervoet is iets dieper, dus misschien droeg hij iets. Het is een lastige klus. Toch hebben we een aantal jaren geleden aan de hand van zo'n looppatroon een inbreker kunnen pakken. Hij had de ziekte van Parkinson. Dat heeft Princi ontdekt. Deze keer hebben we geen geluk.'

'Je hebt bekwame mensen onder je,' zei Graham.

'Dat is zo. Maar dit geval ligt eigenlijk buiten ons gebruikelijke werkterrein. Gelukkig maar. Zeg eens eerlijk... werken jullie – jij en Jack en dr. Bloom – altijd samen of alleen in dit soort zaken?'

'Alleen in dit soort zaken,' zei Graham.

'Een soort reünie dus. De commissaris vertelde dat jullie drie jaar geleden Lecter in zijn kraag wisten te grijpen.'

'Samen met de politie van Maryland,' zei Graham. 'De staatspolitie van Maryland heeft hem gearresteerd.'

Springfield was een drammer, maar hij was niet dom. Hij zag dat Graham zich onbehaaglijk voelde. Hij wendde zich af en pakte wat aantekeningen.

'Je vroeg naar de hond. Hier zijn de notities. Gisteravond belde een dierenarts met de broer van Leeds. De hond was bij hem. Leeds en zijn oudste zoon hadden hem 's middags voor ze vermoord werden bij hem gebracht. Het dier had een wond in de buik. De dierenarts heeft hem geopereerd en de hond maakt het goed. Aanvankelijk dacht hij dat het een schotwond was, maar hij kon geen kogel vinden. Hij vermoedt dat de hond met een priem of zoiets gestoken is. We doen navraag bij de buren of ze iemand met de hond hebben zien spelen en we bellen vandaag de plaatselijke dierenartsen op om te vragen of er bij hen nog dieren met ernstige verwondingen zijn binnengebracht.'

'Droeg de hond een halsband waarop de naam Leeds stond?'

'Nee.'

'Hadden de Jacobi's in Birmingham een hond?' vroeg Graham.

'Dat zijn we aan het uitzoeken,' zei Springfield. 'Wacht even.' Hij draaide een intern nummer. 'Inspecteur Flatt is onze verbindingsman met Birmingham... ja, Flatt. Weet je al iets over een hond bij de Jacobi's? Ja... juist ja. Een ogenblik.' Hij legde zijn hand over het mondstuk van de hoorn. 'Geen hond. In de badkamer op de benedenverdieping vonden ze een kattenbak. Geen spoor van een kat. De buren kijken naar het dier uit.'

'Kun je Birmingham vragen of ze in de tuin en achter alle bijgebouwen willen zoeken?' vroeg Graham. 'Als de kat gewond was, hebben de kinderen het dier misschien niet op tijd gevonden en hebben ze het begraven. Je weet hoe katten zich gedragen. Ze zoeken een schuilplaats om te sterven. Honden komen naar huis. En wil je ook vragen of het een halsband draagt?'

'Zeg maar dat we een methaansonde zullen sturen als ze die nodig hebben,' zei Crawford. 'Dat bespaart een hoop graafwerk.' Springfield gaf een en ander door. Nauwelijks had hij opgehangen of de telefoon ging over. Het gesprek was voor Jack Crawford. Het was Jimmy Price in het Lombard Uitvaartcentrum. Crawford nam het gesprek aan op het andere toestel.

'Jack, ik heb een deel van een vingerafdruk gevonden, vermoedelijk van een duim, en een stukje van een handpalm.'

'Jimmy, als ik jou toch niet had!'

'Als je dat maar weet. Die gedeeltelijke afdruk is smoezelig. Als ik terug ben, zal ik zien wat ik ermee kan doen. Hij zat op het linkeroog van de oudste jongen. Ik heb dit nooit eerder gedaan. Ik zou het nooit ontdekt hebben, maar hij tekende zich af tegen het weefselversterf rond de schotwond.'

'Kun je er een identificatie uit halen?'

'Dat is maar de vraag, Jack. Als hij voorkomt op jullie lijst van vingerafdrukken, misschien wel. Maar jij weet net zo goed als ik dat zoiets zoeken naar een speld in een hooiberg is. De palm vond ik op de nagel van mevrouw Leeds' linker grote teen. Kan alleen dienen als vergelijkingsmateriaal. We mogen van geluk spreken als we er zes aanknopingspunten uithalen. De assistent Special Agent in Command (SAC) heeft als getuige getekend, evenals Lombard. Die is notaris. Ik heb ter plaatse foto's genomen. Volstaat dat?'

'En de eliminatie-afdrukken van het personeel van het uitvaartcentrum?'

'Ik heb vingerafdrukken genomen van Lombard en al de zijnen, of ze haar volgens eigen zeggen wel of niet aangeraakt hebben. Ze staan nu al mopperend hun handen schoon te boenen. Laat me naar huis gaan, Jack. Ik wil de foto's in mijn eigen donkere kamer ontwikkelen. Wie weet wat er hier in het water zit – schildpadden? – wie zal het zeggen? Ik kan binnen een uur het vliegtuig naar Washington halen en de afdrukken vroeg in de middag naar je toe faxen.'

Crawford dacht even na. 'Oké, Jimmy, maar zet er vaart achter. Kopieën naar Atlanta en Birmingham en het hoofdbureau.'

'Komt voor elkaar. En dan moet ik nog iets van je hebben.'

Crawford sloeg zijn ogen op naar het plafond. 'Je gaat toch niet zaniken over een onkostenvergoeding, hè?'

'Precies.'

'Vooruit maar, Jimmy, vandaag is het beste nog niet goed genoeg voor je.'

Graham staarde naar buiten terwijl Crawford hem over de afdrukken vertelde.

'Dat is allemachtig merkwaardig,' was alles wat Springfield zei. Grahams gezicht was uitdrukkingsloos, gesloten als het gezicht van iemand die levenslang uitzit, dacht Springfield. Hij keek Graham na toen deze het vertrek verliet.

De persconferentie van de commissaris van de veiligheidsdienst in de foyer was juist afgelopen toen Crawford en Graham Springfields kantoor verlieten. De krantenreporters liepen naar de telefoons. Televisieverslaggevers stonden eenzaam voor hun camera's en stelden de beste vragen die ze tijdens de persconferentie hadden gehoord, waarna ze hun microfoons in het luchtledige ophielden voor een antwoord, dat later aan de hand van een film van de commissaris zou worden ingelast.

Crawford en Graham wilden juist de trap voor het gebouw aflopen, toen een kleine man ze voorbijschoot, zich met een ruk omdraaide en een foto nam. Zijn gezicht kwam vanachter de camera te voorschijn.

'Will Graham!' zei hij. 'Ken je me nog? Freddy Lounds? Ik heb de zaak Lecter verslagen voor de *Tattler*.'

'Ja, dat weet ik nog,' zei Graham. Hij en Crawford liepen door, terwijl Lounds schuin voor hen bleef lopen.

'Wanneer hebben ze jou erbij gehaald, Will? Wat heb je ontdekt?'

'Tegen jou zeg ik niets, Lounds.'

'Wat heeft deze vent gemeen met Lecter? Heeft hij ze...'

'Lounds.' Grahams stem klonk scherp en Crawford ging snel voor

hem staan. 'Lounds, je schrijft leugenachtige rotzooi en de *National Tattler* is uitschot. Blijf uit mijn buurt!'
Crawford greep Grahams arm. 'Wegwezen, Lounds. Opgesodemieterd! Will, laten we een hapje gaan eten. Kom mee, Will.' Snel verdwenen ze om de hoek.
'Sorry, Jack. Ik kan die schoft niet uitstaan. Toen ik in het ziekenhuis lag, is hij binnengekomen en...'
'Ik weet het,' zei Crawford. 'Ik heb hem er toen uitgegooid. Hij vroeg erom.' Crawford herinnerde zich de foto in de *National Tattler* aan het slot van de zaak Lecter. Lounds was de ziekenhuiskamer binnengekomen terwijl Graham lag te slapen. Hij had het laken teruggeslagen en een foto van Grahams tijdelijke stoma genomen. De krant had de foto afgedrukt met een zwarte band over Grahams kruis. De kop luidde 'Gek ontweit agent'.
Het restaurant was helder en schoon. Grahams handen trilden en hij morste koffie op zijn schoteltje. Hij zag dat een paartje achter hen last had van de rook van Crawfords sigaret. Het stel at zwijgend door, hun wrevel hing in de verontreinigde lucht.
Aan een tafeltje bij de deur zaten twee vrouwen, kennelijk moeder en dochter, met elkaar te kibbelen. Ze spraken met gedempte stemmen, de boosheid maakte hun gezichten lelijk. Graham kon hun woede in zijn gezicht en hals voelen.
Crawford klaagde over het feit dat hij de volgende ochtend bij een proces in Washington moest getuigen. Hij was bang dat het proces hem een aantal dagen zou opeisen. Terwijl hij een nieuwe sigaret opstak, keek hij over de vlam naar Grahams handen en de kleur van zijn gezicht.
'Atlanta en Birmingham kunnen de duimafdruk vergelijken met die van bij hen bekende zedendelinquenten,' zei Crawford. 'Wij kunnen hetzelfde doen. En Price heeft al eerder een afzonderlijke afdruk uit de dossiers gehaald. Hij zal de FINDER ermee programmeren... die is sinds jouw vertrek heel wat verbeterd.'
De FINDER, de geautomatiseerde vingerafdruklezer en verwerkingseenheid van de FBI, zou de duimafdruk misschien herkennen op een ingevoerde vingerafdrukkaart van een of andere zaak die met de onderhavige geen verband hield.
'Als we hem pakken, zullen die afdruk en zijn tanden hem verraden,' zei Crawford. 'We moeten er in ieder geval achter zien te komen wat hij zou kunnen zijn. We moeten in eerste instantie niets

uitsluiten. Help me eens een beetje. Laten we eens aannemen dat we een reële verdachte hebben. Jij komt binnen en ziet hem. Wat zie je aan hem waarover je je niet verbaast?'

'Dat weet ik niet, Jack. Verdomme, hij heeft voor mij geen gezicht. We zouden tijden bezig zijn als we op zoek gaan naar mensen die we zelf hebben bedacht. Heb je met Bloom gesproken?'

'Gisteravond door de telefoon. Bloom betwijfelt of hij zelfmoordneigingen heeft. En Heimlich ook. Bloom is hier alleen de eerste dag een paar uur geweest, maar hij en Heimlich hebben het hele dossier. Bloom examineert deze week doctoraalkandidaten. Ik moest je de groeten van hem doen. Heb je zijn nummer in Chicago?'

'Ja.'

Graham mocht dr. Alan Bloom, een kleine, ronde man met treurige ogen, een gerechtelijke psychiater van de bovenste plank. Graham waardeerde het dat dr. Bloom nooit beroepsmatige belangstelling voor hem aan de dag had gelegd. Dat was bij psychiaters lang niet altijd het geval.

'Bloom zegt dat het hem niets zou verbazen als we bericht van de tandenfee zouden ontvangen. Misschien schrijft hij ons wel een brief,' zei Crawford.

'Op een muur in een slaapkamer.'

'Volgens Bloom is hij wellicht misvormd of meent hij dat te zijn. Hij waarschuwde me daar geen al te grote waarde aan te hechten. "Ik zou geen stroman inzetten om op te jagen, Jack," zei hij tegen me. "Dat zou maar verwarring kunnen stichten en een averechtse uitwerking kunnen hebben." Naar verluidt hebben ze hem op de universiteit geleerd zich op die manier uit te drukken.'

'Hij heeft gelijk,' zei Graham.

'Jij moet iets over hem weten, anders zou je nooit die vingerafdruk gevonden hebben,' zei Crawford.

'Dat kwam door de sporen op die muur, Jack. Het is niet mijn verdienste. Hoor eens, je moet niet al te veel van mij verwachten, begrepen?'

'O, we krijgen hem wel. Jij weet dat we hem krijgen. Waar of niet?'

'Ik weet het. Op de een of andere manier.'

'Wat is één manier?'

'Dat we bewijzen vinden die we over het hoofd gezien hebben.'

'En de andere?'

'Dat hij het telkens weer blijft doen, tot hij op een nacht te veel lawaai maakt bij het binnendringen van het huis en de echtgenoot op tijd een wapen weet te pakken.'

'Geen andere mogelijkheden?'

'Denk je soms dat ik hem temidden van een heleboel mensen zomaar zal aanwijzen? Nee, zo werkt dat niet. De tandenfee zal blijven toeslaan tot we een helder ogenblik krijgen of stom geluk hebben. Hij zal niet ophouden.'

'Waarom niet?'

'Omdat hij er oprecht plezier in heeft.'

'Zie je wel? Je weet toch wel iets over hem,' zei Crawford.

Graham zei niets meer tot ze buiten stonden. 'Wacht tot de volgende vollemaan,' deelde hij Crawford mee. 'Vertel me dan nog eens hoeveel ik over hem weet.'

Graham ging terug naar zijn hotel en sliep tweeëneenhalf uur. Rond het middaguur werd hij wakker, nam een douche en bestelde een pot koffie en een broodje. Het werd tijd om het dossier Jacobi uit Birmingham eens grondig te bestuderen. Met hotelzeep poetste hij de glazen van zijn leesbril schoon, waarna hij met het dossier bij het raam ging zitten. Gedurende de eerste minuten keek hij bij ieder geluid op... voetstappen op de gang, het verre bonzen van de liftdeur. Daarna bestond alleen nog het dossier.

De ober met het dienblad klopte aan en wachtte, klopte nog eens aan en wachtte. Ten slotte zette hij de lunch op de grond voor de deur neer en tekende zelf de rekening af.

4

Hoyt Lewis, meteropnemer van de elektriciteitsmaatschappij van Georgia, parkeerde zijn dienstauto onder een grote boom in het laantje, pakte zijn lunchtrommel en leunde achterover. Er was niets meer aan om zijn lunchtrommel open te maken nu hij die zelf klaarmaakte. Er zaten geen kattebelletjes meer in, geen verrassingen.

Hij had zijn boterham voor de helft op toen een luide stem bij zijn oor hem overeind deed springen.

'Deze maand heb ik zeker voor zo'n duizend dollar aan elektriciteit verbruikt, hè?'

Lewis draaide zijn hoofd en keek door het portierraampje in het rode gezicht van H.G. Parsons. Parsons droeg een bermudashort en had een bezem in zijn handen.

'Wat zei u?'

'Ik zei dat je wel zult beweren dat ik deze maand duizend dollar aan elektriciteit verbruikt heb. Ben ik zo duidelijk genoeg?'

'Ik weet niet wat u verbruikt heeft, want ik heb uw meter nog niet afgelezen, meneer Parsons. Zodra ik dat gedaan heb, zal ik de stand op dit stukje papier noteren.'

Parsons was woedend over zijn hoge rekeningen. Hij had bij de elektriciteitsmaatschappij geklaagd dat hij naar verhouding te veel betaalde.

'Ik houd zelf bij wat ik verbruik,' zei Parsons. 'En reken maar dat ik er ook mee naar de ombudsman ga.'

'Wilt u dat we de meter samen aflezen? Kom op, dan doen we dat nu meteen en...'

'Ik weet echt wel hoe ik een meter moet aflezen. Jij zou het vast ook kunnen als het je niet te veel moeite was.'

'Wacht eens even, Parsons.' Lewis stapte uit zijn wagen. 'Let op je woorden, verdomme. Vorig jaar heb je een magneet onder je meter geplaatst. Je vrouw zei dat je in het ziekenhuis lag, dus heb ik die gewoon weggehaald en er niets van gezegd. Toen je er afgelopen winter stroop in had gegoten, heb ik dat gemeld. Ik heb gezien dat je gewoon hebt betaald toen we je de rekening hebben gestuurd.

Je rekening is omhooggegaan nadat je zelf met de elektrische bedrading in de weer bent geweest. Ik heb het je al zo vaak gezegd: er is iets in dat huis dat stroom vreet. Heb je al een elektricien in de arm genomen om dat uit te zoeken? Nee. In plaats daarvan bel je het kantoor en maak je mij zwart. Ik heb meer dan genoeg van je gesar!' Lewis zag spierwit van woede.

'Ik ga door tot het bittere einde,' zei Parsons, terwijl hij terugliep naar zijn tuin. 'Ze houden je in de gaten, meneer Lewis. Pas nog zag ik iemand die jouw route aan het controleren was,' zei hij over het hek. 'Binnenkort zul je net als ieder ander aan het werk moeten.'

Lewis startte zijn wagen en reed verder. Nu zou hij een ander plekje moeten zoeken om zijn brood op te eten. Jammer. Jarenlang was de grote schaduwrijke boom een prettig lunchplekje geweest. Het was pal achter het huis van Charles Leeds.

Om halfzes 's middags reed Hoyt Lewis in zijn eigen auto naar de Cloud Nine Lounge, waar hij een paar borrels nam om zijn geest te ontspannen.

Toen hij zijn ex belde, was het enige wat hij kon bedenken: 'Ik wou dat je nog steeds mijn lunch klaarmaakte.'

'Dat had je eerder moeten bedenken, meneer Grapjas,' zei ze en toen hing ze op.

Hij speelde een somber partijtje sjoelen met een paar onderhoudsmonteurs en een expeditieknecht van de Georgia elektriciteitsmaatschappij en keek naar de aanwezigen. Die verrekte luchthavenbeambten kwamen nu ook al naar de Cloud Nine. Ze droegen allemaal hetzelfde snorretje en een ring om de pink. Nog even en ze zouden zo'n stom Engels dartboard ophangen. Je kon nergens meer van op aan.

'Hé, Hoyt, een partijtje om een fles bier?' Het was zijn baas, Billy Meeks.

'Zeg, Billy, ik moet je spreken.'

'Wat is er aan de hand?'

'Je kent toch die ouwe zak, Parsons, die telkens aan de telefoon hangt?'

'Ja, hij belde me de afgelopen week nog op,' zei Meeks. 'Wat is er met hem?'

'Hij beweerde dat iemand mijn route aan het controleren is. Alsof ik mijn rondes niet zou maken. Je denkt toch niet dat ik thuis de meters lees, hè?'

'Natuurlijk niet.'

'Meen je dat? Ik bedoel, als ik bij iemand op de zwarte lijst sta, wil ik dat hij me dat recht in mijn gezicht zegt.'

'Als jij op mijn zwarte lijst stond, denk je dan dat ik het je niet zou durven zeggen?'

'Nee.'

'Akkoord. Als iemand jouw route zou controleren, zou ik het weten. Als je baas kan het niet anders dan dat ik dat te weten zou komen. Niemand controleert jou, Hoyt. Je moet je niks van Parsons aantrekken. Hij is gewoon een oude, chagrijnige vent. Hij belde me de afgelopen week en zei: "Gefeliciteerd dat je die Hoyt Lewis eindelijk in de smiezen hebt." Ik heb hem maar laten kletsen.'

'Konden we hem de politie maar op z'n dak sturen over die meter,' zei Lewis. 'Vandaag zat ik rustig onder een boom mijn lunch te eten, toen hij plotseling voor m'n neus stond. Hij moet eens een flinke trap onder zijn kont hebben!'

'Toen ik die route had, ging ik daar ook altijd zitten,' zei Meeks. 'Jongen, toen heb ik toch een keer mevrouw Leeds gezien... ach, eigenlijk is het niet bepaald netjes om daarover te praten nu ze dood is... maar nou ja, ik zag haar een paar keer terwijl ze in de achtertuin in haar bikini lag te zonnen. Goddomme! Wat een figuurtje! Verschrikkelijk wat die mensen overkomen is. Ze was een aardige vrouw.'

'Hebben ze al iemand gearresteerd?'

'Nee.'

'Jammer dat hij de Leeds heeft gepakt terwijl die ouwe Parsons vlakbij voor het grijpen was.'

'Ik kan je wel zeggen dat ik niet wil hebben dat mijn vrouw in haar badpak in de tuin gaat liggen. Zij zegt: "Ach malle, wie kan mij hier nou zien?" Toen zei ik dat je maar nooit kon weten welke krankzinnige viezerik er over de heg kon springen met zijn zakie uit zijn broek. Is de politie nog bij je geweest? Hebben ze je nog gevraagd of je iemand hebt gezien?'

'Ja. Ik geloof dat ze iedereen die hier in de buurt een route heeft, hebben ondervraagd. Postbodes, iedereen. Maar ik heb de hele week in Laurelwood aan de andere kant van Betty Jane Drive gewerkt tot vandaag.' Lewis plukte aan het etiket op zijn bierflesje.

'Dus Parsons heeft je de afgelopen week gebeld?'

'Ja.'

'Dan moet hij iemand hebben gezien die zijn meter stond af te lezen. Hij zou je niet hebben gebeld als hij dat alleen maar had verzonnen om mij er vandaag mee te pesten. Jij zegt dat je niemand hebt gestuurd en mij kan hij beslist niet hebben gezien.'

'Misschien was het iemand van het telefoonbedrijf.'

'Dat zou kunnen.'

'Maar zij bestrijken toch een heel ander gebied?'

'Vind je dat ik de politie moet bellen?'

'Kwaad kan het niet,' zei Meeks.

'Nee. En misschien zou het voor Parsons weleens goed zijn om met de politie te praten. Hij zal het in ieder geval in zijn broek doen als hij ze ziet aankomen!'

5

Aan het einde van de middag ging Graham terug naar het huis van de familie Leeds. Hij ging door de voordeur naar binnen en probeerde de chaos die de moordenaar had achtergelaten te negeren. Tot nu toe had hij alleen dossiers, een bloederige vloer en de gemangelde lijken gezien... alles achteraf. Hij had een heleboel gegevens over de wijze waarop ze gestorven waren. Vandaag wilde hij erachter zien te komen hoe ze hadden geleefd. Een inspectie dus. In de garage stonden een mooie speedboot, vaak gebruikt en goed onderhouden, en een stationcar. Ook waren er golfclubs en een fiets. Het elektrische gereedschap was vrijwel niet gebruikt. De speeltjes van een volwassen man.

Graham pakte een club uit de golftas en produceerde moeizaam een schokkerige zwaai. Toen hij de tas weer tegen de muur zette, rook hij een geur van leer. De spulletjes van Charles Leeds.

Graham volgde Charles Leeds door het huis. Zijn jachttaferelen hingen in zijn kamer. Zijn verzameling klassieken stond op een rij in de boekenkast. Jaarboeken van Sewanee College. Op de boekenplanken H. Allen Smith en Perelman en Max Shulman. Vonnegut en Evelyn Waugh. C.S. Forresters *Beat to Quarters* lag opengeslagen op een tafel.

In de kast een geweer voor kleiduivenschieten, een Nikon-camera, een Bolex super-8 filmcamera en projector.

Graham, die bijna niets anders bezat dan de allernoodzakelijkste visuitrusting, een derdehands Volkswagen en twee dozen Montrachet, werd overspoeld door een licht gevoel van verbittering bij het zien van dit alles en vroeg zich af waarom.

Wie was Leeds? Een succesvolle advocaat, lid van het footballteam van Sewanee, een lange man die graag lachte, een man die met doorgesneden keel opstond en vocht.

Graham volgde hem door het hele huis uit een vreemd gevoel van schuld. Hem eerst te leren kennen was een manier om toestemming te vragen zich met zijn vrouw bezig te houden.

Graham voelde dat zij degene was door wie het monster was aangetrokken, zo zeker als een tjirpende krekel de dood over zich afroept als een roofvlieg in de buurt is... Mevrouw Leeds dus.

Boven had ze een kleine kleedkamer. Graham slaagde erin deze te bereiken zonder een blik in de slaapkamer te werpen. Het vertrek was geel en zag er, uitgezonderd de kapotte spiegel boven de toilettafel, ordelijk uit. Op de grond voor de kast stond een paar mocassins alsof ze daar net was uitgestapt. Haar peignoir leek ze zo op het haakje te hebben gegooid en de kast vertoonde de lichte chaos van een vrouw die nog vele andere kasten heeft bij te houden.

Het dagboek van mevrouw Leeds lag in een paars fluwelen doosje op de toilettafel. De sleutel was met een controlelabel van de politie op het deksel geplakt.

Graham ging op een rank wit stoeltje zitten en sloeg het dagboek op een willekeurige bladzijde open:

Dinsdag, 23 december. Bij mama thuis. De kinderen slapen nog. Toen mama de serre van glas liet voorzien, vond ik die verandering aan het huis vreselijk. Maar het is toch erg prettig en ik kan hier lekker warm naar de sneeuw zitten kijken. Hoe vaak kan ze met Kerstmis nog een huis vol kleinkinderen hebben? Heel vaak, hoop ik.

Het was gisteren een vermoeiende rit vanaf Atlanta naar hier. Vanaf Raleigh heeft het gesneeuwd. We moesten stapvoets rijden. En ik was toch al zo moe van alle voorbereidingen. Voorbij Chapel Hill stopte Charlie de wagen en stapte uit. Hij brak wat ijspegels van een tak om een martini voor me klaar te maken. Hij liep terug naar de wagen, waarbij hij zijn lange benen hoog moest optillen in de sneeuw; er zat ook sneeuw in zijn haar en op zijn wimpers. Op dat moment bedacht ik hoeveel ik van hem hou. Het was een gevoel alsof je iets even openbreekt, het doet even pijn, maar dan verspreidt het warmte.

Ik hoop dat de parka hem past. Als hij me die afschuwelijke ring geeft, besterf ik het. Ik zou Madelyn wel ik weet niet wat kunnen doen dat ze hem de hare heeft laten zien. Vier belachelijk grote diamanten in de kleur van smoezelig ijs. Het ijs van ijspegels is zo helder. De zon scheen door de ramen van de auto en waar de platte kant van de ijspegel boven het glas uitstak, vormde zich een klein prisma. Het veroorzaakte een rood met groene vlek op mijn hand die het glas vasthield. Ik kon de kleuren op mijn hand voelen.

Hij vroeg me wat ik voor Kerstmis wilde hebben en ik zette mijn handen aan zijn oor en fluisterde: 'Jouw grote stijve zo diep mogelijk in me, suffie!'

De kale plek op zijn achterhoofd werd rood. Hij is altijd bang dat de kinderen het zullen horen. Mannen hebben geen enkel vertrouwen in gefluister.

De bladzijde was besmeurd met sigarenas van de rechercheurs. Graham las verder terwijl het geleidelijk donkerder werd. Hij las over de tonsillectomie van de dochter en de schrik in juni, toen mevrouw Leeds een klein bultje in haar borst ontdekte. (*Lieve God, de kinderen zijn nog zo klein!*)

Drie bladzijden verder bleek het bultje een kleine, goedaardige cyste te zijn, die gemakkelijk verwijderd kon worden.

Ik mocht vanmiddag van dr. Janovich naar huis. Toen we het ziekenhuis verlieten, reden we naar het meer. Daar waren we lange tijd niet geweest. Op de een of andere manier is daar nooit tijd genoeg voor. Charlie had twee flessen gekoelde champagne bij zich die we allebei leegdronken. Terwijl de zon onderging, voerden we de eenden. Hij stond een tijdje aan de rand van het water met zijn rug naar me toe en ik geloof dat hij een beetje huilde.

Susan zei dat ze bang was dat we met nog een broertje voor haar uit het ziekenhuis thuiskwamen. Thuis!

Graham hoorde de telefoon in de slaapkamer overgaan. Er klonk een klik en het gezoem van een antwoordapparaat. 'Hallo, dit is Valerie Leeds. Tot mijn spijt kan ik op het moment niet de telefoon oppakken, maar als u na het zoemertje uw naam en telefoonnummer inspreekt, bellen we u zo snel mogelijk terug. Dank u.'

Graham verwachtte half na de korte fluittoon de stem van Crawford te horen, maar hij hoorde alleen de kiestoon. De beller had opgehangen.

Hij had haar stem gehoord en nu wilde hij haar zien. Hij ging naar beneden.

In zijn zak had hij een spoel van een super-8 film, die toebehoorde aan Charles Leeds. Drie weken voor zijn dood had Leeds de film achtergelaten bij een drogist, die hem voor ontwikkeling had opgestuurd. Hij had de film nooit opgehaald. De politie vond het ontvangstbewijsje in Leeds' portefeuille en haalde de film bij de drogist op. Rechercheurs bekeken de film, samen met gezinsfoto's die tegelijkertijd ontwikkeld waren, maar ze vonden niets dat de moeite waard was.

Graham wilde de Leeds levend zien. De rechercheurs op het politiebureau hadden Graham hun projector aangeboden, maar hij wilde de film in het huis bekijken. Met tegenzin lieten ze hem tekenen voor ontvangst.

Graham vond het scherm en de projector in een kast, stelde ze op en ging in de grote leren armstoel van Charles Leeds zitten kijken. Hij voelde iets kleverigs op de leuning onder zijn handpalm – de plakkerige vingerafdrukken van een kind, nu vol pluisjes. Grahams hand rook naar zuurtjes.

Het was een leuke familiefilm zonder geluid, fantasierijker dan de meeste soortgelijke filmpjes. Het begon met een hond, een grijze Schotse terriër, die op het vloerkleed lag te slapen. Even werd de hond gestoord door de filmopname en hij tilde zijn kop op om naar de camera te kijken. Toen ging hij weer slapen. Een trillende shot op de nog steeds slapende hond. Toen spitste de terriër zijn oren. Hij sprong blaffend op en de camera volgde hem naar de keuken, waar hij kwispelstaartend voor de deur bleef staan.

Graham beet op zijn onderlip en wachtte eveneens. Op het scherm ging de deur open en mevrouw Leeds kwam binnen met een tas vol boodschappen. Ze knipperde met haar ogen en lachte verrast, terwijl ze haar vrije hand naar haar verwarde haren bracht. Haar lippen bewogen toen ze uit het beeld liep en achter haar kwamen de kinderen binnen, eveneens met boodschappen in de handen. Het meisje was zes, de jongens acht en tien. De jongste zoon, kennelijk een veteraan voor de camera, wees op zijn oren en bewoog ze heen en weer. De positie van de camera was vrij hoog. Volgens het rapport van de lijkschouwer was Leeds één meter negentig lang. Graham vermoedde dat dit deel van de film vroeg in het voorjaar was opgenomen. De kinderen droegen windjacks en mevrouw Leeds zag er nog bleekjes uit. In het lijkenhuis was ze gebruind en tekende de witte huid waar haar bikini had gezeten zich duidelijk tegen het bruin af.

Er volgden korte scènes van de jongens die in het souterrain een partijtje tafeltennis speelden en van het meisje, Susan, dat in haar kamer een cadeautje aan het inpakken was, waarbij het puntje van haar tong in opperste concentratie uit haar mond stak en een piek haar over haar voorhoofd viel. Met haar mollige handje streek ze het haar naar achteren, zoals haar moeder dat in de keuken had gedaan.

Een volgende scène toonde Susan in een bad vol zeepschuim, rond-kruipend als een kikkertje. Ze droeg een grote badmuts. De positie van de camera was nu lager en het beeld trilde een beetje. Kennelijk was een van de jongens aan het filmen. De scène eindigde met haar geluidloze kreet in de richting van de camera, terwijl ze haar zesjarige borst bedekte waarbij de badmuts over haar ogen zakte.

In de volgende opnamen had Leeds zijn vrouw in de douche verrast. Het douchegordijn bewoog heen en weer als het doek voor de aanvang van een toneelvoorstelling van een lagere school. De arm van mevrouw Leeds kwam van achter het gordijn te voorschijn. Haar hand hield een grote badspons vast. Vlokken zeepsop bedekten de lens en de opnamen waren afgelopen.

De film eindigde met een shot van Norman Vincent Peale, die op de beeldbuis van de televisie te zien was en een opname van een snurkende Charles Leeds in de stoel waarin Graham nu zat.

Graham staarde naar het lege lichtvlak op het scherm. Hij mocht de familie Leeds wel. Het speet hem dat hij naar het lijkenhuis had gemoeten. Hij dacht dat de krankzinnige die hen had bezocht hen waarschijnlijk ook wel had gemogen. Al bevielen ze de krankzinnige zoals ze nu waren ongetwijfeld nog beter.

Graham had een dof en leeg gevoel in zijn hoofd. Hij trok baantjes in het zwembad van zijn hotel tot hij niet meer kon en toen hij uit het water kwam, kon hij maar aan twee dingen denken: een Tanqueray-martini en de smaak van Molly's lippen.

Hij maakte de cocktail zelf klaar in een plastic glas en belde toen Molly op.

'Hallo, stuk van me.'

'Hoi, schat! Waar ben je nu?'

'In dat klerehotel in Atlanta.'

'Gaat alles goed?'

'Niet om over naar huis te schrijven. Ik voel me eenzaam.'

'Ik ook.'

'Geil.'

'Ik ook.'

'Vertel eens wat.'

'Nou, vandaag had ik een meningsverschil met mevrouw Holper. Ze wilde een jurk terugbrengen waarop een grote whiskyvlek zat. Kennelijk had ze het ding naar een of andere party aangetrokken.'

'En wat zei jij?'

'Dat ik de jurk zo niet aan haar verkocht had.'

'En wat zei zij toen?'

'Dat ze nog nooit eerder problemen had gehad met het terugbrengen van een kledingstuk, wat een van de redenen was dat ze liever bij mij kocht dan ergens anders.'

'En wat zei jij?'

'O, ik zei dat ik de pest in had omdat Will onzin kletst door de telefoon.'

'Juist.'

'Met Willy gaat het goed. Hij heeft zich ontfermd over een paar schildpadeieren die de honden hebben opgegraven. En wat voer jij zoal uit?'

'Rapporten lezen. Klef voedsel eten.'

'En veel nadenken, zeker?'

'Klopt.'

'Kan ik je helpen?'

'Ik heb nog geen enkel houvast, Molly. Er zijn te weinig gegevens. Nou ja, er zijn wel veel gegevens, maar ik heb er nog niet voldoende mee kunnen doen.'

'Blijf je een tijdje in Atlanta? Dat is geen hint dat je naar huis moet komen, hoor. Het is zomaar een vraag.'

'Ik weet het niet. Ik zal hier op z'n minst nog een paar dagen moeten blijven. Ik mis je.'

'Heb je zin om over vrijen te praten?'

'Ik geloof niet dat ik dat kan verdragen. Ik denk dat we dat beter niet kunnen doen.'

'Wat doen?'

'Over vrijen praten.'

'Oké. Maar je vindt het toch niet erg als ik er wel aan denk?'

'Absoluut niet.'

'We hebben een nieuwe hond.'
'O, verdraaid!'
'Hij ziet eruit als een kruising tussen een basset en een pekinees.'
'Leuk.'
'Hij heeft grote ballen.'
'Maak je niet druk om zijn ballen.'
'Ze slepen bijna over de grond. Als hij rent, moet hij ze intrekken.'
'Dat kan hij niet.'
'Ja, dat kan hij wel. Wat weet jij daar nou van?'
'Alles.'
'Kun jij de jouwe intrekken?'
'Als ik het niet dacht.'
'Nou?'
'Als je het met alle geweld wilt weten... ik heb ze één keer inge-
trokken.'
'Wanneer was dat?'
'Toen ik jong was. Ik moest met een bloedgang over een hek met
prikkeldraad klimmen.'
'Waarom?'
'Ik had een watermeloen bij me die ik niet had gekweekt.'
'Was je op de vlucht? Voor wie?'
'Voor een boer uit de buurt. Hij had zijn honden horen aanslaan
en kwam in zijn ondergoed met een jachtgeweer naar buiten. Ge-
lukkig struikelde hij over de stokken van de sperziebonen, waar-
door ik een flinke voorsprong kon opbouwen.'
'Heeft hij op je geschoten?'
'Op dat moment dacht ik van wel, ja. Maar de knallen die ik hoor-
de zouden ook weleens door mijn achterste geproduceerd kunnen
zijn. Daar ben ik eigenlijk nooit helemaal achter gekomen.'
'Wist je over het hek te klimmen?'
'Razendsnel.'
'Een criminele geest, zelfs op die leeftijd al.'
'Ik heb geen criminele geest.'
'Natuurlijk niet. Ik denk erover om de keuken te gaan schilderen.
Welke kleur vind jij mooi? Will? Welke kleur vind jij mooi? Ben
je daar nog?'
'Ja... eh... geel. Laten we hem geel verven.'
'Ik vind geel niet zo geweldig. Dan zie ik groen aan het ontbijt.'
'Blauw dan.'

'Blauw is kil.'

'Wel verdomme, schilder hem voor mijn part dan poepbruin...
Nee, luister. Waarschijnlijk ben ik tegen die tijd allang thuis. Dan
gaan we samen naar de verfwinkel en zoeken daar wat staaltjes
uit. Oké? En misschien ook nog wat nieuwe deurknoppen en zo'.
'Ja, laten we dat doen. Ik weet niet waarom ik hierover begon.
Weet je, ik hou van je en ik mis je en je doet het juiste. Ik weet
dat het voor jou ook niet meevalt. Ik ben hier en ik zal hier zijn
als je thuiskomt. Of anders kom ik naar je toe, wanneer en waar
je maar wilt. Zo. Nu ben ik het kwijt.'
'Lieve Molly. Mijn lieve Molly. Ga nu maar slapen.'
'Goed.'
'Welterusten.' Graham lag met zijn handen achter zijn hoofd en
haalde zich de maaltijden met Molly voor de geest. Krab en toast,
de zilte bries vermengd met de wijn.

Maar hij kon het nou eenmaal niet laten om gesprekken te ont-
rafelen en hij begon dat ook nu te doen. Hij had haar afgesnauwd
na een onschuldige opmerking over zijn 'criminele geest'. Belachelijk.

Graham vond Molly's belangstelling voor hem hoogst onverklaarbaar.

Hij belde het hoofdbureau van politie en liet een boodschap achter voor Springfield, dat hij 's morgens wilde helpen met het onderzoek. Er was niets anders te doen.

De gin in de martini hielp hem in slaap te komen.

6

Dunne doorslagen van de notities over alle telefoontjes met betrekking tot de zaak Leeds waren op het bureau van Buddy Springfield gelegd. Toen Springfield dinsdagmorgen om zeven uur zijn
kantoor betrad, waren het er drieënzestig. De bovenste was van
een rood vlaggetje voorzien.

Er stond op dat de politie van Birmingham een kat had gevonden,
die in een schoenendoos achter de garage van de Jacobi's begraven was. De kat had een bloem tussen de poten en was in een thee-

doek gewikkeld. Op het deksel stond, in een kinderlijk handschrift, de naam van de kat geschreven. Het dier droeg geen halsband. Het deksel werd op zijn plaats gehouden door een touw, dat met een oudewijvenknoop was vastgemaakt. De lijkschouwer van Birmingham zei dat de kat was gewurgd. Hij had het dier geschoren en geen steekwond gevonden.

Springfield tikte met de poot van zijn bril tegen zijn tanden. Ze hadden omwoelde aarde gevonden en waren daar gewoon met een schop gaan graven. Niks methaansonde. Maar mooi dat Graham gelijk had gekregen.

De hoofdinspecteur maakte zijn duim nat en begon de rest van de doorslagen door te bladeren. De meeste waren meldingen van verdachte voertuigen in de directe omgeving gedurende de afgelopen week, vage beschrijvingen waarbij alleen het merk van de auto of de kleur gegeven werd. Vier woningen in Atlanta hadden anonieme telefoontjes gehad met de bedreiging: 'Ik ga met jullie hetzelfde doen als met de familie Leeds.' Het rapport van Hoyt Lewis bevond zich halverwege de stapel papieren. Springfield belde de dienstdoende wachtcommandant. 'Hoe zit het met het rapport van die meteropnemer over die Parsons? Nummer 48.'

'We hebben vannacht bij het elektriciteitsbedrijf geprobeerd na te gaan of ze iemand in die wijk hadden,' antwoordde de commandant. 'We zullen vanmorgen wel van ze horen.'

'Laat iemand ze nu meteen bellen,' zei Springfield. 'Informeer bij de vuilophaaldienst, de gemeentesecretaris, doe navraag naar bouwvergunningen in het laantje en bel me dan op mijn autotelefoon.'

Hij draaide het nummer van Will Graham. 'Will? Zorg dat je over tien minuten voor je hotel staat. We gaan een ritje maken.'

Om kwart voor acht parkeerde Springfield zijn wagen aan het einde van het laantje. Hij en Graham liepen naast elkaar over wielsporen in het grind. Zelfs op dit vroege uur was de zon al warm. 'Je moet een hoed kopen,' zei Springfield. Hij had zijn eigen strooien hoed schuin over zijn ogen getrokken.

Het ijzeren hek aan de achterkant van het huis van Leeds was begroeid met klimop. Bij de elektriciteitsmeter bleven ze staan. 'Als hij hier langs is gekomen, heeft hij de hele achterkant van het huis kunnen zien,' zei Springfield.

In amper vijf dagen had het perceel van de familie Leeds een verwaarloosd aanzien gekregen. Het grasveld was niet langer glad en onkruid groeide boven het gras uit. Takjes waren op het terras gevallen. Graham wilde ze oprapen. Het huis leek te slapen, de ramen voor de veranda vertoonden strepen en vlekken in de langwerpige schaduwen van de bomen. Terwijl hij daar met Springfield in het laantje stond, zag Graham zichzelf door een van de ramen naar binnen gluren en de deur van de veranda opendoen. Vreemd, de reconstructie van het binnendringen van de moordenaar leek nu, in het daglicht, ongrijpbaar voor hem. Hij keek naar een kinderschommel die zachtjes heen en weer zwaaide in de wind.

'Dat kon Parsons weleens zijn,' zei Springfield.

H.G. Parsons was al vroeg buiten; hij stond twee huizen verder in zijn achtertuin in een bloemperk te spitten. Springfield en Graham gingen naar het hek van Parsons' tuin en bleven bij zijn vuilnisbakken staan. De deksels waren aan het hek vastgemaakt. Springfield mat de hoogte van de elektriciteitsmeter met een centimeter.

Hij had gegevens van alle buren van de familie Leeds. Deze gegevens vertelden hem dat Parsons op verzoek van zijn chef bij de posterijen met vervroegd pensioen was gegaan. De chef had gezegd dat Parsons 'in toenemende mate verstrooid' was geworden. Springfields informatie bevatte ook roddelpraat. De buren zeiden dat Parsons' vrouw meestal bij haar zuster in Macon verbleef en dat zijn zoon nooit meer iets van zich liet horen.

'Meneer Parsons!' riep Springfield. 'Meneer Parsons!'

Parsons zette zijn schop tegen het huis en liep naar het hek. Hij droeg sandalen en witte sokken. De tenen van zijn sokken waren besmeurd met modder en gras. Zijn gezicht had een doorschijnend roze kleur.

Aderverkalking, dacht Graham. Hij heeft net zijn pil geslikt.

'Ja?'

'Meneer Parsons, kunnen we u heel even spreken? We hoopten dat u ons zou kunnen helpen,' zei Springfield.

'Bent u van de elektriciteitsmaatschappij?'

'Nee, ik ben Buddy Springfield van de politie.'

'Dan gaat het zeker over die moord. Ik heb de agent al gezegd dat mijn vrouw en ik in Macon waren...'

'Dat weet ik, meneer Parsons. We wilden u graag iets vragen over uw elektriciteitsmeter. Heeft...'

'Als die... meteropnemer heeft gezegd dat ik iets verkeerds gedaan heb, dan...'

'Nee, nee. Meneer Parsons, heeft u vorige week gezien dat iemand anders uw meter opnam?'

'Nee.'

'Weet u dat zeker? Ik meen dat u Hoyt Lewis had verteld dat iemand anders zijn route volgde en ook de meters opnam.'

'Dat klopt. En het werd tijd ook. Ik hou het bij en het nutsbedrijf krijgt een volledig verslag van me.'

'Ja, meneer Parsons. Ik ben ervan overtuigd dat ze er nota van zullen nemen. Wie heeft uw meter opgenomen?'

'Het was geen onbevoegde. Het was iemand van de Georgia elektriciteitsmaatschappij.'

'Hoe weet u dat?'

'Nou, hij zag eruit als een meteropnemer.'

'Wat had hij aan?'

'Wat ze allemaal dragen, denk ik. Wat is het voor iets? Een bruine overall en een pet.'

'Hebt u zijn gezicht gezien?'

'Dat weet ik niet meer. Ik keek toevallig uit het keukenraam toen ik hem zag. Ik had met hem willen praten, maar ik moest eerst nog mijn badjas aantrekken en tegen de tijd dat ik buitenkwam, was hij verdwenen.'

'Reed hij in een dienstauto?'

'Ik kan me niet herinneren er een gezien te hebben. Wat is er aan de hand? Waarom wilt u dat weten?'

'We trekken iedereen na die de afgelopen week in deze buurt is geweest. Het is echt belangrijk, meneer Parsons. Denk nog eens goed na.'

'Het gaat dus over de moordenaar. U heeft nog niemand gearresteerd, hè?'

'Nee.'

'Vannacht heb ik naar buiten zitten kijken en er verliepen wel *vijftien* minuten zonder dat er een politieauto langskwam. Vreselijk wat er met de familie Leeds is gebeurd. Mijn vrouw was helemaal overstuur. Ik vraag me af wie hun huis zal kopen. Ik zag er de volgende dag een stel negers naar staan kijken. Weet u, ik heb Leeds een paar keer moeten aanspreken op het gedrag van zijn kinderen, maar verder waren het beste mensen. Natuurlijk heeft hij mijn goede raadgevingen over zijn grasveld niet opgevolgd. Het ministerie van landbouw heeft een aantal meer dan voortreffelijke brochures uitgegeven over de bestrijding van onkruid. Ik heb ze uiteindelijk maar gewoon in zijn brievenbus gestopt.'

'Meneer Parsons, wanneer precies heeft u deze man in het laantje gezien?' vroeg Springfield.

'Ik weet het niet zeker meer. Ik probeerde het me net te herinneren.'

'Herinnert u zich het tijdstip van de dag nog? 's Morgens? Rond het middaguur? 's Middags?'

'Ik ken de delen van de dag wel. Die hoeft u niet voor me op te sommen. 's Middags, geloof ik. Ik weet het niet meer.'

Springfield wreef over zijn nek. 'Neem me niet kwalijk, meneer Parsons, maar ik zal het toch allemaal precies moeten weten. Kunnen we even naar uw keuken gaan? Dan kunt u ons de plaats aanwijzen vanwaar u hem zag.'

'Eerst wil ik uw legitimatiebewijs zien. Van u allebei.'

In het huis hing een doodse atmosfeer. Alles was glanzend gepoetst. Schoon. Brandschoon. De uitzichtloze properheid van een echtpaar op leeftijd dat zijn leven langzaam ziet uitblussen.

Graham wenste dat hij buiten was gebleven. Hij was ervan overtuigd dat de laden gepoetst bestek bevatten, met eiresten tussen de tanden van de vorken.

Hou daarmee op, laten we die ouwe zak aan de tand voelen!

Het raam boven de gootsteen gaf een goed zicht op de achtertuin.

'Daar! Tevreden?' vroeg Parsons. 'U ziet dat ik de plaats vanaf hier inderdaad kan zien. Ik heb niet met hem gesproken, ik weet niet meer hoe hij eruitzag. Als dat alles is… ik heb nog een heleboel te doen.'

Voor het eerst deed Graham zijn mond open. 'U zei dat u uw badjas ging pakken en hij verdwenen was toen u terugkwam. Was u dan niet aangekleed?'

'Nee.'

'Midden op de middag? Voelde u zich niet goed, meneer Parsons?'

'Wat ik in mijn eigen huis doe, is mijn zaak. Ik kan in een carnavalspak rondlopen als ik daar zin in zou hebben. Waarom bent u niet buiten om die moordenaar te zoeken? Zeker omdat het hier lekker koel is.'

'Ik weet dat u gepensioneerd bent, meneer Parsons, dus ik veronderstel dat het niet uitmaakt of u elke dag uw kleren aantrekt. Waarschijnlijk gaan er heel wat dagen voorbij dat u gewoon in uw nachtkleding rondloopt, heb ik gelijk?'

De aderen op Parsons' slapen zwollen op. 'Alleen omdat ik gepensioneerd ben, wil nog niet zeggen dat ik niet iedere dag mijn kleren aantrek of dat ik niets uitvoer. Ik had het gewoon warm en ben naar binnen gegaan om een douche te nemen. Ik was aan het werk. Ik was in de tuin aan het werk en 's middags had ik er al een hele dagtaak opzitten, hetgeen meer is dan jullie vandaag doen.'

'Wat was u precies aan het doen?'

'Mulch uitspreiden over mijn aanplantingen.'

'Op welke dag was dat?'

'Donderdag. Afgelopen donderdag. 's Morgens is een grote lading bij me afgeleverd en dat had ik 's middags allemaal verwerkt. Vraag maar na bij het tuincentrum hoeveel het was.'

'En u kreeg het warm, ging naar binnen en nam een douche. Wat deed u dan in de keuken?'

'Een glas ijsthee klaarmaken.'

'U pakte dus wat ijs. Maar de koelkast staat daar, een eind van het raam!'

Met een verwarde uitdrukking op zijn gezicht keek Parsons van het raam naar de koelkast. Zijn ogen stonden dof, als de ogen van een vis in een marktkraam aan het einde van de dag. Toen lichtten ze triomfantelijk op. Hij liep naar het kastje bij de gootsteen. 'Ik stond hier om zoetstof te pakken en toen zag ik hem. Zo is het gegaan. Dat is alles. Als u nu klaar bent met uw gesnuffel...'

'Volgens mij heeft hij Hoyt Lewis gezien,' zei Graham.

'Dat denk ik ook,' antwoordde Springfield.

'Het was níét Hoyt Lewis. Beslist niet.' Parsons' ogen begonnen te tranen.

'Hoe weet u dat?' vroeg Springfield. 'Het kan best Hoyt Lewis geweest zijn terwijl u alleen maar dacht...'

'Lewis is gebruind door de zon. Hij heeft van dat vieze, vettige haar en bakkebaarden.' Parsons' stem klonk luider en hij sprak zo snel dat hij moeilijk te verstaan was. 'Daarom weet ik het. Natuurlijk was het Lewis niet. Deze kerel was bleker en hij had blond haar. Hij keerde zich om toen hij de meterstand op zijn formulier noteerde en toen kon ik het haar onder de rand van zijn pet zien. Blond. In zijn nek was het recht afgeknipt.'

54

Springfield bleef doodstil staan en toen hij sprak, klonk zijn stem sceptisch. 'En zijn gezicht?'

'Dat weet ik niet. Misschien had hij een snor.'

'Zoals Lewis?'

'Lewis heeft geen snor.'

'O,' zei Springfield. 'Stond hij op ooghoogte met de meter, of moest hij omhoog kijken?'

'Ooghoogte, geloof ik.'

'Zou u hem herkennen als u hem terugzag?'

'Nee.'

'Hoe oud was hij?'

'Niet oud. Ik weet het niet.'

'Heeft u de hond van de familie Leeds toevallig bij hem in de buurt gezien?'

'Nee.'

'Hoor eens, meneer Parsons, ik besef dat ik het bij het verkeerde eind had,' zei Springfield. 'U heeft ons geweldig geholpen. Als u er geen bezwaar tegen hebt, stuur ik onze tekenaar naar u toe. Dan kan die gewoon aan uw keukentafel gaan zitten en dan kunt u hem misschien een idee geven van het uiterlijk van die man. Lewis was het beslist niet.'

'Ik wil niet dat mijn naam in de kranten komt.'

'Dat zal niet gebeuren.'

Parsons volgde hen naar buiten.

'Uw tuin ziet er schitterend uit, meneer Parsons,' zei Springfield. 'Hij verdient een prijs.'

Parsons zei niets. Zijn gezicht was rood en zijn kaakspieren bewogen heftig, zijn ogen waren vochtig. Hij stond daar in zijn flodderige korte broek en zijn sandalen en staarde hen woedend aan. Toen ze de tuin uitliepen, pakte hij zijn schop en begon woest de grond om te woelen, lukraak tussen de bloemen door, tot mulch het gazon op vloog.

Springfield meldde zich via zijn autoradio. Geen van de nutsbedrijven of gemeentelijke instellingen kon inlichtingen verstrekken over de man in het laantje op de dag voor de moorden. Springfield gaf Parsons' beschrijving door, alsook instructies voor de tekenaar. 'Zeg hem dat hij eerst de meterpaal en de meter moet tekenen en aan de hand daarvan verder moet gaan. Hij moet rustig de tijd nemen met deze getuige en hem vooral op z'n gemak stellen.'

'Onze tekenaar houdt niet zo van huisbezoeken,' zei de hoofdinspecteur tegen Graham terwijl hij zijn Ford door het verkeer manoeuvreerde. 'Hij vindt het leuk als de secretaressen hem aan het werk zien, terwijl de getuige wiebelend van het ene been op het andere over zijn schouder meekijkt. Een politiebureau is een verdomd slechte plaats om iemand te ondervragen die je niet wilt afschrikken. Zodra we de tekening hebben, zullen we er huis aan huis de buurt mee rondgaan.

Ik heb het gevoel dat we een spoor hebben, Will. Weliswaar vaag, maar het is een spoor, wat jij? Luister, we hebben die arme ouwe dwaas zover gekregen dat hij zijn mond opendeed. Laten we er nu ook iets mee doen!'

'Als die man in de straat degene is die we moeten hebben, is dat het beste nieuws tot nu toe,' zei Graham. Hij walgde van zichzelf.

'Precies. Het betekent dat hij niet op goed geluk uit een bus is gestapt en zijn pik achterna is gelopen. Hij heeft een plan gemaakt. Hij heeft in de stad overnacht. Een dag of twee van tevoren weet hij waar hij heen gaat. Hij heeft een of ander idee in zijn hoofd. De plek verkennen, de hond afmaken en daarna het gezin. Wat is dat verdomme voor een krankzinnige gedachte?' Springfield zweeg even. 'Dat ligt meer op jouw terrein, nietwaar?'

'Ja, als het op iemands terrein moet liggen, zal dat wel op het mijne zijn.'

'Ik weet dat je iets dergelijks al eens eerder hebt meegemaakt. Je vond het niet prettig toen ik gisteren over Lecter begon, maar ik moet er met je over praten.'

'Best.'

'Hij heeft in totaal negen mensen vermoord, nietwaar?'

'Negen waar wij weet van hebben. Twee anderen hebben het overleefd.'

'Wat is er van ze geworden?'

'De ene ligt aan beademingsapparatuur in een ziekenhuis in Baltimore. De andere verblijft in een particuliere zenuwinrichting in Denver.'

'Waarom heeft hij het gedaan? In welke zin was hij gestoord?'

Graham keek door het raampje van de auto naar de mensen op de trottoirs. Zijn stem klonk afgemeten, alsof hij een brief dicteerde.

'Hij heeft het gedaan omdat hij er plezier aan beleefde. En er nog steeds plezier aan beleeft. Dr. Lecter is niet gek in de voor ons gangbare zin van het woord. Hij heeft een aantal afschuwelijke dingen gedaan omdat hij dat leuk vond. Maar als hij wil, kan hij volstrekt normaal functioneren.'

'Hoe noemden de psychologen het... Zijn afwijking?'

'Zij noemen hem een sociopaat omdat ze niet weten hoe ze hem anders moeten noemen. Hij heeft een aantal karaktertrekken van wat zij een sociopaat noemen. Hij heeft totaal geen wroeging of schuldgevoelens. Bovendien vertoonde hij het belangrijkste en ernstigste kenmerk... als kind was hij een sadist ten opzichte van dieren.'

Springfield bromde.

'Maar hij vertoonde geen van de andere kenmerken,' zei Graham. 'Hij was geen zwerver, hij had geen strafblad. Hij was niet oppervlakkig, hij was geen uitbuiter, zoals de meeste sociopaten. Hij is niet gevoelloos. Ze weten niet hoe ze hem moeten benoemen. Zijn e.e.g.'s vertonen een aantal vreemde patronen, maar veel wijzer zijn ze er niet van geworden.'

'Hoe zou jij hem noemen?' vroeg Springfield.

Graham aarzelde.

'Hoe noem je hem in gedachten?'

'Hij is een monster. Ik denk aan hem als een van die jammerlijke gevallen die van tijd tot tijd in ziekenhuizen geboren worden. Zoiets voeden ze en ze houden het warm, maar ze sluiten het niet aan op de apparatuur en dan sterft het wel. In zijn geest is Lecter precies zo, maar hij lijkt normaal en niemand zou het aan zijn uiterlijk zien.'

'Ik heb vrienden bij de politie in Baltimore gevraagd hoe je Lecter op het spoor bent gekomen. Ze zeiden dat ze het niet wisten. Hoe ben je erin geslaagd? Wat was de eerste aanwijzing?'

'Het was een samenloop van omstandigheden,' zei Graham. 'Het zesde slachtoffer werd vermoord in zijn werkplaats. Hij had gereedschap voor houtbewerking en hij bewaarde zijn jachtspullen daar. Hij was vastgebonden aan een bord waaraan het gereedschap hing. Er was weinig meer van hem heel, hij zat onder de snij- en steekwonden en er staken pijlen uit zijn lichaam. De wonden deden me aan iets denken. Ik kon er maar niet opkomen wat het was.'

'En toen moest je verder naar de volgende moorden.'

'Ja. Lecter was door het dolle heen... de volgende drie vermoordde hij in negen dagen tijds. Maar die zesde... hij had twee oude littekens op zijn dij. De patholoog deed navraag bij het plaatselijke ziekenhuis en ontdekte dat hij vijf jaar eerder uit een boom was gevallen terwijl hij aan het boogschieten was en per ongeluk een pijl in zijn been had geschoten. De behandelend arts was een interne chirurg, maar Lecter had hem eerst behandeld – hij had dienst op de eerste hulp. Zijn naam kwam ook in het opnameregister voor. Het ongeval was lang geleden gebeurd, maar ik dacht dat Lecter het zich misschien zou herinneren als de pijlwond hem op de een of andere manier verdacht was voorgekomen. Ik ben dus naar zijn kantoor gegaan om met hem te praten. Op dat moment grepen we elke mogelijkheid voor een aanwijzing aan. Inmiddels had hij zijn psychiatrische praktijk. Hij had een mooie praktijkruimte. Veel antiek. Hij zei dat hij zich de pijlwond niet goed meer kon herinneren. Dat een van de jachtvrienden van het slachtoffer hem had binnengebracht. En dat was dat. Maar er was iets wat me niet losliet. Ik dacht dat het te maken had met iets wat Lecter had gezegd of wat ik in zijn kantoor had gezien. Crawford en ik hebben het grondig uitgediept. We hebben de dossiers nagelopen. Lecter had geen strafblad. Ik wilde een tijdje alleen in zijn kantoor doorbrengen, maar we konden geen bevelschrift krijgen. We hadden geen enkele bruikbare aanwijzing. Daarom ben ik opnieuw naar hem toegegaan. Het was zondag. Op zondag ontving hij ook patiënten. Het gebouw was leeg, alleen in zijn wachtkamer zaten een paar mensen. Hij liet me onmiddellijk binnenkomen. We praatten met elkaar en hij spande zich beleefd in om me behulpzaam te zijn. Op een gegeven moment gleed mijn blik over de oude medische boeken op de plank boven zijn hoofd en toen wist ik dat hij het was. Misschien was de uitdrukking op mijn gezicht veranderd toen ik hem weer aankeek, dat weet ik niet. Maar ik wist het en hij wist dat ik het wist. Alleen kon ik geen reden bedenken. Ik vertrouwde het niet. Ik moest erover nadenken. Daarom mompelde ik iets en liep het vertrek uit, de gang op. Daar hing een munttelefoon. Ik wilde hem niet tegen me in het harnas jagen voordat ik assistentie had. Ik had net de politiecentrale aan de lijn toen hij opeens achter me stond. Via een dienstdeur was hij op zijn sokken naderbij geslopen. Ik had hem niet horen komen. Ik voelde zijn adem in mijn nek... en toen wist ik niets meer.'

'Maar hoe ben je erachter gekomen?'

'Het was, denk ik, ongeveer een week later in het ziekenhuis dat het kwartje opeens viel. Het kwam door *Wound Man*, de gewonde mens... een illustratie die werd gebruikt in veel van de oude medische boeken die ik bij Lecter had zien staan. Het toont diverse soorten oorlogsverwondingen, allemaal op één lichaam. Ik had het gezien tijdens een overzichtscursus van een patholoog op de George Washington University. De positie en de verwondingen van het zesde slachtoffer toonden grote overeenkomsten met *Wound Man*.'

'*Wound Man*, zeg je? Meer had je niet?'

'Eigenlijk niet, nee. Het was zuiver toeval dat ik het gezien had. En stom geluk.'

'Wat je geluk noemt!'

'Als je me niet gelooft, waarom vroeg je er dan naar, verdomme?'

'Dat heb ik dus even niet gehoord?'

'Nee, laat maar. Het was niet zo bedoeld. Maar zo is het wel gegaan.'

'Oké,' zei Springfield. 'Oké. Bedankt dat je het me verteld hebt. Ik moet dat soort dingen nu eenmaal weten.'

Parsons' beschrijving van de man in het laantje en de informatie over de kat en de hond waren mogelijk aanwijzingen voor de werkwijze van de moordenaar. Het leek aannemelijk dat hij als meteropnemer op verkenning uitging en zich gedreven voelde de huisdieren van de slachtoffers te verwonden alvorens hij het gezin ging vermoorden.

De politie zag zich nu voor het probleem geplaatst of deze theorie openbaar moest worden gemaakt of niet.

Als het publiek attent werd gemaakt op de signalen en daarnaar kon uitkijken, zou bij de volgende aanval van de moordenaar misschien de politie tijdig gewaarschuwd kunnen worden. Maar de moordenaar volgde het nieuws waarschijnlijk ook.

Hij zou zijn werkwijze kunnen veranderen.

De politie was van mening dat het beter zou zijn de zwakke aanwijzingen geheim te houden, met uitzondering van een speciaal bulletin naar alle dierenartsen en dierenpensions in het gehele zuidoosten met het verzoek om verminkingen bij huisdieren onmiddellijk te rapporteren. Dat hield in dat het publiek niet gewaarschuwd werd.

Het was een moreel dilemma en de politie voelde zich er niet bepaald behaaglijk bij.

Ze consulteerde dr. Alan Bloom in Chicago. Dr. Bloom was van mening dat de moordenaar zijn manier om een huis te verkennen waarschijnlijk zou wijzigen als hij de waarschuwing in de kranten las. Dr. Bloom betwijfelde of de man zijn aanvallen op de huisdieren wel kon staken, ongeacht het risico. De psychiater hield de politie voor dat ze niet zonder meer mocht aannemen dat ze nog vijfentwintig dagen de tijd had... de tijdspanne tot de volgende vollemaan op 25 augustus.

Op de ochtend van 31 juli, drie uur nadat Parsons zijn beschrijving had gegeven, werd tijdens een telefonische vergadering van de politiekorpsen van Birmingham en Atlanta en Crawford in Washington een besluit genomen: ze zouden het vertrouwelijke bulletin aan de dierenartsen sturen, drie dagen lang de buurtbewoners ondervragen aan de hand van de schets van de tekenaar en de informatie vervolgens doorgeven aan de pers.

Gedurende deze drie dagen trokken Graham en de rechercheurs van Atlanta door de wijk en toonden de schets aan de bewoners in de buurt van het huis van de familie Leeds. De schets was niet meer dan een suggestie van een gezicht, maar ze hoopten iemand te vinden die er verbetering in kon aanbrengen.

De hoeken van Grahams schets begonnen om te krullen door het zweet van zijn handen. Vaak was het moeilijk bewoners ertoe te bewegen naar de deur te komen. 's Nachts lag hij in zijn kamer met talkpoeder op zijn schrijnende hitte-uitslag, terwijl zijn gedachten in een kringetje rond het probleem draaiden alsof het een cryptogram was. Hij zocht naar het gevoel dat aan een inval voorafging. Dat wilde niet komen.

Ondertussen waren er in Atlanta vier gewonden en één dode te betreuren als gevolg van nerveuze bewoners die op gezinsleden hadden geschoten toen deze laat thuiskwamen. Het aantal meldingen van insluipers verdubbelde en de onbruikbare tips stapelden zich op in de bakjes voor binnengekomen post op het hoofdbureau van politie. De wanhoop verspreidde zich als een besmettelijke ziekte.

Aan het einde van de derde dag keerde Crawford uit Washington terug en liep bij Graham binnen, die juist zijn drijfnatte sokken zat uit te trekken.

'Zwaar werk?'

'Ga morgen met een schets op pad, dan weet je wat het is,' zei Graham.

'Nee. Het komt vanavond allemaal op het nieuws. Heb je de hele dag gelopen?'

'Ik kan moeilijk met mijn auto door hun tuinen rijden.'

'Ik had eigenlijk ook niet verwacht dat dit huis-aan-huisonderzoek iets zou opleveren,' zei Crawford.

'Wat had ik verdomme volgens jou dan moeten doen?'

'Je best, meer niet.' Crawford stond op om weg te gaan. 'Blind doorwerken is voor mij ook vaak een narcoticum geweest, vooral sinds ik niet meer drink. Voor jou ook, denk ik.'

Graham was kwaad. Crawford had natuurlijk gelijk. Graham schoof vaak dingen voor zich uit. Lang geleden, op school, had hij dat gecompenseerd met blokken op het laatste moment. Maar hij zat nu niet op school.

Er was iets anders wat hij kon doen en dat wist hij al dagen. Hij kon wachten tot hij er tijdens de laatste dagen voor de vollemaan uit wanhoop toe gedreven werd. Of hij kon het nu doen, nu het wellicht enige zin kon hebben.

Hij wilde van iemand een mening horen. Hij moest over een bijzonder gezichtspunt kunnen beschikken, een gedachtegang die hij na zijn heerlijke, ongecompliceerde jaren in de Keys weer moest terugvinden.

De redenen knarsten als de tandwielen van een achtbaan waarvan een karretje naar boven wordt getrokken en toen het de top had bereikt, zei Graham, die onbewust zijn buik vastgreep, het hardop. 'Ik moet Lecter spreken!'

7

Dr. Frederick Chilton, directeur van de Chesapeake Psychiatrische Strafinrichting, liep om zijn bureau heen om Will Graham de hand te schudden.

'Dr. Bloom heeft me gisteren gebeld, meneer Graham... of moet ik dokter Graham zeggen?'

'Ik ben geen arts.'

'Ik vond het fijn weer eens iets van dr. Bloom te horen. We kennen elkaar al jaren. Ga zitten.'

'We waarderen uw hulp, dokter Chilton.'

'Ik kan u wel zeggen dat ik me soms eerder Lecters secretaris voel dan zijn verzorger,' zei Chilton. 'Zijn hoeveelheid post alleen al is een plaag. Ik denk dat sommige onderzoekers het chic vinden met hem te corresponderen; ik heb zelfs psychologische afdelingen gezien waar ze zijn brieven ingelijst aan de muur hebben hangen! Het heeft er een tijdje op geleken dat elke student in het land hem wilde interviewen. Natuurlijk kunnen u en dr. Bloom op mijn medewerking rekenen.'

'Als het enigszins mogelijk is, zou ik dr. Lecter graag onder vier ogen spreken,' zei Graham. 'En na vandaag zal ik hem misschien nog eens moeten bezoeken of met hem moeten telefoneren.'

Chilton knikte. 'Om te beginnen zal dr. Lecter in zijn kamer moeten blijven. Dat is absoluut de enige plaats waar hij weinig of geen kwaad kan. Eén wand in zijn kamer heeft een dubbele deur, die uitkomt in de gang. Daar zal ik een stoel laten neerzetten en, als u dat wilt, een getralied hek.

Voorts moet ik u verzoeken hem niets te overhandigen. Alleen velletjes papier zonder paperclips of nietjes zijn toegestaan. Geen ringbanden, potloden of pennen. Hij heeft zijn eigen viltstiften.'

'Misschien moet ik hem wat materiaal tonen om hem te stimuleren,' zei Graham.

'U kunt hem laten zien wat u wilt, zolang het maar op zacht papier is. Documenten moet u hem via de schuiflade geven. Overhandig hem niets door de tralies en neem niets aan dat hij erdoor steekt. Papieren kan hij via de schuiflade retourneren. Ik sta erop dat u zich daaraan houdt. Dr. Bloom en meneer Crawford hebben me verzekerd dat u uw medewerking aan deze procedure zou verlenen.'

'Dat zal ik,' zei Graham. Hij maakte aanstalten op te staan.

'Ik weet dat u graag aan de slag wilt, meneer Graham, maar toch wil ik u eerst nog iets vertellen. Het zal u interesseren.

Het lijkt misschien vrij overbodig om juist u te waarschuwen voor Lecter, maar hij is zeer ontwapenend. Het eerste jaar na zijn opname, heeft hij zich voorbeeldig gedragen en deed hij voorkomen dat hij zijn volle medewerking aan de therapie gaf. Het gevolg hiervan – dit gebeurde onder toezicht van de vorige directeur – was dat de veiligheidsmaatregelen rond zijn persoon verslapten. Op de middag van 8 juli 1976 klaagde hij over pijn in zijn borst. In de onderzoekkamer werden zijn boeien verwijderd om het maken van een e.c.g. te vereenvoudigen. Een van zijn bewakers verliet het vertrek om een sigaret te roken en de andere keerde hem een ogenblik de rug toe. De verpleegster was erg snel en sterk. Ze wist een van haar ogen te redden.

U zult dit misschien frappant vinden.' Chilton pakte een strook van een cardiogramuitdraai uit een la en rolde het op zijn bureau uit. Met zijn wijsvinger volgde hij de pieken. 'Hier ligt hij op de onderzoektafel. Polsslag tweeënzeventig. Hier pakt hij het hoofd van de verpleegster en trekt haar naar zich toe. Hier wordt hij in bedwang gehouden door de bewaker. Hij bood trouwens geen enkele weerstand, al heeft de bewaker zijn schouder ontwricht. Ziet u hoe eigenaardig? Zijn polsslag is geen moment boven de vijfentachtig gekomen. Zelfs niet toen hij haar tong eruit rukte!'

Chilton zag geen enkele reactie op Grahams gezicht. Hij leunde achterover in zijn stoel en steunde zijn kin op zijn vingertoppen. Hij had droge, glimmende handen.

'Toen Lecter gevangen was genomen, dachten we in eerste instantie dat hij ons wellicht een unieke gelegenheid zou bieden om een echte sociopaat te bestuderen,' zei Chilton. 'Het komt zelden voor dat we er een levend te pakken krijgen. Lecter is uiterst intelligent, uiterst scherpzinnig, hij is geschoold in de psychiatrie... en hij is een massamoordenaar. Hij leek te willen meewerken en we dachten dat hij inzicht zou bieden voor deze vorm van stoornis. We meenden dat we hetzelfde principe konden toepassen als Beaumont, die de spijsvertering heeft bestudeerd via de opening in de buik van de gewonde pelsjager St. Martin.

Uiteindelijk geloof ik niet dat we nu meer inzicht in zijn persoon hebben dan op de dag dat hij hier werd binnengebracht. Hebt u ooit uitgebreid met Lecter gesproken?'

'Nee. Alleen toen... Ik heb hem hoofdzakelijk tijdens het proces gezien. Dr. Bloom heeft me zijn krantenartikelen laten lezen,' zei Graham.

'Hij kent u wel goed. Hij heeft veel over u nagedacht.'

'Hebt u sessies met hem gehad?'
'Ja. Twaalf. Hij is ondoordringbaar. Te intelligent om aan de hand van testen wijzer te worden. Edwards, Fabre, zelfs dr. Bloom zelf hebben hem onder handen genomen. Ik heb hun aantekeningen. Ook voor hen was hij een raadsel. Het is natuurlijk onmogelijk te zeggen wat hij verzwijgt of dat hij meer begrijpt dan hij zal zeggen. Sinds zijn inhechtenisneming heeft hij een aantal briljante artikelen geschreven voor het *American Journal of Psychiatry* en de *General Archives*. Maar die handelen stuk voor stuk over problemen die hijzelf niet heeft. Ik denk dat hij bang is dat niemand meer in hem geïnteresseerd zal zijn als we hem "ontraadselen" en dat hij dan voor de rest van zijn leven in een of andere afgelegen gevangenis zal worden weggestopt.'
Chilton zweeg even. Hij had geleerd zijn perifere visie te gebruiken om zijn patiënten tijdens gesprekken gade te slaan. Hij meende dat hij Graham op deze wijze ongemerkt kon opnemen.
'Wij zijn hier unaniem van mening dat u, meneer Graham, de enige bent die enig daadwerkelijk inzicht ten opzichte van Hannibal Lecter heeft tentoongespreid. Kunt u me iets over hem vertellen?'
'Nee.'
'Een aantal stafleden vraagt zich het volgende af: toen u de moorden van dr. Lecter zag, de "stijl" om het zo maar te noemen, was u toen wellicht in staat zijn fantasieën te reconstrueren? En hebt u hem met behulp daarvan kunnen identificeren?'
Graham gaf geen antwoord.
'Op dat gebied hebben we bedroevend weinig materiaal. Er is maar één artikel in het *Journal of Abnormal Psychology*. Zou u daar eens met enkele stafleden over willen praten... nee, nee, niet nu. Wat dat betreft heeft dr. Bloom ons duidelijke instructies gegeven. We moeten u met rust laten. Tijdens uw volgende bezoek misschien.'
Dr. Chilton had al heel wat vijandigheid gezien. Die zag hij op dat moment ook duidelijk.
Graham stond op. 'Dank u, dokter. Nu wil ik Lecter graag spreken.'

De stalen deur van de zwaarst beveiligde afdeling sloot zich achter Graham. Hij hoorde hoe de grendel op zijn plaats werd geschoven.

Graham wist dat Lecter het grootste deel van de ochtend sliep. Hij keek de gang af. Vanaf de plaats waar hij zich bevond, kon hij niet in Lecters cel kijken, maar wel kon hij zien dat de lichten gedimd waren.

Graham wilde Lecter in zijn slaap kunnen gadeslaan. Hij wilde tijd om zichzelf te vermannen. Zodra hij Lecters krankzinnigheid in zijn hoofd voelde, moest hij die snel kunnen beteugelen.

Om het geluid van zijn voetstappen te maskeren, volgde hij een zaalhulp die een wagen met linnengoed voortduwde. Het is erg moeilijk om dr. Lecter te overrompelen.

Halverwege de gang bleef Graham even staan. De hele voorkant van de cel was voorzien van stalen tralies. Achter de tralies, buiten handbereik, bevond zich een stevig nylon net, dat van de zoldering tot de vloer en van muur tot muur was gespannen. Door het traliewerk kon Graham een aan de vloer genagelde tafel en stoel zien staan. Op de tafel lagen boeken met slappe kaften en correspondentie. Hij liep naar de tralies, legde zijn handen eromheen en haalde ze toen weer weg.

Dr. Hannibal Lecter lag op zijn brits te slapen, met zijn hoofd op een kussen tegen de muur gesteund. Le Grand Dictionnaire de Cuisine van Alexandre Dumas lag geopend op zijn borst.

Graham had ongeveer vijf seconden door de tralies staan kijken, toen Lecter zijn ogen opende en zei: 'Dat is dezelfde afschuwelijke aftershave die je in de rechtszaal op had.'

'Ik krijg het maar steeds met Kerstmis cadeau.'

De ogen van dr. Lecter zijn kastanjebruin en ze reflecteren het licht in rode kleine puntjes. Graham voelde hoe al zijn nekharen overeind gingen staan. Hij legde zijn hand in zijn nek.

'Kerstmis, ja,' zei Lecter. 'Heb je mijn kaart ontvangen?'

'Ja. Bedankt.'

De kerstkaart van dr. Lecter was door het FBI-misdaadlab naar Graham doorgezonden. Hij had hem in de achtertuin in ontvangst genomen, hem verbrand en zijn handen gewassen voor hij Molly aanraakte.

Lecter stond op en liep naar zijn tafel. Hij is een kleine, lenige man. Onberispelijk. 'Waarom ga je niet zitten, Will? Ik denk dat er wel wat klapstoeltjes in een kast verderop in de gang staan. Het klinkt tenminste altijd alsof ze daar vandaan komen.'

'De zaalhulp haalt er een.'

Lecter bleef staan tot Graham had plaatsgenomen op de gang. 'En hoe gaat het met agent Stewart?' vroeg hij.

'Met Stewart gaat het best.' Agent Stewart had de dienst verlaten nadat hij dr. Lecters kelder had gezien. Hij runde nu een motel. Dat vertelde Graham niet. Hij dacht niet dat Stewart het op prijs zou stellen post van Lecter te ontvangen.

'Jammer dat zijn emoties hem de baas werden. Ik vond hem een veelbelovende jonge politieagent. Heb jij weleens problemen, Will?'

'Nee.'

'Natuurlijk niet.'

Graham voelde dat Lecter tot in het diepst van zijn hersens doordrong. Zijn aandacht gaf hem een gevoel alsof er een vlieg in zijn hoofd rondkroop.

'Ik ben blij dat je gekomen bent. Het is nu... eens denken... drie jaar geleden? Mijn bezoekers zijn allemaal beroeps. Banale ziekenhuispsychiaters en inhalige, tweederangs doctors in de psychologie van onbetekenende universiteiten. Pennenlikkers die hun kennis proberen te bewijzen via stukjes in de krant.'

'Dr. Bloom heeft me uw artikel over chirurgische verslaving in de *Journal of Clinical Psychiatry* te lezen gegeven.'

'En?'

'Bijzonder interessant, zelfs voor een leek.'

'Een leek... leek, leek. Interessante term,' zei Lecter. 'Er lopen zoveel geleerde kerels rond. Zoveel door de regering gesubsidieerde zogenaamde deskundigen. En jij beweert dat je een leek bent. Maar jij was degene die me te pakken kreeg, hè, Will? Weet je hoe je dat hebt gedaan?'

'U heeft vast het dossier wel gelezen. Het staat er allemaal in.'

'Nee, dat staat het niet. Weet je hoe je het gedaan hebt, Will?'

'Het staat in het dossier. Wat doet dat er nu nog toe?'

'Voor mij doet het er niets toe, Will.'

'Ik heb uw hulp nodig, dr. Lecter.'

'Ja, dat dacht ik al.'

'Het gaat over Atlanta en Birmingham.'

'Ja.'

'Daar hebt u vast wel over gelezen.'

'Ik heb de kranten gelezen. Ik kan niets uitknippen. Een schaar krijg ik natuurlijk niet. Soms dreigen ze me met het achterhouden van boeken. Ik wilde niet dat ze zouden denken dat ik me met morbide zaken bezighield.' Hij lachte. Dr. Lecter heeft kleine witte tanden. 'Je wilt weten hoe hij ze uitkiest, hè?'

'Ik dacht dat u misschien een paar ideeën had. Ik verzoek u me die te vertellen.'

'Waarom zou ik?'

Graham had die vraag verwacht. Een reden om veelvoudige moorden tegen te houden zou voor dr. Lecter niet voor de hand liggen.

'Er zijn bepaalde dingen die u niet hebt,' zei Graham. 'Onderzoeksmateriaal, filmmateriaal zelfs. Ik zou daar met de directeur over kunnen praten.'

'Chilton. Die heb je natuurlijk ontmoet toen je hier kwam. Een engerd, hè? Zeg het maar eerlijk: hij morrelt aan je hoofd als een groentje dat aan een jarretel frunnikt, vind je niet? Heeft je vanuit zijn ooghoeken gadegeslagen. Dat heb je toch zeker wel opgemerkt? Je zult het misschien niet geloven, maar hij heeft me, mij nota bene, een thematische apperceptietest proberen af te nemen. Hij zat daar als de Cheshire kat te wachten tot Mf 13 te voorschijn kwam. Ha! Sorry, ik vergeet even dat je niet tot de ingewijden behoort. Dat is een kaart met een vrouw in bed en een man op de voorgrond. Men veronderstelde dat ik een seksuele interpretatie zou vermijden. Ik lachte. Hij ontplofte bijna en vertelde iedereen dat ik de gevangenis had ontlopen met een Gansersyndroom... Nou ja, laat maar. Het is stomvervelend.'

'U zou toegang kunnen krijgen tot de filmotheek van de American Medical Association.'

'Ik geloof niet dat je me de dingen kunt verschaffen die ik wil.'

'Probeer het eens.'

'Ik heb genoeg te lezen nu.'

'U zou het dossier over deze zaak ter inzage kunnen krijgen. Er is nog een reden.'

'Wat dan?'

'Ik dacht dat u wel nieuwsgierig zou zijn erachter te komen of u slimmer bent dan degene die ik zoek.'

'Dan kan ik dus stilzwijgend aannemen dat jij jezelf slimmer vindt dan ik, omdat jij mij hebt opgespoord.'

'Nee. Ik weet dat ik niet slimmer ben dan u.'

'Hoe ben je me dan op het spoor gekomen, Will?'

'U was in het nadeel.'

'In welk opzicht?'

'Drift. Bovendien bent u krankzinnig.'

'Je bent aardig gebruind, Will.'

Graham gaf geen antwoord.

'Je handen zijn ruw. Ze zien er niet langer uit als de handen van een politieman. Die aftershave heeft het soort geur dat een kind zou uitkiezen. Er staat een schip op de fles, nietwaar?' Dr. Lecter houdt zijn hoofd bijna nooit rechtop. Als hij een vraag stelt, beweegt hij het heen en weer alsof hij een waarzegger is die je de toekomst gaat voorspellen. Weer was het stil, en toen zei Lecter: 'Denk maar niet dat je me kunt overhalen door een beroep te doen op mijn intellectuele ijdelheid.'

'Ik denk niet dat ik u kan overhalen. U doet het of u doet het niet. Dr. Bloom werkt er toch wel verder aan, en hij is de meest...'

'Heb je het dossier bij je?'

'Ja.'

'En foto's?'

'Ja.'

'Geef ze aan mij en ik zal erover nadenken.'

'Nee.'

'Droom je vaak, Will?'

'Vaarwel, dr. Lecter.'

'Je hebt nog niet gedreigd mijn boeken te laten weghalen.'

Graham liep weg.

'Geef me het dossier dan maar. Ik zal je zeggen wat ik ervan vind.'

Graham moest het verkorte dossier stevig in de schuiflade drukken. Lecter trok het naar zich toe.

'Bovenop ligt een samenvatting. Die kunt u meteen lezen,' zei Graham.

'Is het goed als ik dat in afzondering doe? Geef me een uur de tijd.'

Graham wachtte op een oude plastic bank in een deprimerende lounge. Zaalknechten kwamen binnen om koffie te drinken. Hij sprak niet met hen. Hij staarde naar kleine voorwerpen in het vertrek en was blij dat ze niet leken te bewegen. Hij moest twee keer naar het toilet. Hij voelde zich als verdoofd.

De cipier liet hem weer binnen in de extra beveiligde afdeling. Lecter zat aan zijn tafel, een dromerige blik in zijn ogen. Graham wist dat hij het grootste deel van het uur aan de foto's besteed had.

'Dit is een zeer eenkennige knaap, Will. Ik zou hem graag ontmoeten... Heb je de mogelijkheid overwogen dat hij misvormd is? Of dat hij denkt dat hij dat is?'

'De spiegels.'

'Ja. Je weet dat hij alle spiegels in de huizen vernietigt en niet alleen om aan de stukken te komen die hij nodig heeft. Hij zet de scherven niet alleen op hun plaats omdat ze zo'n rommel veroorzaken. Ze zijn daar geplaatst opdat hij zichzelf kan zien. In hun ogen – van mevrouw Jacobi en... hoe heette die andere ook alweer?'

'Mevrouw Leeds.'

'Ja.'

'Dat is interessant,' zei Graham.

'Ach wat. Daar had je allang aan gedacht.'

'Ik heb het in overweging genomen.'

'Je bent hier alleen gekomen om naar me te kijken. Alleen om de vroegere geur weer te pakken te krijgen. Heb ik gelijk of niet? Waarom snuif je niet gewoon je eigen geur op?'

'Ik wil uw mening horen.'

'Die heb ik op dit moment niet.'

'Als u er wel een hebt, zou ik die graag horen.'

'Mag ik het dossier houden?'

'Dat weet ik nog niet,' zei Graham.

'Waarom zijn er geen beschrijvingen van het terrein rond de huizen? Er zijn foto's van de voorgevels van de huizen, plattegronden van de verdiepingen, tekeningen van de kamers waar de moorden plaatsvonden, maar over de grond rond de huizen wordt weinig informatie gegeven. Hoe zagen de tuinen eruit?'

'Grote achtertuinen, met hekken omheind, hier en daar een heg. Waarom?'

'Omdat, mijn beste Will, als deze pelgrim een speciale verwantschap voelt met de maan, hij het misschien wel prettig vindt om naar buiten te gaan en naar die maan te kijken. Voor hij zich gaat wassen natuurlijk. Heb je weleens bloed gezien bij maanlicht, Will? Het lijkt pikzwart. Het behoudt vanzelfsprekend zijn kenmerkende glans. Als je naakt bent, kun je buitenshuis maar beter wat privacy hebben. Je moet tenslotte een beetje rekening houden met de buren, nietwaar?'

'U denkt dat de tuin een belangrijke factor is als hij zijn slachtoffers uitkiest?'

'O ja! En er zullen natuurlijk nog meer slachtoffers volgen. Laat me het dossier houden, Will. Ik zal het bestuderen. Als je nog meer gegevens krijgt, wil ik die ook graag zien. Je kunt me opbellen. Bij de zeldzame gelegenheden dat mijn advocaat belt, brengen ze me een telefoon. Aanvankelijk verbonden ze hem door via de intercom, maar iedereen luisterde natuurlijk mee. Wil je me je privénummer geven?'

'Nee.'

'Weet je hoe je me destijds op het spoor bent gekomen, Will?'

'Tot ziens, dr. Lecter. Boodschappen voor mij kunt u doorgeven via het telefoonnummer op het dossier.' Graham liep weg.

'Weet je hoe je me op het spoor bent gekomen?'

Graham was nu buiten Lecters gezichtsveld en hij versnelde zijn pas in de richting van de stalen deur in de verte.

'Weet je hoe het komt dat je me te pakken hebt gekregen? Omdat we *precies hetzelfde* zijn!' was het laatste dat Graham hoorde voor de stalen deur zich achter hem sloot.

Hij was verdoofd en was huiverig voor wat op de verdoving zou volgen. Terwijl hij met gebogen hoofd doorliep, zonder tegen iemand iets te zeggen, klonk het stromen van zijn bloed hem als een hol geklapper van vleugels in de oren. De weg naar buiten leek erg kort. Dit was alleen maar een gebouw, er waren maar vijf deuren tussen Lecter en de buitenwereld. Hij had het absurde gevoel dat Lecter met hem was meegekomen. Eenmaal buiten bleef hij voor de ingang staan en keek om zich heen, zich ervan overtuigend dat hij alleen was.

In een auto aan de overkant van de straat steunde Freddy Lounds zijn camera met telelens op het geopende portierraampje. Hij nam een prachtige profielfoto van Graham voor de ingang, inclusief de woorden op de voorgevel: CHESAPEAKE PSYCHIATRISCHE STRAFINRICHTING.

8

Dr. Hannibal Lecter was op zijn brits gaan liggen nadat Graham hem verlaten had. De lichten in zijn cel waren gedoofd. Een aantal uren verstreek.

Gedurende enige tijd voelde hij alleen textuur: het patroon van het kussensloop tegen zijn achter zijn hoofd gevouwen handen, de zachte stof die zijn wang beroerde.

Vervolgens kwamen er geuren in hem op, die hij tot zijn geest liet doordringen. Sommige waren echt, andere niet. Ze hadden bleekwater door de afvoer gespoeld: sperma. Verderop in de gang brachten ze chili con carne rond: bezwete dienstkleding. Graham had hem zijn privénummer niet willen geven: de bitter groene geur van klein gesneden gedoornde stekelnoot en zeewier.

Lecter ging rechtop zitten. Misschien was de man niet meer bij de dienst. Zijn gedachten hadden de warme, bronzen geur van een elektrische klok.

Lecter knipperde een paar keer met zijn ogen en zijn wenkbrauwen schoten omhoog. Hij deed de lichten aan en schreef een briefje aan Chilton met het verzoek om een telefoon, zodat hij zijn advocaat kon bellen.

Lecter was wettelijk gerechtigd zijn advocaat privé te spreken en hij had dit recht niet misbruikt. Daar Chilton hem nooit toestond zelf naar de telefoon te gaan, werd het toestel bij hem gebracht.

Twee bewakers kwamen met de telefoon. Ze ontrolden een lang snoer vanaf de aansluiting op hun bureau. Een van de bewakers had de sleutels. De andere had een spuitbus *mace* in zijn hand.

'Ga achter in je cel staan, Lecter. Met je gezicht naar de muur. Als je je omdraait of hierheen komt voor je het slot hebt horen dichtgaan, krijg je mace in je gezicht. Begrepen?'

'Ja,' zei Lecter. 'Bedankt voor de telefoon.'

Hij moest zijn hand door het net steken om het nummer te kunnen draaien. De inlichtingendienst van Chicago gaf hem de nummers van de universiteit van Chicago, afdeling Psychiatrie, en van het kantoor van dr. Alan Bloom. Hij draaide het nummer van de centrale van de psychiatrische afdeling.

'Ik ben op zoek naar dr. Alan Bloom.'

'Ik weet niet of hij er vandaag is, maar ik zal u doorverbinden.'

'Wacht even... Ik ben de naam van zijn secretaresse vergeten en ik vind het een beetje pijnlijk dat te moeten zeggen.'

'Linda King. Een ogenblik.'

'Dank u.'

De telefoon ging acht keer over voor er opgenomen werd.

'Met het kantoor van Linda King.'

'Linda?'

'Linda is er zaterdags niet.'

Dr. Lecter had daar rekening mee gehouden. 'Misschien kunt u me helpen. U spreekt met Bob Greer van uitgeverij Blaine en Edwards. Dr. Bloom heeft me gevraagd een exemplaar van het boek *The Psychiatrist and the Law* naar Will Graham te sturen. Linda zou me het adres en telefoonnummer doorgeven, maar dat heeft ze nog niet gedaan.'

'Ik ben hier maar tijdelijk. Linda komt maan...'

'Ik moet het over vijf minuten met de post meegeven en ik wil dr. Bloom er thuis niet mee lastig vallen, want ik wil Linda niet in moeilijkheden brengen. De gegevens moeten ergens in haar kaartsysteem zitten. Ik ben u eeuwig dankbaar als u even wilt kijken.'

'Hoe was de naam?'

'Graham. Will Graham.'

'Ik heb het. Zijn privénummer is 305 JL 5 7002.'

'Ik moest het via de post versturen.'

'Zijn huisadres staat er niet bij.'

'Wat staat er dan wel?'

'Federal Bureau of Investigation, Tenth and Pennsylvania, Washington, D.C. O ja, en Postbus 3680, Marathon, Florida.'

'Geweldig. U bent een engel!'

'Graag gedaan.'

Lecter voelde zich een stuk beter. Nu kon hij Graham met een telefoontje verrassen of misschien, als de man geen manieren aan de dag legde, een ziekenhuisleverancier opdracht geven om Graham een stomazak te sturen als herinnering aan vroeger.

9

In de kantine van het Gateway Filmlaboratorium in St. Louis, elfhonderd kilometer naar het zuidwesten, wachtte Francis Dolarhyde op een hamburger. De gerechten in de warmhoud-bakken waren met folie afgedekt. Hij stond naast de kassa en nam een slokje koffie uit een kartonnen beker.

Een jonge roodharige vrouw in een laboratoriumjas kwam de kantine binnen en bestudeerde de snoepautomaat. Een paar keer keek ze met getuite lippen naar de rug van Francis Dolarhyde. Ten slotte liep ze naar hem toe en zei: 'Meneer Dolarhyde?' Dolarhyde keerde zich om. Buiten de donkere kamer droeg hij altijd een rode bril. Ze hield haar ogen gericht op de neusbrug van de bril.

'Wilt u alstublieft even bij me komen zitten? Ik moet u iets vertellen.'

'Wat heb je me te zeggen, Eileen?'

'Dat het me enorm spijt. Bob was gewoon dronken en daardoor hing hij de clown uit. Hij bedoelde er niets kwaads mee. Alstublieft, kom even bij me zitten. Een minuutje maar. Goed?'

'O, vindt hij het jammer?' Dolarhyde vermeed het gebruik van woorden met een 's' omdat hij sliste.

Ze gingen zitten. Ze verfrommelde een servetje in haar handen.

'Iedereen vermaakte zich best op het feestje en we vonden het leuk dat u ook langskwam,' zei ze. 'We vonden het echt leuk en we waren ook verrast. U weet hoe Bob is: hij imiteert voortdurend andermans stemmen... Hij zou bij de radio moeten gaan. Hij deed een paar dialecten na, vertelde een paar moppen en zo... Hij kan net zo praten als een neger. Toen hij die andere stem deed, was het niet zijn bedoeling u te kwetsen. Hij was te dronken om te beseffen wie er bij was.'

'Iedereen lachte en toen... hield het lachen op.' Vanwege zijn slissende 's' zei Dolarhyde niet 'stopte het lachen'.

'Nou, en toen besefte Bob wat hij had gedaan.'

'Toch ging hij door.'

'Dat weet ik,' zei ze, terwijl ze erin slaagde haar blik, zonder onderweg ergens te blijven hangen, van haar servet naar zijn bril over te brengen. 'Dat heb ik hem ook voor zijn voeten gegooid. Hij zei dat hij er niets mee bedoelde, dat hij het gewoon deed in een poging de lol erin te houden. U zag hoe rood zijn gezicht werd.'

'Hij vroeg me om een duet met hem te... vormen.'

'Ja, hij probeerde zijn arm om u heen te slaan. Hij wilde dat u erom kon lachen.'

'Ik heb erom gelachen, Eileen.'

'Bob voelt zich vreselijk.'

'Ach, dat wil ik niet. Dat hoeft echt niet. Vertel hem dat maar van mij. En hier op het werk komt echt geen verandering. Tjee, met

het talent van Bob maakte ik ook de hele tijd grapj... een grap.'
Als het maar even kon, vermeed Dolarhyde meervouden met een
s. 'Binnenkort komen we bij elkaar en dan merkt hij wel hoe ik
erover denk.'
'Fijn, meneer Dolarhyde. Weet u, achter al die branie zit een gevoelige vent.'
'Dat geloof ik graag. Overgevoelig, vermoed ik.' Dolarhydes stem
werd door zijn hand gedempt. Als hij zat, drukte hij de knokkel
van zijn wijsvinger altijd onder zijn neus.
'Pardon?'
'Ik geloof dat je een goede invloed op hem hebt, Eileen.'
'Dat denk ik ook. Hij drinkt alleen nog maar in de weekends. Juist
als hij zich begint te ontspannen, belt zijn vrouw op. Hij trekt gek-
ke gezichten terwijl ik met haar praat, maar ik weet zeker dat hij
daarna van streek is. Zoiets voelt een vrouw.' Ze gaf een klopje
op Dolarhydes pols en zag dat zijn ogen achter de bril de aanra-
king registreerden. 'Nou, een fijne dag nog, meneer Dolarhyde. Ik
ben blij dat we even met elkaar gepraat hebben.'
'Ik ook, Eileen.'
Dolarhyde keek haar na toen ze wegliep. Ze had een zuigplekje in
de holte van haar knie. Hij dacht – terecht – dat Eileen hem niet
mocht. Eigenlijk mocht niemand hem.

In de grote donkere kamer was het koel en het rook er naar chemicaliën. In het licht van de rode veiligheidslampen controleerde
Dolarhyde de ontwikkelaar in het reservoir. Per uur gingen er hon-
derden meters familiefilms uit het hele land door het reservoir.
Temperatuur en versheid van de chemicaliën waren van vitaal belang. Dit viel onder zijn verantwoording, samen met alle andere
handelingen tot de film door de centrifuge was gegaan. Vele keren
per dag haalde hij filmmonsters uit het reservoir en controleerde
ieder beeldje afzonderlijk. Het was stil in het rood verlichte vertrek. Dolarhyde vond het niet prettig als zijn assistenten voortdurend met elkaar kletsten en hij sprak dan ook alleen in gebaren-
taal met hen.

Toen de avondploeg naar huis was, bleef hij alleen in de donkere
kamer achter om enkele films voor zichzelf te ontwikkelen, te drogen en aan elkaar te lassen.

Dolarhyde kwam om ongeveer tien uur 's avonds thuis. Hij woonde alleen in een groot huis, dat hij van zijn grootouders had geërfd. Het stond aan het einde van een grindlaan die zich door een appelboomgaard slingerde ten noorden van St. Charles, aan de overkant van de Missouri-rivier ten opzichte van St. Louis. De elders wonende eigenaar van de boomgaard keek niet naar zijn terrein om. Dode en kromme bomen stonden tussen de groene. Nu, eind juli, hing er een geur van rotte appels over de boomgaard. Overdag vlogen er veel bijen rond. De dichtstbijzijnde buur woonde een kilometer verder.

Zodra hij thuiskwam, maakte Dolarhyde altijd een inspectieronde door het huis; enkele jaren eerder had iemand geprobeerd in te breken. In elke kamer knipte hij de lichten aan en keek hij om zich heen. Een bezoeker zou niet kunnen zien dat hij alleen woonde. De kleren van zijn grootouders hingen nog in de kasten, de haarborstels van zijn grootmoeder lagen, met de kammen erin gestoken, nog op haar kaptafel. Haar gebit lag in een glas op het nachtkastje. Het water was allang verdampt. Zijn grootmoeder was al tien jaar dood.

(De begrafenisondernemer had hem gevraagd: 'Meneer Dolarhyde, zal ik het gebit van uw grootmoeder maar meenemen?' En hij had geantwoord: 'Doe maar gewoon het deksel op de kist.')

Na zich ervan overtuigd te hebben dat hij alleen was in het huis, ging Dolarhyde naar boven. Hij nam een uitgebreide douche en waste zijn haar. Daarna trok hij een kimono aan van synthetische stof die zijdeachtig aanvoelde en ging op zijn smalle bed liggen in de kamer die hij vanaf zijn jongensjaren al in gebruik had. De haardroger van zijn grootmoeder had een plastic kap en slang. Hij zette de kap op en terwijl zijn haren droogden, bladerde hij een nieuw modetijdschrift door. De haat en beestachtigheid die sommige foto's uitstraalden, waren opmerkelijk.

Hij raakte opgewonden. Hij verschoof de metalen kap van zijn leeslamp, zodat een prent op de muur aan het voeteneinde van het bed verlicht werd. Het was *De grote rode draak en de vrouw bekleed met de zon* van William Blake.

Vanaf het moment dat hij de prent had gezien, was hij erdoor getroffen. Nooit eerder had hij iets gezien dat zijn levendige gedachten zo treffend benaderde. Hij had het gevoel dat Blake een kijkje in zijn oor moest hebben genomen en toen de Rode Draak gezien moest hebben. Wekenlang was Dolarhyde bang geweest dat zijn gedachten uit zijn oren te voorschijn kwamen, dat ze in de donkere kamer zichtbaar zouden worden en de films zouden versluieren. Hij stopte watjes in zijn oren. Hij bedacht dat watjes wellicht te licht ontvlambaar waren en verving die door staalwol. Dat bezorgde hem bloedende oren. Ten slotte knipte hij kleine stukjes van de asbest bekleding van een strijkplank en rolde deze tot smalle staafjes die precies in zijn oren pasten.

Lange tijd was de Rode Draak alles wat hij had. Nu was dat niet meer zo. Hij voelde een erectie opkomen.

Hij had het langzaam willen opbouwen, maar nu kon hij niet langer wachten.

Dolarhyde sloot de zware gordijnen voor de ramen van de mooie kamer op de benedenverdieping. Hij stelde zijn projectiescherm en projector op. Ondanks de protesten van zijn grootmoeder had zijn grootvader een armstoel met hoofdsteun in de mooie kamer gezet. (Zij had over de hoofdsteun een kleedje gelegd.) Dolarhyde was blij met de stoel, die erg comfortabel zat. Hij legde een handdoek over de armleuning.

Hij deed de schemerlampen uit. Achterovergeleund in de donkere kamer had hij eigenlijk overal kunnen zijn. Aan de fitting in het plafond had hij een lichtbak bevestigd die ronddraaide, waardoor veelkleurige spikkels licht over de muren, de vloer en zijn huid gleden. Hij zou zich kunnen bevinden op de acceleratiebank van een ruimtevaartuig, in een glazen stolp tussen de sterren. Als hij zijn ogen sloot, meende hij de lichtvlekken op zijn lichaam te voelen en wanneer hij ze opende, zouden het de lichten van steden boven of onder hem kunnen zijn. Beneden of boven bestond niet meer. Naarmate de lichtbak warmer werd, begon hij sneller te draaien en de lichtvlekken buitelden over hem heen, stroomden over de meubels in hoekige strepen, vielen als een stortregen van meteoren langs de muren naar beneden. Hij was misschien wel een komeet die zich een weg door het sterrenstelsel baande.

Eén plek was voor het licht afgeschermd. Naast de lichtbak had hij een stuk karton aan het plafond bevestigd, waardoor een schaduw over het filmscherm viel.

Soms, in de toekomst, zou hij eerst een joint roken om het effect te verhogen, maar nu had hij dat niet nodig.

Hij drukte het knopje naast zich in om de projector te starten. Op het scherm verscheen een witte rechthoek, die verduisterde toen er iets langs de lens schoof. Vervolgens kwam de grijze terriër in beeld, die zijn oren spitste en naar de keukendeur rende, waarbij hij heftig kwispelstaartte. Een opname van de terriër naast een stoeprand, terwijl hij zich omkeerde om naar hem te bijten. Nu kwam mevrouw Leeds met de boodschappen de keuken binnen. Ze lachte en streek haar haren naar achteren. Achter haar kwamen de kinderen naar binnen.

Een overgang naar een slecht verlichte opname in Dolarhydes eigen slaapkamer boven. Hij staat naakt voor de prent van *De grote rode draak en de vrouw bekleed met de zon*. Hij draagt een plastic bril met een montuur dat precies om het hoofd sluit, zo'n bril die bij hockeyspelers zo in trek is. Hij heeft een erectie die hij met zijn hand stimuleert.

Het beeld wordt wazig als hij de camera met gestileerde bewegingen nadert, zijn hand uitgestrekt om de camera scherp te stellen terwijl zijn gezicht het beeld vult. Het beeld trilt en stelt zich scherp in op een close-up van zijn mond, zijn misvormde bovenlip trekt zich terug, zijn tong steekt door zijn tanden naar buiten en in een van de hoeken is nog een rollend oog zichtbaar. De mond vult het scherm, terwijl verwrongen lippen zich terugtrekken en puntige tanden ontbloten. Opeens wordt het donker als zijn mond zich om de lens sluit.

Het probleem bij het volgende deel was duidelijk.

Een dansende vlek in een fel filmlicht werd een bed met daarop Charles Leeds die wild om zich heen sloeg, terwijl mevrouw Leeds rechtop ging zitten en haar ogen afschermde. Toen draaide ze zich om naar Leeds en legde haar handen op hem. Samen rolden ze naar de rand van het bed, hun benen raakten in het beddengoed verstrengeld terwijl ze probeerden overeind te komen. De camera zwaaide naar het plafond, het beeld danste heen en weer alsof het zich in een gevecht bevond en toen stabiliseerde het zich weer: mevrouw Leeds lag op de matras, terwijl een donkere vlek zich over haar nachthemd verspreidde, daarnaast Leeds, met zijn hand tegen zijn hals gedrukt en paniek in zijn ogen. Vijf seconden lang was het scherm zwart en toen was de klik van een las te horen. Het beeld werd rustig, de camera stond nu op een statief. Ze waren nu allemaal dood. Opgesteld. Twee kinderen zaten tegen de muur met hun gezicht naar het bed, de derde zat tegen de andere muur met het gezicht naar de camera. Meneer en mevrouw Leeds lagen in het bed met de dekens over hen heengetrokken. Meneer Leeds was met zijn rug tegen het hoofdeinde gezet. Het laken bedekte het touw rond zijn borst en zijn hoofd hing slap opzij. Dolarhyde kwam van links het beeld in met de gestileerde bewegingen van een Balinese danser. Met bloed besmeurd en op zijn bril en handschoenen na naakt, huppelde hij grijnzend tussen de doden. Hij liep naar de kant van het bed waar mevrouw Leeds lag, pakte de uiteinden van de dekens beet, trok ze van het bed en bleef even zo staan, als een stierenvechter die een doek ophoudt voor een stier. Terwijl hij nu in de mooie kamer van het huis van zijn grootouders zat te kijken, was Dolarhyde bedekt met een glimmende laag zweet. Zijn tong kwam voortdurend naar buiten, het litteken op zijn bovenlip glansde vochtig en hij kreunde terwijl hij zichzelf bevredigde.

Zelfs op het hoogtepunt van zijn genot speet het hem te zien dat hij in de volgende filmscènes al zijn gratie en elegantie verloren had, en wroetend als een varken zo slordig was geweest de camera zijn achterwerk toe te keren. Er waren geen dramatische pauzes, geen gevoel voor tempo of climax, alleen beestachtige razernij.

Niettemin was het verrukkelijk. Kijken naar de film was verrukkelijk. Maar niet zo verrukkelijk als de daden zelf.

Twee zwakke puntjes, zo vond Dolarhyde, waren dat op de film het doden van de familie Leeds niet te zien was, en dan zijn eigen armzalige optreden aan het einde van de film. Hij scheen al zijn waarden te verliezen. Dat was niet de manier waarop de Rode Draak het zou hebben gedaan.

Ach, hij zou nog heel wat films maken en hij hoopte na enige ervaring een zekere esthetische distantie te kunnen bewaren, zelfs op de meest intieme momenten.

Het moest hem lukken. Dit was zijn levenswerk, iets magnifieks. Het zou eeuwig voortbestaan.

Binnenkort moest hij zijn volgende project initiëren. Hij moest zijn medespelers uitzoeken. Hij had al verschillende films van familie-uitstapjes gekopieerd. Aan het eind van de zomer, als de vakantiefilms binnenkwamen, was het op de ontwikkelafdeling altijd razend druk. En na Thanksgiving kwam er een nieuwe piek.

Iedere dag stuurden gezinnen hem hun aanmeldingen als potentiële medespelers.

10

Het vliegtuig van Washington naar Birmingham was voor de helft leeg. Graham nam een plaats bij het raam met niemand naast zich. Hij bedankte voor het oudbakken broodje dat de stewardess hem aanbood en legde het Jacobi-dossier op het klaptafeltje. Voorin had hij de overeenkomsten tussen de Jacobi's en de Leeds genoteerd.

Beide echtparen waren achter in de dertig, beide hadden kinderen – twee jongens en een meisje. Edward Jacobi had uit een eerder huwelijk nog een andere zoon, die op de universiteit was toen het gezin werd vermoord.

In beide gevallen hadden zowel de vader als de moeder gestudeerd en beide gezinnen woonden in een huis van twee verdiepingen in een fraaie buitenwijk. Mevrouw Jacobi en mevrouw Leeds waren aantrekkelijke vrouwen. De gezinnen beschikten over creditcards van dezelfde maatschappijen en ze waren op nagenoeg dezelfde populaire tijdschriften geabonneerd.

Daarmee hielden de overeenkomsten op. Charles Leeds was fiscaal jurist en Edward Jacobi ingenieur en metaalkundige. Het gezin uit Atlanta was presbyteriaans, de Jacobi's waren katholiek. De familie Leeds had altijd in Atlanta gewoond, terwijl de Jacobi's pas drie maanden eerder vanuit Detroit waren verhuisd naar Birmingham.

Het woord 'willekeurig' klonk als een druppende kraan in Grahams hoofd. 'Willekeurige selectie van de slachtoffers', 'geen aanwijsbaar motief' – termen die door de kranten werden gebruikt en door rechercheurs in woede en frustratie werden uitgebraakt.

Toch was 'willekeurig' niet juist. Graham wist dat massamoordenaars en seriemoordenaars hun slachtoffers niet willekeurig kiezen. De man die de gezinnen Jacobi en Leeds had vermoord, had iets in hen gezien dat hem had aangetrokken en hem ertoe had gedreven de moorden te plegen. Misschien kende hij hen goed – hetgeen Graham hoopte – en misschien kende hij hen helemaal niet. Maar Graham was ervan overtuigd dat de moordenaar hen had gezien voor hij hen had vermoord. Hij had hen uitgekozen omdat ze iets uitstraalden dat hem aansprak, en daarbij speelden de vrouwen een centrale rol. Maar wat?

De misdaden vertoonden enkele verschillen.

Edward Jacobi was neergeschoten toen hij met een zaklantaarn de trap afkwam... hij was vermoedelijk door een geluid wakker geworden.

Mevrouw Jacobi en haar kinderen waren door het hoofd geschoten, mevrouw Leeds in de buik. Alle schoten waren afgevuurd met een 9 millimeter automatisch pistool. In de wonden waren sporen van staalwol afkomstig van een eigengemaakte geluiddemper gevonden. Op de hulzen stonden geen vingerafdrukken.

Het mes was alleen bij Charles Leeds gebruikt. Dr. Princi dacht dat het een mes met een dun en uiterst scherp lemmet was, mogelijk een fileermes.

Ook de wijzen van binnendringen verschilden: bij de Jacobi's was een patiodeur geforceerd, terwijl bij de familie Leeds een glassnijder was gebruikt.

Foto's van de misdaad in Birmingham toonden niet die hoeveelheid bloed die bij de Leeds was aangetroffen, maar er zaten bloedvlekken op de slaapkamermuren op ongeveer vijfenzeventig centimeter van de vloer. Dus de moordenaar had ook in Birmingham toeschouwers gehad. De politie van Birmingham had de lichamen, inclusief de vingernagels, op vingerafdrukken onderzocht, maar niets gevonden. Een zomermaand lang in Birmingham begraven zijn zou volstaan om alle vingerafdrukken, zoals die op het kind Leeds waren gevonden, te vernietigen.

In beide gevallen waren dezelfde blonde haren, hetzelfde speeksel en hetzelfde sperma aangetroffen.

Graham bevestigde foto's van de twee lachende gezinnen tegen de rugleuning van de stoel voor zich en staarde er lange tijd naar in de benauwde rust van het vliegtuig.

Wat had de moordenaar juist in hén aangetrokken? Graham wilde maar al te graag geloven dat er een gemeenschappelijke factor was en dat hij die spoedig zou ontdekken.

Anders zou hij nog meer huizen moeten betreden om te zien wat de Tandenfee daar voor hem had achtergelaten.

Graham kreeg via het FBI-kantoor in Birmingham een routebeschrijving en meldde zich vanaf het vliegveld telefonisch bij de politie. Waterdruppels uit de ventilatiegaten van de airconditioning in zijn kleine huurauto spatten op zijn handen en armen.

Zijn eerste bezoek gold makelaarskantoor Geehan op Dennison Avenue.

Geehan, een lange, kale man, haastte zich Graham te begroeten. Zijn glimlach verdween toen Graham hem zijn legitimatie toonde en om de sleutel van het huis van de Jacobi's vroeg.

'Zullen er vandaag ook agenten in uniform in de buurt van het huis rondlopen?' vroeg hij, zijn hand boven op zijn hoofd.

'Dat weet ik niet.'

'Ik hoop toch in vredesnaam van niet! Ik kan het vanmiddag misschien aan twee aspirant-kopers laten zien. Het is een mooi huis. Als de mensen het zien, zijn ze verkocht. Vorige week donderdag had ik een echtpaar uit Duluth, welgestelde gepensioneerde lui die een zonnige omgeving zochten. Ik leidde hen rond en had ze al zover dat ze over hypotheken begonnen te praten... ik bedoel, die man kon zo een derde op tafel leggen. Op dat moment reed de politiewagen de oprijlaan in. De agenten kwamen binnen en het echtpaar stelde hen een paar vragen. Nou, antwoord kreeg dat stel! De agenten vertelden alles tot in details... wie waar lag, en zo. Nou ja, toen was het natuurlijk: "Nou, tabee, Geehan. Bedankt voor de moeite!" Ik probeerde ze uit te leggen dat we alles weer goed beveiligd hadden, maar ze wilden niet luisteren. Daar gingen ze, met grote passen over het grind terug naar hun Sedan de Ville.'

'Zijn er alleenstaande mannen geweest om het te bezichtigen?'

'Niet dat ik weet. Er is van alles op gekomen. Maar ik geloof het niet. We mochten van de politie niet direct aan het schilderen gaan. Afgelopen dinsdag waren we pas klaar met het verven in het huis. Twee lagen binnenverf moesten we erop smeren, op sommige plaatsen drie. Nu zijn we nog met de buitenkant bezig. Het wordt een waar modelhuis.'

'Hoe kunt u het verkopen voordat de zaak testamentair is afgehandeld?'

'Ik kan de verkoop niet afronden voor die tijd, maar dat wil niet zeggen dat ik die niet kan voorbereiden. Men zou er op een akte van overeenkomst in kunnen trekken. Ik kan wel voorbereidend werk doen.'

'Wie is de executeur-testamentair van de Jacobi's?'

'Byron Metcalf van de firma Metcalf & Barnes. Hoe lang denkt u daarginds werk te hebben?'

'Weet ik niet. Tot ik klaar ben.'

'U kunt die sleutel wel via de post terugsturen, dan hoeft u niet nog eens langs te komen.'

Terwijl Graham in de richting van het huis van de Jacobi's reed, had hij het onbehaaglijke gevoel dat hij de verkeerde weg nam. Het huis lag in een nieuwe wijk aan de rand van de stad. Hij moest een keer stoppen om op de kaart te kijken voor hij de afslag naar een geasfalteerde secundaire weg vond.

Er was meer dan een maand verstreken sinds het gezin was vermoord. Wat had hij op dat moment gedaan? Een paar dieselmotoren geplaatst in de romp van een Rybovich, met hulp van Ariaga in de hijskraan, die hij een teken gaf telkens als die weer een paar centimeter kon zakken. 's Middags was Molly ook gekomen en hij en Molly en Ariaga hadden onder een zonnescherm in de kuip van de half voltooide boot gezeten en de grote garnalen opgegeten die Molly had meegebracht en koud Dos Equis-bier gedronken. Ariaga had uitgelegd hoe je het beste rivierkreeft kon schoonmaken. Hij had de staart getekend in het zaagsel op het dek terwijl het zonlicht dat werd teruggekaatst door het water over de buiken van de rondvliegende meeuwen speelde.

Water uit de airconditioning spatte op de voorkant van Grahams shirt en hij was nu in Birmingham en er waren geen garnalen of meeuwen. Hij zat op een weg met rechts van hem weilanden en beboste terreinen waar geiten en paarden liepen, en links van hem Stonebridge, een welgestelde wijk met fraaie herenhuizen en mooie villa's.

Ongeveer honderd meter voor hij het huis had bereikt, zag hij het bord van de makelaar al staan. Het huis van de Jacobi's was het enige aan de rechterkant van de weg. Het grind, dat plakkerig was van het hars van de pecannotenbomen die naast de oprijlaan stonden, ratelde tegen de binnenkant van de spatborden van de wagen. Op een ladder stond een timmerman, die bezig was met het aanbrengen van venstersloten. De man stak zijn hand op toen Graham om het huis heen liep.

Een met flagstones geplaveide patio aan de zijkant van het huis werd overschaduwd door een grote eik. 's Avonds zou de boom ook het licht van de schijnwerper in de zijtuin tegenhouden. Daar was de Tandenfee via de glazen schuifdeuren het huis binnengegaan. De deuren waren door nieuwe vervangen. De aluminium lijsten glommen en de sticker van de fabrikant zat er nog op. Voor de schuifdeuren was een nieuw smeedijzeren veiligheidshek geplaatst. Ook de deur van de kelder was nieuw – een grondig vergrendelde, perfect waterpas gehangen, stalen deur met pensloten. Graham ging naar binnen. Kale vloeren en bedompte lucht. Zijn voetstappen weergalmden in het lege huis.

De nieuwe spiegels in de badkamers hadden nooit de gezichten van de Jacobi's of dat van de moordenaar weerkaatst. Op elke spiegel zat een ruwe witte vlek waar de prijssticker eraf was getrokken. In een hoek van de ouderlijke slaapkamer lag een opgevouwen afdekkleed. Graham ging erop zitten en bleef daar zitten tot het zonlicht door de kale vensters een lange streep op de vloer tekende.

Hier was niets... nu niet meer.

Als hij hier onmiddellijk na de moord op de Jacobi's was gekomen, zou de familie Leeds dan nu nog in leven zijn? vroeg Graham zich af. Hij ging na hoe zwaar die last op hem drukte.

Het werd niet minder toen hij het huis had verlaten en weer onder de blote hemel stond.

Graham bleef staan in de schaduw van een pecannotenboom, schouders opgetrokken, handen in zijn zakken, en keek de lange oprit af naar de weg die voor het huis van de Jacobi's langsliep.

Hoe was de Tandenfee naar het huis van de familie Jacobi gekomen? Met een auto, dat kon niet anders. Waar had hij geparkeerd?

De met grind bedekte oprit maakte te veel lawaai voor een nachtelijk bezoek, dacht Graham. De politie van Birmingham dacht daar anders over.

Hij liep de oprit af naar de kant van de weg. Zover hij kon zien, werd de asfaltweg begrensd door greppels. Het was misschien mogelijk daaroverheen te rijden en een voertuig tussen het struikgewas te verbergen aan de kant waar het huis van de Jacobi's stond mits de grond hard en droog was.

Tegenover het huis van de Jacobi's lag de enige toegangsweg naar Stonebridge. Op een bord stond dat Stonebridge werd bewaakt door een particuliere bewakingsdienst. Een onbekend voertuig zou beslist zijn opgemerkt. Evenals een man die 's avonds laat over de straat liep. Parkeren in Stonebridge kon hij dus wel van zijn lijstje schrappen.

Graham liep het huis weer in en ontdekte tot zijn verrassing dat de telefoon was aangesloten. Hij belde het meteorologisch instituut en vernam dat er vijfenzeventig millimeter regen was gevallen op de dag voor de moord op de Jacobi's. Dus hadden de greppels toen vol met water gestaan. De Tandenfee had zijn voertuig niet naast de asfaltweg verborgen.

Een paard in het weiland naast de tuin hield gelijke tred met Graham toen deze langs het wit geschilderde hek naar het achterste gedeelte van het terrein liep. Hij gaf het paard een zuurtje en liet het dier in een hoek van het weiland achter, terwijl hij langs de omheining achter de bijgebouwen terugliep.

Hij bleef staan toen hij de sporen in de aarde zag waar de kinderen Jacobi hun kat hadden begraven. Toen hij er in het politiebureau van Atlanta met Springfield over had zitten praten, had hij zich voorgesteld dat de bijgebouwen wit waren. Ze bleken donkergroen te zijn.

De kinderen hadden de kat in een theedoek gewikkeld en het dier begraven in een schoenendoos, met een bloem tussen de poten. Graham legde zijn onderarmen op het hek en steunde zijn hoofd erop.

De begrafenis van een huisdier, een ernstige plechtigheid voor kinderen. Ouders gaan weer naar binnen, opgelaten bij het bidden. De kinderen kijken elkaar aan en ontdekken de pijn van verlies. Een buigt zijn hoofd, de anderen volgen. De schop steekt boven de hoofden uit. Daarna volgt een discussie over de vraag of de kat nu bij God in de hemel is of niet en wordt er enige tijd niet geschreeuwd.

Met de warme zon in zijn nek, wist Graham opeens één ding zeker: de Tandenfee had niet alleen de kat gedood, hij had ook toegekeken terwijl de kinderen het dier hadden begraven. Als het ook maar enigszins mogelijk was, had hij dat niet kunnen laten.

Hij had geen twee ritjes gemaakt, een om de kat te doden en dan nog eens om de Jacobi's te vermoorden. Hij was gekomen, had de kat gedood en vervolgens gewacht tot de kinderen het dier hadden gevonden.

Het was onmogelijk te achterhalen waar de kinderen de kat precies hadden gevonden. De politie had niemand kunnen vinden die de Jacobi's na het middaguur – ongeveer tien uur voor ze stierven – had gesproken.

Hoe was de Tandenfee gekomen en waar had hij gewacht?

Voorbij het achterste hek begon het struikgewas, dat zo'n dertig meter manshoog doorliep tot aan de bomen. Graham haalde de verfrommelde kaart uit zijn achterzak en spreidde hem uit op het hek. De kaart toonde een ononderbroken stuk bos van een vierhonderd meter diep langs de achterkant van het terrein van de Jacobi's, doorlopend naar beide kanten. Aan de zuidkant werd het bos begrensd door een weg die evenwijdig liep aan de weg vóór het huis van de Jacobi's.

Graham reed terug naar de hoofdweg en nam de afstand op zijn kilometerteller op. Hij volgde de hoofdweg in zuidelijke richting en sloeg vervolgens de weg in die hij op de kaart had gezien. Opnieuw nam hij de afstand op, tot de kilometerteller aangaf dat hij zich achter het huis van de Jacobi's aan de andere kant van het bos bevond. De bestrating eindigde hier in een uit de grond gestampt woningcomplex voor mensen met een laag inkomen, dat zo nieuw was dat het nog niet op de kaart was aangegeven. Hij reed het parkeerterrein op. De meeste auto's waren oud en doorgezakt in de veren. Twee stonden op blokken.

Negerkinderen speelden basketbal op de kale grond rond een basket zonder net. Graham ging op de motorkap van zijn auto zitten en sloeg het spel een tijdje gade.

Hij wilde zijn jasje uittrekken, maar hij wist dat zijn .44 Special en de platte camera aan zijn riem de aandacht zouden trekken. Hij voelde zich altijd merkwaardig opgelaten als mensen naar zijn pistool keken.

Er waren acht spelers in het team dat shirts droeg, elf in het team dat met ontbloot bovenlijf speelde, die alle elf tegelijk meededen. Scheidsrechterlijke beslissingen werden in overleg genomen. Een kleine bloterik werd tegen de grond gekwakt toen hij de bal wilde pakken, en beende boos naar huis. Even later kwam hij, gesterkt door een koekje, terug en stortte hij zich weer in het strijdgewoel.

Het geschreeuw en het gedreun van de bal monterden Graham op. Eén doel, één basketbal. Opnieuw stond hij erbij stil hoeveel spullen de familie Leeds had gehad. En de Jacobi's ook, volgens de politie, toen ze inbraak eenmaal had uitgesloten. Boten en sportuitrusting, kampeerbenodigdheden, camera's, geweren en vishengels. Ook dat hadden de beide gezinnen dus gemeen.

En met de gedachte aan de familie Leeds en de familie Jacobi in leven kwam ook de gedachte aan hun dood en toen kon Graham het basketbalspel niet langer aanzien. Hij haalde eens diep adem en liep vervolgens in de richting van de donkere bossen aan de andere kant van de weg.

Het struikgewas, dat aan de rand van het naaldbos nog dicht was, werd dunner toen Graham de diepe schaduw bereikte en de met dennennaalden bezaaide grond was gemakkelijk begaanbaar. De lucht was warm en stil. Vlaamse gaaien in de bomen riepen zijn komst om.

De grond liep geleidelijk af naar een droge rivierbedding waar enkele cipressen groeiden en in de rode klei waren sporen van wasberen en veldmuizen te zien. In het stroombed stonden ook menselijke voetafdrukken, waarvan sommige door kinderen waren achtergelaten. Ze waren allemaal verflauwd, het gevolg van diverse regenbuien.

Voorbij de bedding liep het terrein weer omhoog en het ging over in zanderige leemgrond waarin de varens onder de naaldbomen groeiden. Graham zwoegde in de warmte naar boven tot hij het licht onder de bomen aan de rand van de bossen zag.

Tussen de boomstammen door zag hij de bovenste verdieping van het huis van de Jacobi's.

Opnieuw manshoog struikgewas vanaf de rand van het bos tot het achterhek van het huis van de Jacobi's. Graham worstelde zich erdoorheen, bleef bij het achterhek staan en keek de tuin in.

De Tandenfee kon zijn wagen in de goedkope woonwijk geparkeerd hebben en via het bos naar het struikgewas achter het huis gelopen zijn. Hij kon de kat naar zich toe hebben gelokt en daar gewurgd hebben, waarna hij met het slappe lijkje naar het hek was gekropen. In gedachten zag Graham hoe de kat door de lucht vloog, zonder een poging te kunnen doen zich om te draaien om op zijn poten neer te komen, en met een klap op zijn rug in de tuin neerkomen.

De Tandenfee had dit overdag gedaan – in het donker zouden de kinderen de kat niet hebben gevonden en begraven.

En hij had gewacht tot ze het dier vonden.

Had hij gedurende de rest van de dag in de hitte van het struikgewas zitten wachten? Bij het hek zouden ze hem door de spijlen hebben kunnen zien. Als hij zich nog verder in het struikgewas had willen terugtrekken, dan had hij moeten gaan staan, waardoor hij vanaf de ramen zichtbaar zou zijn geweest en de zon zou bovendien ongenadig op hem in hebben gebrand. Nee, hij had wel moe-

ten teruggaan naar de bossen. Dus deed Graham dat ook.
De politie van Birmingham was niet dom. Hij kon zien waar ze door het struikgewas was gekropen om, geheel volgens het boekje, het hele gebied af te zoeken. Maar dat was vóór de kat was gevonden. Zij had gezocht naar een aanwijzing, weggeworpen voorwerpen, sporen... niet naar een gunstige uitkijkpost.

Hij liep een paar meter het bos in achter het huis van de Jacobi's en zocht links en rechts in de grauwe duisternis. Eerst bestreek hij het hoger gelegen terrein vanwaar een deel van de tuin te overzien was en vervolgens baande hij zich langzaam een weg naar de lager gelegen boomgrens.

Hij had al langer dan een uur gezocht toen hij iets op de grond zag schitteren. Hij verloor het weer uit het oog en vond het toen terug. Het was het treklipje van een blikje frisdrank, gedeeltelijk verborgen onder de bladeren van een iep, een van de weinige iepen tussen de naaldbomen.

Hij zag het vanaf een afstand van twee meter en hij bleef daar vijf minuten lang staan, terwijl hij ondertussen de grond rond de boom afspeurde. Hij liet zich op zijn hurken zakken en veegde de bladeren voor zich opzij terwijl hij zich langzaam in de richting van de boom begaf, ervoor zorgend dat hij eventuele afdrukken niet verknoeide. Voorzichtig verwijderde hij alle bladeren rond de boomstam. Hij vond geen voetafdrukken.

Vlak bij het aluminium lipje vond hij een uitgedroogd klokhuis van een appel, aangevreten door mieren. Vogels hadden de pitten eruit gepikt. Hij speurde nog eens tien minuten lang de grond af. Ten slotte ging hij op de grond zitten, strekte zijn pijnlijke benen uit en leunde achterover tegen de boom.

Een zwerm muggen dwarrelde in een straal zonlicht. Een rups kronkelde langs de onderkant van een blad.

Op de tak boven zijn hoofd zat een randje rode rivierklei, afkomstig van de instap van een schoen.

Graham hing zijn jasje aan een tak en begon zich voorzichtig aan de andere kant van de boomstam omhoog te werken, terwijl hij om de stam heen keek naar de takken boven het brokje klei. Op ongeveer tien meter hoogte keek hij nog eens om de stam heen en toen zag hij het huis van de Jacobi's, honderdvijfenzeventig meter bij hem vandaan. Vanaf deze hoogte zag het er anders uit: de kleur van het dak domineerde. Hij kon de achtertuin en het terrein achter de bijgebouwen goed zien. Met een goede verrekijker was het van hier heel goed mogelijk de uitdrukking op een gezicht te onderscheiden.

Graham kon in de verte verkeersgeruis horen en heel ver weg het blaffen van een jachthond. Een krekel begon luidkeels te sjirpen en overstemde de andere geluiden.

Vlak boven zijn hoofd wees een dikke tak regelrecht in de richting van het huis van de Jacobi's. Hij trok zich omhoog en boog zich om de stam om de tak te bekijken.

Vlak bij zijn wang zat een frisdrankblikje tussen de tak en de stam geklemd.

'Geweldig!' fluisterde Graham tegen de schors. 'Allemachtig, wat fantastisch! Kom maar hier, blikje!'

Maar het kon natuurlijk ook door een kind zijn achtergelaten.

Hij klom nog verder omhoog aan zijn kant van de boom, een riskante zaak op die dunne takken, en werkte zich om de stam heen om op de grote tak te kunnen neerkijken.

Aan de bovenkant van de tak was de buitenste schorslaag weggesneden, waardoor een rechthoekje ter grootte van een speelkaart van de groene laag daaronder zichtbaar was. In het midden van die groene rechthoek, diep ingekerfd tot in het blanke hout, zag Graham dit:

中

Het was heel voorzichtig en netjes gedaan met een vlijmscherp mes. Dit was niet het werk van een kind.

Graham fotografeerde het teken, daarbij zorgvuldig zijn belichting instellend.

Het uitzicht vanaf de dikke tak was goed en zelfs nog verbeterd: uit de tak daarboven stak de stomp van een dunne tak die was afgesneden, waardoor het zicht ruimer was geworden. De vezels waren samengedrukt op het snijvlak.

Graham zocht naar de afgesneden tak. Als die op de grond had gelegen, zou hij hem gezien hebben. Toen zag hij tussen de takken onder hem verdorde bruine bladeren tussen het groene loof.

Het laboratorium zou beide afgesneden uiteinden nodig hebben om te kunnen bekijken waarmee de tak was verwijderd. Dat hield in dat hij terug zou moeten komen met een zaag. Hij maakte een aantal foto's van het stompje, terwijl hij de hele tijd binnensmonds in zichzelf sprak.

Volgens mij ben je, nadat je de kat hebt gedood en het dier in de tuin hebt gesmeten, in deze boom geklommen en heb je hier zitten wachten, makker. Ik denk dat je de kinderen hebt gadegeslagen en de tijd al kervend en dagdromend hebt doorgebracht. Toen het donker werd, zag je ze voor hun verlichte vensters langslopen en je keek toe terwijl de gordijnen werden dichtgetrokken en de lichten een voor een uitgingen. En na enige tijd ben je naar beneden geklommen en ben je het huis binnengegaan. Waar of niet? Zo moeilijk was het vast niet om van die dikke tak recht naar beneden te klimmen, bijgelicht door je zaklantaarn en het heldere schijnsel van de opkomende maan.

Voor Graham was de afdaling behoorlijk lastig.

Hij stak een twijg in de opening van het blikje, tilde hem voorzichtig uit de oksel van stam en tak en daalde af, waarbij hij de twijg tussen zijn tanden hield, waar hij zijn beide handen nodig had voor de afdaling.

Toen hij terugkwam bij de nieuwbouwwijk, ontdekte Graham dat iemand in het stof op de zijkant van zijn auto 'Levon heeft een apenkop' had geschreven. De hoogte waarop de woorden geschreven waren, toonde aan dat zelfs de jongste bewoners al aardig goed konden schrijven.

Hij vroeg zich af of de kinderen ook op de wagen van de Tandenfee hadden geschreven.

Graham bleef een paar minuten naar de rijen ramen zitten kijken. Hij schatte dat er ongeveer honderd wooneenheden waren. Het was mogelijk dat iemand zich wellicht herinnerde 's avonds laat een onbekende blanke man op het parkeerterrein te hebben gezien. Ook al was er sindsdien een maand verstreken, het was de moeite van het proberen waard. Maar om alle bewoners in een kort tijdsbestek te ondervragen, zou hij de hulp van de politie van Birmingham nodig hebben.

Hij verzette zich tegen de verleiding om het blikje direct naar Jimmy Price in Washington te sturen. Hij moest de politie van Birmingham om mankracht vragen en kon dus beter wat hij had gevonden aan hen geven. Een standaardonderzoek op vingerafdrukken was simpel genoeg. Het vinden van vingerafdrukken die vervaagd waren door verzuurd zweet, was een andere zaak. Dat zou Price ook nog kunnen doen nadat Birmingham naar vingerafdrukken had gezocht, mits het blikje niet met blote handen was aangeraakt. Hij kon het maar beter aan de politie geven. Hij wist dat de documentatieafdeling van de FBI zich als een stel dolle honden op het snijwerk zou storten. Daarvan kon iedereen een afdruk krijgen, dat kon geen kwaad.

Vanuit het huis van de Jacobi's belde hij met Moordzaken van de politie van Birmingham. De rechercheurs arriveerden juist op het moment dat makelaar Geehan zijn aspirant-kopers naar binnen leidde.

II

Eileen zat een artikel in de *National Tattler* te lezen met de kop 'SCHADELIJKE STOFFEN IN UW BROOD!' toen Dolarhyde de kantine binnenkwam. Ze had alleen het beleg van haar broodje tonijnsalade opgegeten.

Dolarhydes ogen achter de rode bril vlogen over de voorpagina van de *Tattler*. Verdere koppen behalve 'SCHADELIJKE STOFFEN IN UW BROOD!', waren 'GEHEIME SCHUILPLAATS ELVIS ONTDEKT – EXCLUSIEVE FOTO'S!', 'SENSATIONELE DOORBRAAK OP HET GEBIED VAN KANKER' en de grote paginabrede kop 'HANNIBAL DE KANNIBAAL HELPT POLITIE – AGENT CONSULTEERT BARBAAR OVER DE "TANDENFEE"-MOORDEN.'

Hij ging voor het raam staan en roerde afwezig in zijn koffie tot hij Eileen hoorde opstaan. Ze plaatste haar dienblad in de daarvoor bestemde container en wilde juist de *Tattler* weggooien toen Dolarhyde haar schouder beroerde.

'Mag ik die krant hebben, Eileen?'

'Natuurlijk, meneer Dolarhyde. Ik koop hem alleen voor de horoscopen.'

Dolarhyde las de krant in zijn kantoor, met de deur dicht.

Er stonden twee artikelen van Freddy Lounds op de dubbele middenpagina. Het hoofdartikel was een hijgerige reconstructie van de moorden op de families Leeds en Jacobi. Aangezien de politie weinig details had vrijgegeven, had Lounds zijn fantasie aangesproken voor de lugubere bijzonderheden.

Dolarhyde vond ze platvloers.

Het tweede artikel was interessanter:

KRANKZINNIGE BARBAAR GECONSULTEERD OVER MASSAMOORDEN
DOOR AGENT DIE HIJ OOIT PROBEERDE TE DODEN
door
Freddy Lounds

CHESAPEAKE, MD. – Speurneuzen van de FBI, vastgelopen in hun speurtocht naar de 'Tandenfee', de psychopathische moordenaar van complete gezinnen in Birmingham en Atlanta, hebben zich voor hulp gewend tot de meest barbaarse moordenaar in gevangenschap.

Dr. Hannibal Lecter, over wiens afschuwelijke praktijken we drie jaar geleden uitvoerig hebben bericht, werd deze week in zijn meervoudig beveiligde cel van een psychiatrische inrichting geconsulteerd door de befaamde rechercheur William (Will) Graham.

Graham overleefde een bijna fatale aanval op zijn persoon door Lecter toen hij deze als massamoordenaar ontmaskerde. Hij trok zich vervroegd uit de dienst terug, maar werd benaderd om de jacht op de 'Tandenfee' te leiden.

Wat gebeurde er tijdens deze bizarre ontmoeting tussen twee aartsvijanden? Waar was Graham op uit?

'Een psychopaat pak je via een soortgenoot,' aldus een hoge functionaris van de FBI. Hij duidde hiermee op Lecter, die bekend staat als 'Hannibal de Kannibaal', zowel psychiater als massamoordenaar.

OF DUIDDE HIJ WELLICHT OP GRAHAM?!

De *Tattler* heeft ontdekt dat Graham, voormalig instructeur in forensisch onderzoek aan de FBI-Academie in Quantico, Virginia, vroeger gedurende een periode van vier weken opgenomen is geweest in een zenuwinrichting...

De FBI weigert te zeggen waarom ze een man die in het verleden blijk gaf van psychische labiliteit, een belangrijke rol geven in een niets ontziende mensenjacht.

De aard van Grahams psychische problemen werd niet onthuld, maar een voormalige psychiatrisch verpleegkundige maakte gewag van 'zware depressiviteit'.

Garmon Evans, voormalig paraprofessioneel medewerker bij het marinehospitaal van Bethesda, zei dat Graham op de psychiatrische afdeling werd opgenomen kort nadat hij Garrett Jacob Hobbs, de 'Klauwier van Minnesota', had gedood. Graham schoot Hobbs in 1975 neer en maakte daarmee een einde aan diens acht maanden durende schrikbewind in Minneapolis.

Volgens Evans was Graham eenzelvig geweest en had hij gedurende de eerste weken van zijn verblijf geweigerd te eten of te spreken.

Graham is nooit FBI-agent geweest. Oudgedienden schrijven dit toe aan de strenge selectieprocedures, opgesteld om labiliteit op te sporen.

Bronnen bij de FBI wilden alleen kwijt dat Graham oorspronkelijk werkzaam was in het misdaadlaboratorium van de FBI en later als docent werd toegelaten aan de FBI-Academie dankzij zijn uitstekende staat van dienst zowel in het laboratorium als in het veld, waar hij diensten verrichtte als 'speciaal rechercheur'.

De *Tattler* ontdekte dat Graham, voor zijn werk bij de FBI, werkzaam was bij de afdeling Moordzaken van de politie in New Orleans, een post die hij verliet toen hij aan de George Washington University forensische wetenschappen ging studeren.

Een officier uit New Orleans die met Graham heeft samengewerkt, zei: 'Ja, je zou kunnen zeggen dat hij de dienst heeft verlaten, maar de FBI heeft hem graag in de buurt. Het is zoiets als het houden van een koningsslang onder je huis: veel zul je hem niet zien, maar het is prettig te weten dat hij er is om de kleinere slangen te verslinden.'

Dr. Lecter wordt voor de rest van zijn leven vastgehouden. Als hij ooit toerekeningsvatbaar wordt verklaard, zal hij terecht moeten staan voor negen moorden.

Volgens Lecters advocaat brengt de massamoordenaar zijn tijd door met het schrijven van nuttige artikelen voor wetenschappelijke tijdschriften en voert hij via de post een 'onafgebroken dialoog' met een aantal kopstukken in de psychiatrie.

Dolarhyde hield op met lezen en bekeek de foto's. Twee stonden er boven de kop. De ene toonde Lecter die tegen de zijkant van een politiewagen gedrukt werd. De andere was de foto van Will Graham, die Freddy Lounds voor de Chesapeake Psychiatrische Strafinrichting had genomen. Naast beide artikelen was een kleine foto van Lounds afgedrukt.

Dolarhyde keek lange tijd naar de foto's. Langzaam streek hij er met de top van zijn wijsvinger overheen, met grote aandacht voor de ruwe textuur van het krantenpapier. Inkt besmeurde zijn vingertop. Hij bevochtigde de vlek met zijn tong en veegde hem met een papieren zakdoekje weg. Vervolgens knipte hij de krantenkop uit en stopte die in zijn zak.

Op weg naar huis kocht Dolarhyde toiletpapier van het snel oplosbare soort dat veel op boten en in caravans gebruikt wordt, alsmede een neusspray.

Hij voelde zich goed, ondanks zijn hooikoorts – zoals zoveel mensen die uitvoerige neusoperaties hadden ondergaan, had Dolarhyde geen haargroei meer in zijn neus en werd hij door hooikoorts geplaagd. Bovendien had hij veel last van ontstekingen in zijn bijholtes.

Toen een vrachtwagen met motorpech hem tien minuten lang op de brug over de Missouri River naar St. Charles ophield, bleef hij geduldig zitten wachten. Zijn zwarte busje was met tapijt bekleed, koel en rustig. Door de stereo klonk Händels *Watermuziek*.

Hij tokkelde met zijn vingers op de maat van de muziek tegen het stuur en hield van tijd tot tijd een zakdoekje tegen zijn neus.

In een auto met open dak op de rijbaan naast hem zaten twee vrouwen. Ze droegen shortjes en hadden hun blouses onder hun borsten vastgeknoopt. Dolarhyde keek vanuit zijn busje neer in de open auto. Ze zagen er vermoeid en verveeld uit en keken met tot spleetjes dichtgeknepen ogen in het licht van de ondergaande zon. De vrouw op de passagiersplaats zat met haar hoofd tegen de hoofdsteun geleund en had haar voeten op het dashboard gelegd. Door haar onderuitgezakte houding ontstonden twee plooien op haar blote maag. Dolarhyde zag een zuigplekje op de binnenkant van haar dijbeen. Ze merkte dat hij naar haar zat te kijken, ging rechtop zitten en sloeg haar benen over elkaar. Op haar gezicht verscheen een uitdrukking van verveelde afkeer. Ze zei iets tegen de vrouw achter het stuur. Beiden keken recht voor zich. Hij wist dat ze het over hem hadden. Hij was overgelukkig dat dit hem niet kwaad maakte! Er waren nog maar weinig dingen die hem boos konden maken. Hij wist dat hij een beschaafde waardigheid aan het ontwikkelen was. De muziek was uiterst aangenaam. Het verkeer voor Dolarhyde zette zich weer in beweging. De rijbaan naast hem was nog steeds geblokkeerd. Hij verlangde naar huis. Hij tikte opnieuw op de maat van de muziek op het stuur en draaide met zijn andere hand het raampje open.

Hij schraapte zijn keel en spuwde een klodder groen slijm in de schoot van de vrouw in de auto naast hem, die vlak naast haar navel terechtkwam. Haar vloeken klonken hoog en schril boven de muziek van Händel uit toen hij wegreed.

Dolarhydes grote register was minstens honderd jaar oud. Het boekwerk was gebonden in zwart leer met koperen hoeken en was zo zwaar dat het in de afgesloten kast boven aan de trap op een stevige standaard met wieltjes was geplaatst. Vanaf het moment dat hij het boek bij de faillissementsverkoop van een drukkerij in St. Louis had gezien, had Dolarhyde geweten dat hij het moest hebben. Nu, na zijn bad en in een kimono gehuld, opende hij de kast en rolde hij de standaard met het boek eruit. Toen het boek recht onder het schilderij van de grote rode draak stond, ging hij in een stoel zitten en sloeg het open. De geur van oud, schimmelig papier kwam hem tegemoet.

Op de eerste bladzijde stonden, in grote letters die hij zelf met ornamenten had versierd, de woorden uit de Openbaringen van Johannes: '... en zie, een grote rossige draak verscheen...'

Het eerste stuk in het boek was het enige dat niet netjes was vastgelijmd. Los tussen de bladzijden lag een vergeelde foto van Dolarhyde als klein kind met zijn grootmoeder op de trap voor het grote huis. Hij klemt zich vast aan grootmoeders rok. Ze heeft haar armen over elkaar geslagen en haar rug is kaarsrecht.

Dolarhyde sloeg snel de bladzijde om. Hij negeerde de foto alsof die daar per ongeluk terecht was gekomen.

Er zaten veel knipsels in het boek, de oudste over de verdwijningen van bejaarde vrouwen in St. Louis en Toledo. De bladzijden tussen de knipsels waren beschreven met het handschrift van Dolarhyde – zwarte inkt in fraai rondschrift, dat veel leek op het handschrift van William Blake.

In de marges waren rafelige stukjes hoofdhuid bevestigd waarvan de haren een spoor vormden als van samengeperste kometen in Gods plakboek.

De krantenknipsels over de Jacobi's uit Birmingham waren in het boek geplakt, samen met filmcassettes en dia's in insteekmapjes die aan de bladzijden waren vastgelijmd.

Ook artikelen over de familie Leeds, met de film ernaast.

Pas na Atlanta was de benaming 'Tandenfee' in de pers verschenen. De naam was in alle artikelen over de familie Leeds doorgekrast. Nu deed Dolarhyde hetzelfde met zijn krantenknipsel uit de *Tattler*, waarbij hij met woedende halen van een rood potlood 'Tandenfee' doorhaalde.

Hij sloeg een nieuwe, blanco bladzijde open en knipte het artikel uit de *Tattler* op de juiste maat uit. Moest hij Grahams foto ook inplakken? De woorden 'Psychiatrische Strafinrichting' boven de ingang waarvoor Graham stond, stonden Dolarhyde tegen. Het zien van elke vorm van gevangenschap wekte zijn haat op. Grahams gezicht deed hem niets. Hij legde de foto voorlopig terzijde. Maar Lecter... Lecter. Dit was geen goede foto van de dokter. Dolarhyde beschikte over een betere, die hij uit een doos in zijn kast te voorschijn haalde. De foto was genomen tijdens Lecters arrestatie en toonde zijn mooie ogen. Toch was ook deze niet bevredigend. In Dolarhydes gedachten zou Lecters beeltenis het duistere portret van een renaissanceprins moeten zijn. Want Lecter beschikte vermoedelijk als enige mens ter wereld over de sensitiviteit en de ervaring om de glorie, de majesteit van Dolarhydes Wording te begrijpen.

Dolarhyde voelde dat Lecter de onwerkelijkheid kende van de mensen die sterven om je bij deze dingen te helpen – begreep dat ze niet bestonden uit vlees en bloed, maar uit licht en lucht en kleur en snelle geluiden die abrupt eindigden als je ze verandert. Als kleurrijke ballonnen die uit elkaar spatten. Dat ze belangrijker zijn voor de verandering, belangrijker dan de levens waaraan ze zich smekend vastklampen.

Dolarhyde verdroeg gekrijs zoals een beeldhouwer stof van de bewerkte steenmassa verdraagt.

Lecter was in staat te begrijpen dat bloed en lucht slechts elementen waren die veranderingen ondergaan teneinde zijn Glorie te voeden. Net zoals de bron van het licht brandt.

Hij zou Lecter graag willen ontmoeten, met hem willen praten en van gedachten wisselen, zich samen met hem in hun gedeelde visie verheugen en verblijden, door hem gekend worden zoals Johannes Hem die na hem kwam kende, hem onderwerpen zoals de draak 666 onderwerpt in Blakes verbeeldingen van de Openbaringen en zijn sterven filmen als hij, in zijn doodsnood, opging in de kracht van de draak.

Dolarhyde trok een nieuw paar rubber handschoenen aan en liep naar zijn bureau. Hij scheurde het omhulsel van de rol toiletpapier die hij had gekocht. Vervolgens ontrolde hij een stuk van zeven velletjes en trok dit los.

Met zijn linkerhand begon hij voorzichtig op het zachte papier een brief aan Lecter te schrijven.

Spraak is nooit een betrouwbare aanwijzing voor de wijze waarop iemand schrijft, daaraan heb je geen enkel houvast. Dolarhydes spraak was krom en beperkt door reële en ingebeelde gebreken, en het verschil tussen zijn spraak en zijn woordkeus op papier was opzienbarend. Desondanks was hij van mening dat hij zijn diepste gevoelens niet onder woorden kon brengen.

Hij wilde iets van Lecter horen. Hij had een persoonlijke reactie nodig alvorens hij dr. Lecter de belangrijke dingen kon vertellen. Hoe moest hij dat voor elkaar krijgen? Hij rommelde door zijn doos met knipsels over Lecter en las alles nog eens door.

Opeens bedacht hij een simpele manier en hij begon weer te schrijven.

De brief kwam hem te timide voor toen hij hem overlas. Hij had ondertekend met 'Een vurige fan'.

Hij dacht nog even na over deze ondertekening.

Ja, 'vurige fan'. Hooghartig ging zijn kin een fractie omhoog.

Hij stak zijn in de rubber handschoen gehulde duim in zijn mond, verwijderde zijn kunstgebit en legde het op het vloeiblad.

Het bovenste deel van het gebit was anders dan gebruikelijk. De tanden waren normaal, recht en wit, maar de roze kunststoffen bovenkant had een verwrongen vorm, passend gemaakt rond de spleten en kronkels in zijn tandvlees. Aan de plaat zat een prothese van zacht plastic met bovenaan een afsluiter, waarmee hij tijdens het praten zijn zachte gehemelte kon afschermen.

Hij pakte een doosje uit zijn bureau. Daarin zat een ander gebit. De vorm van de bovenkant was dezelfde, maar dan zonder prothese. Tussen de scheve tanden zaten donkere vlekken en er kwam een weeë stank af.

Ze waren identiek aan grootmoeders tanden in het glas op het nachtkastje beneden.

Dolarhydes neusvleugels trilden toen de geur tot hem doordrong. Hij opende zijn tot een ingevallen grijns vertrokken mond, plaatste het gebit erin en bevochtigde de tanden met zijn tong.

Hij vouwde de brief op de ondertekening en beet er vervolgens stevig op. Toen hij de brief weer openvouwde, was de ondertekening omringd door een ovale afdruk van het gebit, zijn notariële zegel, een imprimatur bevlekt met oud bloed.

12

Advocaat Byron Metcalf knoopte om vijf uur zijn das los, schonk zich iets te drinken in en legde zijn voeten op zijn bureau.

'Weet je zeker dat je niets wilt?'

'Een andere keer.' Graham plukte de klitten van zijn manchetten en was blij met de airconditioning.

'Ik heb de Jacobi's niet echt gekend,' zei Metcalf. 'Ze hebben hier maar drie maanden gewoond. Mijn vrouw en ik zijn er een paar keer op bezoek geweest. Ed Jacobi kwam hier voor een nieuw testament kort nadat hij hierheen was verhuisd. Op die manier heb ik hem ontmoet.'

'Maar u bent zijn executeur.'

'Ja. Zijn vrouw was als eerste executeur opgegeven, daarna ik als plaatsvervanger voor het geval zij zou komen te overlijden of geestelijk onbekwaam zou raken. Hij heeft een broer in Philadelphia, maar ik kreeg de indruk dat ze weinig contact met elkaar hadden.'

'U bent plaatsvervangend officier van justitie geweest?'

'Ja. Van 1968 tot 1972. In 1972 heb ik me kandidaat gesteld voor hoofdofficier van justitie. Het scheelde niet veel, maar ik heb het niet gehaald. Achteraf kan ik niet zeggen dat het me spijt.'

'Wat is uw mening over de gebeurtenissen hier, meneer Metcalf?'

'Ik moest aanvankelijk denken aan Joseph Yablonski, de vakbondsleider.'

Graham knikte.

'Een misdaad met een motief, in dat geval macht, onder het mom van een vlaag van verstandsverbijstering. We hebben de papieren van Ed Jacobi tot in de kleinste details onderzocht – Jerry Estridge van Justitie en ik. Niets. De dood van Ed Jacobi zou niemand een groot voordeel opleveren. Hij verdiende een best salaris en hij kreeg wat geld van octrooien, maar hij gaf het allemaal net zo snel weer uit als het binnenkwam. Alles zou naar zijn vrouw gaan, uitgezonderd een stukje grond in Californië dat voor de kinderen en hun nakomelingen was bestemd. Hij had een kleine som vastgezet op naam van de nog in leven zijnde zoon. Die kan daar nog drie jaar van studeren. Ik ben ervan overtuigd dat hij tegen die tijd nog altijd eerstejaars zal zijn.'

'Niles Jacobi.'

'Ja. Die knul heeft Ed heel wat grijze haren bezorgd. Hij woonde bij zijn moeder in Californië. Heeft in Chino vastgezeten voor diefstal. Ik vermoed dat zijn moeder hem niet de baas kon. Ed is er vorig jaar heengegaan om hem te helpen. Heeft hem naar Birmingham gehaald en hem een plaats op het Community College in Bardwell bezorgd. Hij heeft geprobeerd hem thuis te houden, maar Niles kon niet met de andere kinderen overweg en maakte het voor iedereen moeilijk. Mevrouw Jacobi heeft het een tijdje volgehouden, maar ten slotte hebben ze een kamer voor hem gezocht in een studentenhuis.'

'Waar was hij?'

'In de nacht van 28 juni?' Metcalf keek Graham aan met half dichte ogen. 'Dat vroeg de politie zich ook af. Ik ook, trouwens. Hij is 's avonds naar de bioscoop geweest en daarna terug naar school. Zijn verhaal is nagetrokken en het klopt. Bovendien heeft hij bloedgroep O. Meneer Graham, over een halfuurtje moet ik mijn vrouw afhalen. Als u wilt, kunnen we morgen verder praten. Vertelt u me maar waarmee ik u kan helpen.'

'Ik zou graag de persoonlijke spullen van de Jacobi's willen zien. Dagboeken, foto's, dat soort zaken.'

'Veel is er niet. Voor ze hierheen verhuisden, zijn ze bijna al hun bezittingen kwijtgeraakt bij een brand in Detroit. Niets verdachts: Ed was in de kelder aan het lassen en er sprongen vonken over in wat verfpotten die hij daar had opgeslagen, waardoor het hele huis in de fik kwam te staan.

Er is wel wat persoonlijke correspondentie. Ik heb het met wat kleine kostbaarheden in de safe opgesloten. Ik kan me niet herinneren dagboeken gezien te hebben. Alle andere dingen staan in een opslag. Misschien heeft Niles nog wat foto's, maar ik betwijfel het. Weet u wat... ik moet morgenochtend om halftien naar de rechtbank, maar voor die tijd kan ik u bij de bank afzetten. Dan kunt u daar op uw gemak alles doorkijken en kom ik u later weer ophalen.'

'Uitstekend,' zei Graham. 'Nog één ding: ik zou zeer geholpen zijn met kopieën van alles wat met het testament te maken heeft: claims tegen het bezitsrecht, geschillen over de wilsbeschikking, correspondentie. Ik wil graag alle documenten hebben.'

'Het kantoor van de officier van justitie van Atlanta heeft daar ook om gevraagd. Ze vergelijken alles met de bezittingen van de Leeds in Atlanta,' zei Metcalf.

'Toch zou ik voor mijzelf ook graag kopieën hebben.'

'Oké, komt voor elkaar. Maar u denkt toch niet echt dat geld het motief was, of wel?'

'Nee. Ik hoop alleen dat ik hier en in Atlanta een zelfde naam zal tegenkomen.'

'Ik ook.'

De studentenbehuizing van het Bardwell Community College bestond uit vier gebouwen rond een rommelige binnenplaats van platgetrapte aarde. Toen Graham arriveerde, was er een stereo-oorlog gaande. De luidsprekers op de diverse balkons blèrden om het hardst over het plein. Het was Kiss contra de *Ouverture 1812*. Een waterballon vloog hoog door de lucht en barstte op een paar meter afstand van Graham op de grond uiteen.

Hij dook onder een volle waslijn door en stapte over een fiets om de zitkamer door te lopen van het appartement dat Niles Jacobi met een ander deelde. De deur naar Jacobi's slaapkamer stond op een kier en muziek dreunde naar buiten. Graham klopte op de deur.

Geen reactie.

Hij duwde de deur verder open. Een lange jongen met een pukkelig gezicht zat op een van de tweepersoonsbedden en lurkte aan een hasjpijp van ruim een meter lang. Op het andere bed lag een meisje in een tuinbroek.

De jongen drukte met een ruk zijn hoofd om en keek naar Graham. Hij deed moeite zijn gedachten te verzamelen.

'Ik ben op zoek naar Niles Jacobi.'

De jongen keek hem verdwaasd aan. Graham draaide de stereo uit.

'Ik ben op zoek naar Niles Jacobi.'

'Dit is alleen maar spul voor mijn astma, man. Kun je niet kloppen?'

'Waar is Niles Jacobi?'

'Ik mag doodvallen als ik het weet. Wat moet je van hem?'

Graham toonde hem zijn identificatie. 'Denk eens goed na.'

'O, verdomme!' zei het meisje.

'Narcotica! Vervloekt! Aan mij heb je weinig, man! Hoor eens, kunnen we het niet op een akkoordje gooien?'

'Laten we het er eerst maar eens over hebben waar Jacobi is.'

'Ik denk dat ik daar wel achter kan komen,' zei het meisje.

Graham wachtte, terwijl zij in de andere kamers ging vragen. Overal waar ze kwam, werden wc's doorgetrokken.

In de kamer waren een paar sporen van Niles Jacobi te vinden... een foto van het gezin Jacobi lag op de toilettafel. Graham tilde het glas met smeltend ijs, dat erop stond, op en veegde de vochtige kring weg met zijn mouw.

Het meisje kwam terug. 'Probeer het eens bij de Hateful Snake,' zei ze.

De Hateful Snake was een kroeg waarvan de ramen donkergroen waren geverfd. Een allegaartje aan voertuigen stond buiten geparkeerd: grote trucks die er zonder hun aanhanger vreemd gekortwiekt uitzagen, kleine wagens, een lila convertible, oude Dodges en Chevrolets met verhoogde achterkanten voor de drag-racelook, vier Harley-Davidsons met alles erop en eraan.

Een airconditioner, bevestigd op de dwarsbalk boven de deur, lekte gestaag waterdruppels op het trottoir.

Graham dook onder de druppels door en ging naar binnen.

Het was er druk en er hing een geur van ontsmettingsmiddelen en muffe Canoe. De barkeeper, een forse vrouw in een overall, reikte Graham over de hoofden heen zijn cola aan. Ze was de enige aanwezige vrouw.

Niles Jacobi, donker en broodmager, stond bij de jukebox. Hij stopte het geld in de machine, maar de man naast hem bediende de knoppen.

Jacobi zag eruit als een verlopen student, maar dat gold niet voor degene die de muziek uitzocht.

Jacobi's metgezel was een vreemde mengeling: hij had een jongensachtig gezicht boven een knokig, gespierd lichaam. Hij droeg een T-shirt en een spijkerbroek met witte slijtplekken bij de voorwerpen in zijn zakken. Zijn armen waren pezig en gespierd en hij had grote, lelijke handen. Een professioneel aangebrachte tatoeage op zijn linkeronderarm luidde 'Leven is neuken'. Op zijn andere arm zat een grove, amateurtatoeage: 'Randy'. Zijn korte gevangeniskapsel was onregelmatig uitgegroeid. Toen hij zijn hand naar een knop op de verlichte jukebox uitstak, zag Graham een stukje geschoren huid op zijn onderarm.

Graham kreeg een kil gevoel in zijn maag.

Hij volgde Niles Jacobi en 'Randy' door de mensenmassa naar de achterkant van de ruimte. Ze namen plaats in een afgeschermd zitje.

Graham liep tot vlak voor het tafeltje.

'Niles, ik ben Will Graham. Ik moet even met je praten.'

Randy keek op, een huichelachtige grijns op zijn gezicht. Een van zijn voortanden was dood. 'Ken ik jou?'

'Nee. Niles, ik wil met je praten.'

Niles trok vragend zijn wenkbrauwen op. Graham vroeg zich af hoe het hem in Chino vergaan was.

'We zitten hier privézaken te bespreken. Rot op,' zei Randy.

Bedachtzaam keek Graham naar de gespierde onderarmen, de afdruk van een pleister in de kromming van zijn elleboog, het geschoren stukje waar Randy de scherpte van zijn mes had getest.

De kale plek van een messenvechter.

Ik ben bang voor Randy. Val aan of ga ervandoor.

'Heb je me niet gehoord?' vroeg Randy. 'Rot op!'

Graham knoopte zijn jasje los en legde zijn identiteitsbewijs op tafel.

'Blijf rustig zitten, Randy. Zo niet, dan heb je binnenkort twee navels.'

'Sorry, meneer.' Onmiddellijke brommers braafheid.

'Randy, je moet iets voor me doen. Ik wil dat je je hand in je linkerachterzak steekt. Niet meer dan twee vingers. Daar vind je een stiletto. Leg het op de tafel... Dank je.'

Graham liet het mes in zijn zak glijden. Het voelde vettig aan.

'En in je andere zak zit je portefeuille. Haal die te voorschijn. Je hebt vandaag bloed verkocht, is 't niet?'

'Nou en?'

'Geef me het bewijsje dat je ervoor gekregen hebt, het bewijsje dat je de volgende keer bij de bloedbank moet laten zien. Vouw het uit op de tafel.'

Randy had bloedgroep O. Randy valt af.

'Hoe lang ben je op vrije voeten?'

'Drie weken.'

'Wie is je reclasseringsambtenaar?'

'Die heb ik niet.'

'Dat is waarschijnlijk gelogen.' Graham wilde Randy uit de weg hebben. Wettelijk kon hij hem pakken op het bezit van een mes dat langer was dan volgens de wet was toegestaan. Zijn voorwaardelijke vrijlating verbood bezoek aan tenten met een drankvergunning. Graham wist dat hij kwaad was op Randy omdat hij bang voor hem was geweest.

'Randy.'

'Ja.'

'Rot op.'

'Ik zou niet weten wat ik u kan vertellen. Ik heb mijn vader niet echt gekend,' zei Niles Jacobi toen Graham hem naar school reed. 'Hij is bij mijn moeder weggegaan toen ik drie was en daarna heb ik hem niet meer gezien... dat wilde mijn moeder niet hebben.'

'Vorig jaar heeft hij je opgezocht.'

'Ja.'

'In Chino.'

'Dat weet u dus.'

'Ik probeer alleen maar alles op een rijtje te krijgen. Wat is er gebeurd?'

'Wel... hij stond daar in de bezoekersruimte, kaarsrecht, deed zijn best niet om zich heen te kijken. De meeste mensen gedragen zich daar alsof ze in de dierentuin zijn. Van mijn moeder had ik een heleboel over hem gehoord, maar zo kwaad leek hij me niet. Een gewone man in een haveloos sportjasje.'

'Wat zei hij?'

'Nou, ik verwachtte eigenlijk dat hij me op mijn donder zou geven of schuldig zou gaan doen. Zo gedragen de meeste bezoekers zich daar. Maar hij vroeg alleen of ik er wat voor voelde te gaan studeren. Hij zei het voogdijschap op zich te kunnen nemen als ik zou gaan studeren. En mijn best zou doen. "Je moet er zélf ook een beetje aan meewerken. Doe je best, en dan zorg ik dat je op een college geplaatst wordt," zoiets.'

'Hoelang moest je toen nog zitten?'

'Twee weken.'

'Niles, heb je tijdens je verblijf in Chino ooit over je familie gesproken? Met je celgenoten of met anderen?'

Niles Jacobi wierp Graham een snelle blik toe. 'Ach, op die manier, ik begrijp het al. Nee. Niet over mijn vader. Ik had in geen jaren aan hem gedacht, dus waarom zou ik dan over hem praten?'

'En hier? Heb je ooit een van je vrienden meegenomen naar het huis van je ouders?'

'Het huis van mijn váder, niet van mijn ouders. Zij was mijn moeder niet.'

'Heb je weleens iemand meegenomen daarheen? Studievrienden of...'

'Of onderwereldfiguren, meneer Graham?'

'Precies.'

'Nee.'

'Nooit?'

'Nooit.'

'Heeft hij weleens gezegd dat hij bedreigd werd? Maakte hij zich de laatste paar maanden voor het gebeurde zorgen om iets?'

'Tijdens onze laatste ontmoeting zei hij inderdaad dat hij zich zorgen maakte. Maar dat was alleen om mijn cijfers. Ik had nogal wat lessen verzuimd. Hij heeft twee wekkers voor me gekocht. Voor de rest zou ik het niet weten.'

'Heb je misschien persoonlijke spullen van hem in je bezit, brieven, foto's, wat dan ook?'

'Nee.'

'Je hebt een familiefoto. Die ligt op de toilettafel in je kamer. Naast de hasjpijp.'

'Die is niet van mij. Ik zou dat smerige ding nooit in mijn mond steken.'

'Ik heb die foto nodig. Ik zal hem laten kopiëren en het origineel aan je terugsturen. Wat heb je nog meer?'

Jacobi schudde een sigaret uit zijn pakje en klopte op zijn zakken op zoek naar lucifers. 'Dat is alles. Ik snap niet waarom ze me juist die foto hebben gegeven. Mijn vader die glimlacht tegen mevróúw Jacobi en al die kleine ettertjes. U mag hem houden. Naar mij heeft hij nooit zo gekeken.'

Graham wilde de Jacobi's leren kennen. Hun nieuwe kennissen in Birmingham konden hem niet veel helpen.

Byron Metcalf verschafte hem toegang tot de safe. Hij las het kleine stapeltje brieven, voor het merendeel zakenbrieven, en bekeek de sieraden en het zilver.

Drie hete dagen lang was hij bezig in het magazijn waar de goederen van de Jacobi's waren opgeslagen. Alle kisten werden geopend en hun inhoud onderzocht. Aan de hand van politiefoto's kon Graham zien waar alles in het huis had gestaan.

De meeste meubels waren nieuw, gekocht van het geld dat de verzekering had uitbetaald voor de in Detroit verbrande inboedel. De Jacobi's hadden amper de tijd gehad hun stempel op hun bezittingen te drukken.

Eén voorwerp, een nachtkastje waarop sporen van vingerafdrukpoeder zichtbaar waren, trok Grahams aandacht. Midden op het bovenblad lag een klodder groene was.

Voor de tweede keer vroeg hij zich af of de moordenaar van kaarslicht hield.

De afdeling forensisch onderzoek van de politie in Birmingham had na eigen onderzoek het frisdrankblikje dat Graham in de boom had gevonden, naar Washington gestuurd. Het enige wat zowel Birmingham als Jimmy Price in Washington hadden kunnen ontdekken, was een wazige afdruk van het puntje van een neus.

De afdeling Vuurwapen- en Werktuigsporen van het FBI-laboratorium, rapporteerde haar bevindingen omtrent de afgesneden tak. De tak was doorgesneden met een instrument met dikke bladen en een ondiep snijvlak: een betonschaar.

De Documentatieafdeling had het in de schors gekerfde teken voorgelegd aan de Azië-deskundigen in Langley. Graham ging in het magazijn op een pakkist zitten en las het uitvoerige rapport. De Azië-deskundigen berichtten dat het teken een Chinees karakter was dat 'raak' of 'in de roos' betekende – een uitdrukking die soms bij gokken wordt gebruikt. Het werd beschouwd als iets positiefs, een geluksteken. Het karakter kwam ook voor op een mahjongsteen, aldus de Azië-deskundigen. Daar duidde het de rode draak aan.

13

Crawford zat op het hoofdkwartier van de FBI in Washington te telefoneren met Graham, die vanaf het vliegveld in Birmingham belde, toen zijn secretaresse binnenkwam en met gebaren zijn aandacht trok.
'Dr. Chilton van de Chesapeake Psychiatrische Strafinrichting op 2706. Hij zegt dat het dringend is.'
Crawford knikte. 'Blijf even hangen, Will.' Hij drukte een knop op het toestel in. 'Crawford.'
'Met Frederick Chilton, meneer Crawford, van de...'
'Ja, dokter.'
'Ik heb hier een briefje, of liever gezegd twee stukjes van een briefje, dat afkomstig lijkt te zijn van de moordenaar van die gezinnen in Atlanta en...'
'Hoe komt u daaraan?'
'Uit de cel van Hannibal Lecter. Het is geschreven op toiletpapier en er staan tandafdrukken op.'
'Kunt u het me voorlezen zonder het verder aan te raken?'
Terwijl hij met moeite zijn stem kalm hield, las Chilton:

'Mijn beste Dr. Lecter,
Graag wil ik u laten weten hoe blij ik ben dat u belangstelling voor mij heeft getoond. En toen ik over uw veelomvattende correspondentie hoorde, dacht ik: *Zal ik het wagen?* Natuurlijk waag ik het. Ik geloof niet dat u

iemand zou vertellen wie ik ben, zelfs al wist u het. Bovendien is het lichaam waarin ik mij thans bevind van generlei belang.

Wat wel van belang is, is mijn *Wording*. Ik weet dat u de enige bent die dit zult kunnen begrijpen. Ik zou u dolgraag een paar dingen laten zien. Misschien doet zich ooit eens een gelegenheid voor. Ik hoop dat we kunnen corresponderen...

Meneer Crawford, hier is een stukje uitgescheurd. Daarna staat er:

Ik bewonder u al jaren en bezit een complete verzameling van al uw recensies in de pers. Om eerlijk te zijn beschouw ik die als onbillijke beoordelingen. Even onbillijk als die van mijn werk. Ze vinden het heerlijk om met vernederende bijnamen te strooien, hè? De *Tandenfee*! Ontoepasselijker kan het niet. Ik zou het vernederend vinden om u die te laten zien als ik niet wist dat de pers van u een zelfde verwrongen beeld heeft gegeven.

Rechercheur Graham interesseert me. Ziet er vreemd uit voor een politieman, vindt u niet? Niet knap, maar wel een vastberaden voorkomen. U had hem moeten zeggen zich er niet mee te bemoeien.

Mijn excuses voor het papier. Ik heb het gekozen omdat het erg snel oplost voor het geval u het moet doorslikken.

Hier ontbreekt een stukje, meneer Crawford. Ik zal u nu het laatste stuk voorlezen:

Mocht ik iets van u horen, dan zal ik u de volgende keer misschien meer informatie sturen. Tot dan teken ik,
uw Vurige Fan.'

Het bleef lange tijd stil toen Chilton klaar was met lezen. 'Bent u daar nog?'
'Ja. Weet Lecter dat u de brief hebt?'
'Nog niet. Vanmorgen is hij naar een andere cel overgebracht omdat zijn onderkomen moest worden schoongemaakt. In plaats van een schoonmaakdoekje te gebruiken, trok de schoonmaker han-

denvol toiletpapier van een rol om de wasbak schoon te maken. Toen ontdekte hij het briefje, dat in de rol was opgerold, en bracht hij het naar mij. Alle verstopte dingen die ze vinden, brengen ze bij mij.'

'Waar is Lecter nu?'

'Nog steeds in zijn tijdelijke cel.'

'Kan hij vandaar zijn eigen onderkomen zien?'

'Even denken... Nee, nee, dat kan hij niet.'

'Een ogenblikje, dokter.' Crawford zette Chilton in de wacht en staarde enkele seconden naar de twee verlichte lampjes op zijn telefoon zonder ze te zien. Crawford, visser van mensen, zag hoe zijn dobber tegen de stroom in dreef. Hij herstelde de verbinding met Graham.

'Will, ze hebben in Lecters cel in Chesapeake een briefje gevonden, dat vermoedelijk afkomstig is van de Tandenfee. Hij schrijft alsof hij een fan van Lecter is. Hij zoekt Lecters goedkeuring en legt belangstelling voor jou aan de dag. Hij wil wat antwoorden hebben.'

'Hoe moest Lecter hem die antwoorden toespelen?'

'Dat weet ik nog niet. Er zijn stukken uitgescheurd. Misschien doet zich de mogelijkheid tot correspondentie voor, mits Lecter niet weet dat wij daarvan op de hoogte zijn. Ik wil het briefje hebben voor het lab en ik wil dat zijn cel uitgekamd wordt, al zal dat riskant zijn. Als Lecter lont ruikt, zal hij de schoft misschien op de een of andere manier waarschuwen. We hebben de link nodig, maar ook het briefje.'

Crawford vertelde Graham waar Lecter zich op dat moment bevond en hoe de brief gevonden was. 'Het is honderddertig kilometer naar Chesapeake. Ik kan niet zo lang op je wachten, ouwe jongen. Wat vind jij ervan?'

'Tien mensen dood in een maand tijd... we mogen geen risico's meer nemen. Ik zou zeggen: eropaf.'

'Ik ben al weg,' zei Crawford.

'Ik zie je wel over een paar uur.'

Crawford riep zijn secretaresse. 'Sarah, bestel een helikopter. De eerste de beste die je te pakken kunt krijgen; het kan me niet schelen van wie... van ons, de politie van Washington of de marine. Over vijf minuten ben ik op het dak. Bel de Documentatieafdeling en laat ze een documentenkoffer naar boven brengen. Zeg

Herbert dat hij een team moet optrommelen om een cel te doorzoeken en dat hij die mensen naar het dak stuurt. Over vijf minuten.'

Hij herstelde de verbinding met Chilton. 'Dr. Chilton, we moeten Lecters cel doorzoeken zonder dat hij dat in de gaten heeft en daarvoor hebben we uw hulp nodig. Heeft u hier nog met anderen over gesproken?'

'Nee.'

'Waar is de schoonmaker die het briefje heeft gevonden?'

'Hier bij mij op mijn kantoor.'

'Wilt u hem daar zolang houden? En zeg hem dat hij zijn mond houdt. Hoe lang is Lecter nu uit zijn cel?'

'Ongeveer een halfuur.'

'Is dat abnormaal lang?'

'Nee, nog niet. Maar het schoonmaken van zijn cel duurt nooit langer dan een halfuur. Hij zal zich spoedig beginnen af te vragen wat er aan de hand is.'

'Oké. Wilt u het volgende voor me doen? Neem contact op met de man die verantwoordelijk is voor onderhoud van het gebouw en laat hem het water afsluiten en de elektriciteit uitschakelen in de gang waar Lecters cel zich bevindt. Laat hem met zijn gereedschap langs Lecters tijdelijke cel lopen. Hij moet een gehaaste indruk maken, nijdig, te druk om vragen te beantwoorden. Snapt u? Zeg hem maar dat hij van mij later wel een verklaring krijgt. Laat de schoonmaakdienst vandaag geen afval ophalen... als dat tenminste niet al gebeurd is. Raak het briefje niet aan. Afgesproken? We zijn onderweg.'

Crawford belde het hoofd van de afdeling Wetenschappelijke Analyse. 'Brian, ik laat met de helikopter een briefje bezorgen dat mogelijk afkomstig is van de Tandenfee. Hoogste prioriteit. Binnen een uur moet het, zonder merktekenen, terug zijn op de plaats waar het vandaan komt. Het gaat naar de diverse afdelingen om te worden onderzocht op haren, vezels en afdrukken, naar de Documentatieafdeling en vervolgens naar jou. Een goede samenwerking is dus belangrijk. Ja, ik begeleid het en zal het persoonlijk bij je afleveren.'

Het was warm in de lift toen Crawford met het briefje van het dak naar beneden ging, zijn haren verwaaid door de wind afkomstig van de roterende helikopterbladen. Zijn gezicht was kletsnat tegen de tijd dat hij het laboratorium had bereikt waar de brief op eventuele achtergebleven haren of vezels onderzocht zou worden. Haar en Vezels is maar een kleine afdeling van het laboratorium en er heerste een beheerste bedrijvigheid. Het voorvertrek stond vol met dozen met bewijsmateriaal, gezonden door politiebureaus uit het gehele land: stukken plakband die monden hadden gesnoerd en polsen hadden vastgebonden, smerige en gescheurde kledingstukken, lakens van sterfbedden.

Terwijl Crawford zich een weg baande tussen alle dozen door, ontdekte hij Beverly Katz achter een raam van een onderzoekskamer. Aan een hangertje boven een tafel die was bedekt met wit papier, hing een kinderoverall. Onder de felle lampen van de tochtvrije kamer streek ze met een stalen spatel over het kledingstuk, zowel met de vleug mee als tegen de vleug in. Aardedeeltjes en zandkorreltjes vielen op het papier. Tegelijk daarmee viel door de bewegingloze lucht, langzamer dan zand, maar sneller dan een pluisje, een sterk gekrulde haar. Ze hield haar hoofd schuin en keek ernaar met haar geoefende, scherpe blik.

Crawford zag haar lippen bewegen. Hij wist wat ze zei.

'Hebbes!'

Dat zei ze altijd.

Crawford tikte op de ruit en ze kwam snel naar buiten, terwijl ze haar witte handschoenen uittrok.

'Het is nog niet onderzocht op vingerafdrukken, hè?'

'Nee.'

'Alles staat klaar in de onderzoekskamer hiernaast.' Terwijl Crawford de documentenkoffer opende, trok zij een paar schone handschoenen aan.

De brief, in twee stukken, was voorzichtig tussen twee dunne velletjes plastic gelegd. Beverly Katz zag de tandafdrukken en keek Crawford aan. Ze verspilde geen tijd aan het stellen van de vraag. Hij knikte: de afdrukken kwamen overeen met de duidelijke kopie van de gebitsafdruk van de moordenaar, die hij had meegenomen naar Chesapeake.

Crawford keek door het raam toe terwijl zij een dun metalen staafje onder het briefje schoof en het vervolgens boven wit papier hing. Ze onderzocht het met een sterk vergrootglas en deed het vervolgens zachtjes heen en weer bewegen. Ze tikte tegen het staafje met de rand van een spatel en onderzocht toen met een vergrootglas het papier dat eronder lag.

Crawford keek op zijn horloge.

Katz wipte het briefje over op een ander staafje, nu met de andere kant boven. Met een uiterst fijn pincet verwijderde ze een nietig voorwerpje van het oppervlak.

Ze fotografeerde de afgescheurde randen van de beide helften van het briefje, sterk uitvergroot, en legde ze vervolgens terug in de documentenkoffer. Ernaast legde ze een paar schone witte handschoenen. Die witte handschoenen bleven, als teken dat het voorwerp niet aangeraakt mocht worden, naast het bewijsmateriaal liggen tot het op vingerafdrukken onderzocht was.

'Dat was het dan,' zei ze, terwijl ze Crawford de documentenkoffer teruggaf. 'Eén haartje, nog geen millimeter lang. Een paar piepkleine blauwe korreltjes. Ik zal het nader onderzoeken. Wat heb je nog meer?'

Crawford gaf haar drie gemerkte enveloppen. 'Haren uit Lecters kam. Baardharen uit het elektrische scheerapparaat dat hij mag gebruiken. En dit is haar van de schoonmaker. Ik moet er vandoor.'

'Tot straks,' zei Katz. 'Jóúw haar ziet er trouwens geweldig uit!'

Jimmy Price, op de afdeling Verborgen Vingerafdrukken, huiverde bij het zien van het poreuze toiletpapier. Hij tuurde strak over de schouder van de technicus die de helium-cadmiumlaser bediende op zoek naar een oplichtende vingerafdruk. Vlekken gloeiden op het papier op, transpiratievlekken, verder niets.

Crawford opende zijn mond om hem iets te vragen, bedacht zich toen en wachtte terwijl het blauwe licht in zijn brillenglazen weerkaatste.

'Het staat vast dat drie mensen dit met hun blote handen hebben aangeraakt, hè?' zei Price.

'Ja. De schoonmaker, Lecter en Chilton.'

'De man die de wasbakken schoonmaakte, heeft het vet vermoedelijk van zijn vingers gewassen. Maar de andere twee... dit is waardeloos.' Price hield het papier tegen het licht, de gevlekte, oude hand die de klem vasthield, trilde niet. 'Ik zou het kunnen beroken, Jack, maar ik kan dan niet garanderen dat de jodiumvlekken op tijd zijn weggevaagd.'

'Ninhydrine? Door verhitting stimuleren?' Normaal gesproken zou

Crawford Price geen technische suggestie durven doen, maar nu was hij tot alles in staat. Hij verwachtte een snibbig antwoord, maar de stem van de oude man klonk spijtig en treurig.

'Nee. We zouden het later niet kunnen schoonspoelen. Hier kan ik geen vingerafdruk vanaf halen, Jack. Er is er geen.'

'Verdomme!' zei Crawford.

De oude man wendde zich af. Crawford legde zijn hand op Prices benige schouder. 'Allemachtig, Jimmy, als er een afdruk was geweest, zou jij die gevonden hebben!'

Price gaf geen antwoord. Hij pakte een paar handen uit, die in verband met een andere zaak waren binnengekomen. Droog ijs rookte in zijn prullenbak. Crawford liet de witte handschoenen in de rook vallen.

Terwijl de teleurstelling in hem opborrelde, haastte Crawford zich naar de Documentatieafdeling, waar Lloyd Bowman hem opwachtte. Bowman was uit de rechtszaal weggeroepen en door die abrupte verstoring van zijn concentratie, wekte hij nu de indruk van iemand die net wakker geworden was.

'Mijn complimenten voor uw kapsel. Moedig, hoor,' zei Bowman, terwijl zijn handen het briefje met snelle, voorzichtige bewegingen naar zijn werkblad overbrachten. 'Hoeveel tijd heb ik?'

'Hooguit twintig minuten.'

De twee stukken van de brief leken onder Bowmans lampen te gloeien. Door een gekarteld, langwerpig gat in het bovenste stuk was het donkergroen van zijn vloeiblad te zien.

'Het belangrijkste, het allerbelangrijkste, is om te weten te komen hoe Lecter had moeten antwoorden,' zei Crawford toen Bowman klaar was met lezen.

'Instructies daarvoor bevonden zich waarschijnlijk in het gedeelte dat er uitgescheurd is.' Terwijl hij sprak, werkte Bowman rustig door met zijn lampen en filters en camera. 'Hier in het bovenste stuk zegt hij "Ik hoop dat we kunnen corresponderen..." en dan begint het gat. Lecter heeft er met de punt van een viltstift overheen gekrast, het toen dubbel gevouwen en het grootste deel er uitgescheurd.'

'Hij heeft niet de beschikking over iets waarmee hij kan knippen of snijden.'

Bowman fotografeerde de tandafdrukken en de achterkant van de brief met indirecte belichting. Zijn schaduw sprong van muur naar muur toen hij de lamp driehonderdzestig graden om het papier draaide, terwijl zijn handen in de lucht geheimzinnige vouwbewegingen maakten.

'Nu kunnen we het heel voorzichtig pletten.' Bowman legde de brief tussen twee glasplaatjes om de gekartelde randen rond het gat plat te maken. De randen werden met vermiljoenkleurige inkt ingesmeerd. Hij neuriede binnensmonds. Pas bij de derde keer kon Crawford de woorden verstaan: 'Je bent wel uitgekookt, maar dat ben ik ook.'

Bowman wisselde filters op zijn kleine televisiecamera en richtte die op de brief. Hij verduisterde het vertrek tot alleen nog de doffe rode gloed van een lamp en het blauwgroen van zijn monitorscherm over waren.

De woorden 'Ik hoop dat we kunnen corresponderen...' en het gekartelde gat verschenen vergroot in beeld. De inktvlek was verdwenen en op de gerafelde randen verschenen nu fragmentjes schrift.

'De aniline kleurstoffen in gekleurde inkten worden transparant onder infrarood licht,' zei Bowman. 'Dit zouden de bovenkanten van de letter T kunnen zijn... hier en hier. Aan het einde staat de poot van vermoedelijk een M of N, mogelijk een R.' Bowman nam een foto en deed de lichten aan. 'Jack, er zijn maar twee gebruikelijke manieren voor eenzijdige communicatie... per telefoon of via publicaties. Kan Lecter gemakkelijk opgebeld worden?'

'Hij kan opgebeld worden, maar dat gaat niet zo snel en telefoontjes gaan bovendien via de centrale van de inrichting.'

'Dan is een publicatie de enige veilige manier.'

'We weten dat dit lieverdje de *Tattler* leest. De gegevens over Graham en Lecter stonden in de *Tattler*. Ik heb geen idee welke andere krant er nog meer over geschreven heeft.'

'Drie T's en een R in *Tattler*. Een advertentie misschien? Dat is na te gaan.'

Crawford informeerde bij de FBI-bibliotheek en gaf vervolgens telefonisch instructies door aan het kantoor in Chicago.

Bowman overhandigde hem het koffertje toen hij klaar was.

'De *Tattler* verschijnt vanavond,' zei Crawford. 'Die krant wordt 's maandags en donderdags in Chicago gedrukt. We krijgen drukproeven van de advertentiepagina's.'

'Misschien ontdek ik nog meer, maar veel zal het niet zijn, vermoed ik,' zei Bowman.

'Stuur alles wat van nut kan zijn onmiddellijk door naar Chicago. Breng me op de hoogte als ik terug ben van de inrichting,' zei Crawford terwijl hij naar de deur liep.

14

Graham stak zijn kaartje in het apparaat bij het draaihek van het metrostation van Washington en liep met zijn reistas de warme middagzon in.

Het J. Edgar Hoover Building leek een grote betonnen kooi boven de trillende hete lucht in Tenth Street. De FBI had op het punt gestaan naar het nieuwe hoofdkwartier te verhuizen toen Graham uit Washington wegging. Hij had er nooit gewerkt.

Crawford wachtte hem op bij de receptie naast de ondergrondse oprit om Grahams haastig vervaardigde introductiebrieven met de zijne kracht bij te zetten. Graham zag er vermoeid uit en met enig ongeduld onderging hij de benodigde formaliteiten om toegang tot het gebouw te verkrijgen. Crawford vroeg zich af hoe hij zich voelde nu hij wist dat de moordenaar hem in het vizier had.

Graham kreeg een magnetisch gecodeerd insigne zoals ook Crawford op zijn vest droeg. Hij duwde het in de sleuf in het hek en kreeg toegang tot de lange witte gangen. Crawford droeg zijn reistas.

'Ik heb vergeten Sarah te vragen je met een wagen te laten ophalen.'

'Waarschijnlijk was dit sneller. Heb je de brief op tijd teruggekregen bij Lecter?'

'Ja,' zei Crawford. 'Ik ben net terug. We hebben de gang onder water gezet, en net gedaan of er een kapotte leiding was en kortsluiting. Simmons – hij is nu de assistent SAC in Baltimore – stond te dweilen toen Lecter teruggebracht werd naar zijn cel. Simmons gelooft wel dat hij erin is getrapt.'

'In het vliegtuig kon ik de gedachte maar niet van me afzetten dat Lecter de brief misschien zelf geschreven heeft.'

'Daar heb ik ook aan gedacht, tot ik de brief gezien had. De gebitsafdrukken op het papier komen overeen met die op de vrouwen. Bovendien is hij met een balpen geschreven en die heeft Lecter niet. Degene die dit heeft geschreven, had de *Tattler* gelezen en Lecter heeft geen *Tattler* gehad. Rankin en Willingham hebben de cel uitgekamd. Ze hebben niets gevonden. Voor ze aan de slag gingen, hebben ze eerst polaroidfoto's genomen om alles weer op de juiste plaats te kunnen zetten. Daarna kwam de schoonmaker en heeft die als gewoonlijk zijn werk gedaan.'

'Wat denk jij?'

'Als bewijsstuk om de moordenaar te kunnen identificeren is de brief waardeloos,' zei Crawford. 'We moeten er op de een of andere manier in zien te slagen profijt te trekken uit verder contact, maar verdomd als ik weet hoe. Over enkele minuten zullen we de overige bevindingen van het lab te horen krijgen.'

'Worden zijn post en telefoongesprekken in de inrichting gecontroleerd?'

'Ik heb opdracht gegeven alle telefoongesprekken die Lecter voert, af te tappen en na te trekken. Zaterdag heeft hij een gesprek gevoerd. Hij heeft tegen Chilton gezegd dat hij zijn advocaat wilde bellen. De verbinding ging buiten de centrale om en we weten dus niet of hij dat ook echt heeft gedaan.'

'Wat zei zijn advocaat?'

'Niets. Via de centrale van de inrichting loopt vanaf nu een aparte lijn, speciaal voor Lecter, zodat we in de toekomst niet opnieuw ergens naast grijpen. We zullen zijn post controleren, zowel binnenkomend als uitgaand, te beginnen met de eerstvolgende bestelling. Volmachten hebben we gelukkig zonder problemen gekregen.'

Crawford stevende op een deur af en stak zijn magneetkaart in het slot. 'Mijn nieuwe kantoor. Kom binnen. De schilder had nog wat verf over, een restant van het slagschip waaraan hij bezig was. Hier is de brief, een afdruk op ware grootte.'

Graham las hem twee keer. Toen hij zijn naam zag staan in het krabbelige schrift begon er een schel alarmbelletje in zijn hoofd te rinkelen.

'De bibliotheek bevestigt dat de *Tattler* de enige krant is die een artikel aan Lecter en jou heeft gewijd,' zei Crawford, terwijl hij een Alka-Seltzer voor zichzelf klaarmaakte. 'Wil je er ook een? Daar knapt een mens van op. De bewuste krant is een week geleden, op maandagavond, uitgekomen. Dinsdag was hij in alle kiosken in het hele land te koop – op sommige plekken pas woensdag – Alaska en Maine bijvoorbeeld. De Tandenfee heeft er een in handen gekregen, maar dat kon niet eerder dan dinsdag. Hij leest de artikelen en schrijft vervolgens aan Lecter. Rankin en Willingham zijn nog steeds het afval van de inrichting aan het uitpluizen, op zoek naar de envelop. Een rotklus. In Chesapeake wordt het papier niet gescheiden van de luiers.

Lecter krijgt de brief van de Tandenfee dus niet eerder dan woensdag. Hij scheurt het deel waarin staat hoe hij moet antwoorden eruit, bekrast een eerdere aanwijzing en steekt dit eruit... Waarom hij dit er niet ook uit heeft gescheurd, begrijp ik niet.'

'Dit was midden in een zin vol loftuitingen,' zei Graham. 'Hij kon het natuurlijk niet over z'n hart verkrijgen die te vernietigen. Daarom heeft hij niet alles weggegooid.' Met zijn knokkels wreef hij over zijn slapen.

'Bowman denkt dat Lecter de Tandenfee via de *Tattler* zal antwoorden. Volgens hem is dat de bedoeling. Denk je dat hij de brief zal beantwoorden?'

'Reken maar! Hij is dol op schrijven. Hij heeft penvrienden in het hele land.'

'Als ze de *Tattler* gebruiken, zal Lecter nauwelijks de tijd hebben gehad om zijn antwoord in de editie te krijgen die vanavond gedrukt wordt, zelfs al zou hij het per expres naar de krant hebben gestuurd op dezelfde dag dat hij de brief van de Tandenfee ontving. Chester, van het kantoor in Chicago, is op de redactie van de *Tattler* om de advertenties te controleren. Op dit moment zetten de drukkers de krant in elkaar.'

'Doe maar een schietgebedje dat de *Tattler* niets in de gaten krijgt,' zei Graham.

'De bureauchef denkt dat Chester een makelaar is die probeert een slag te slaan uit voorkennis van de advertenties. Hij verkoopt hem de drukproeven onder tafel, zodra ze van de pers komen. We krijgen alles, alle rubrieken, om de boel te misleiden. Goed... stel dat we erachter komen hoe Lecter zou moeten antwoorden en we die methode kunnen dupliceren. In dat geval kunnen we een gefingeerde boodschap aan de Tandenfee sturen. Alleen... wat moeten we erin zetten? Hoe pakken we het aan?'

'Het meest voor de hand liggend is hem naar een bepaalde plaats te lokken,' zei Graham. 'Met iets dat hij graag zou willen zien.'

"Belangrijk bewijsmateriaal" waarvan Lecter door zijn gesprek met mij op de hoogte is. Bijvoorbeeld dat we wachten tot hij een eerder door hem begane fout zal herhalen.'

'Hij zou gek zijn als hij daar intrapte.'

'Dat weet ik. Zal ik je eens zeggen wat het beste lokaas zou zijn?'

'Ik weet niet zeker of ik dit wel horen wil.'

'Lecter,' zei Graham.

'Hoe had je dat gedacht?'

'Het zou heel wat deining veroorzaken, dat weet ik. We zouden Lecter onder curatele van de FBI moeten stellen – Chilton zou hieraan in Chesapeake nooit meewerken – en hem opbergen in een zwaar bewaakte psychiatrische inrichting in Virginia. We zouden een ontsnapping fingeren.'

'Godallemachtig!'

'Na de grote "ontsnapping" sturen we de Tandenfee via de Tattler, in de editie van de week daarop, een boodschap. Daarin moet Lecter hem dan zogenaamd om een rendez-vous vragen.'

'Waarom zou iemand in vredesnaam Lecter willen ontmoeten? Ook al is het de Tandenfee?'

'Om hem te doden, Jack.' Graham stond op. Er was geen raam waardoor hij naar buiten kon kijken terwijl hij sprak. Hij ging voor de lijst van de 'Tien meest gezochte misdadigers' staan, Crawfords enige wandversiering. 'Op die manier zou de Tandenfee hem namelijk kunnen absorberen, hem verzwelgen, meer worden dan hij.'

'Je schijnt nogal zeker van je zaak te zijn.'

'Dat ben ik echt niet. Wie wel? In de brief zei hij "Ik zou u dolgraag een paar dingen laten zien. Misschien doet zich ooit eens een gelegenheid voor." Misschien was dat een serieuze invitatie. Ik geloof niet dat het alleen maar een beleefdheidsfrase was.'

'Ik ben benieuwd wat hij Lecter wil laten zien. De slachtoffers waren intact. Er ontbrak niets, behoudens wat huid en haren, en dat was waarschijnlijk... hoe zei Bloom het ook alweer?'

'In zijn maag beland,' zei Graham. 'God weet wat hij heeft. Tremont, herinner je je de kostuums van Tremont in Spokane? Terwijl hij op een brancard lag vastgesnoerd, wees hij met zijn kin om de politie van Spokane er alsnog op attent te maken. Ik weet niet zeker of Lecter de Tandenfee naar zich toe zou lokken, Jack. Maar hij is volgens mij het beste lokaas.'

'Er zou een verdomd grote paniek ontstaan als de mensen horen dat Lecter vrij rondloopt. De kranten zullen de vloer met ons aanvegen. Het beste lokaas... misschien heb je gelijk, maar dat zullen we toch maar als allerlaatste redmiddel beschouwen.'

'Misschien zou hij niet ter plekke verschijnen, maar hij zou nieuwsgierig genoeg zijn om te gaan kijken of Lecter hem soms verraden had. Als hij dat tenminste van een afstand zou kunnen doen. We zouden een plek kunnen uitzoeken die slechts op enkele punten vanaf een afstand in het oog gehouden kan worden en die observatiepunten zelf in de gaten houden.' Toen Graham dit idee naar voren bracht, klonk het hem zelf zwak in de oren.

'De geheime dienst heeft een uitgewerkt plan dat ze nog nooit hebben gebruikt. Dat zouden we zo van ze kunnen krijgen. Maar als we vandaag geen advertentie plaatsen, zullen we moeten wachten tot maandag voor de volgende editie uitkomt. De persen draaien om vijf uur onze tijd. Dat geeft Chicago nog eens een uur en een kwartier de tijd om Lecters advertentie op te sporen... als er tenminste een is.'

'En Lecters advertentieopgave? De brief waarin hij de *Tattler* opdracht geeft de advertentie te plaatsen? Kunnen we die sneller onderscheppen?'

'Chicago heeft onopvallend informatie ingewonnen bij de bureauchef,' zei Crawford. 'De post ligt op het kantoor van het hoofd van de advertentieafdeling. Ze verkopen de namen en geven de adressen weer door aan mailingbedrijven – ondernemingen die producten verkopen voor alleenstaanden: liefdesamuletten, potentiepillen, afspraken met "mooie Oosterse meisjes", assertiviteitscursussen, dat soort zaken.

We zouden een beroep kunnen doen op de burgerzin van het hoofd van de advertentieafdeling, er wat in rondsnuffelen en hem vragen zijn mond te houden, maar de kans is groot dat de *Tattler* lont gaat ruiken en ons voortdurend op de hielen blijft zitten. Dat risico wil ik liever vermijden.'

'Als ze in Chicago niets ontdekken, zouden we alsnog een advertentie kunnen plaatsen. Als we het mis hebben wat de *Tattler* betreft, zouden we er niets bij verliezen,' zei Graham.

'En als de *Tattler* wel het medium is en we een antwoord opstellen aan de hand van de gegevens uit deze brief en die plaatsen en het verprutsen – als hij argwaan krijgt – zijn we nog verder van

huis. Ik heb je nog niets over Birmingham gevraagd. Iets ontdekt?'
'Birmingham heeft de zaak afgesloten. Het huis van de familie Jacobi is geschilderd en opnieuw behangen en in de verkoop gedaan. De inboedel is opgeslagen in afwachting van de testamentaire afhandeling. Ik heb alle kisten doorgekeken. De mensen met wie ik gesproken heb, kenden de Jacobi's niet zo goed. Wel wisten ze allemaal te vertellen dat de Jacobi's zo'n hecht gezin vormden en duidelijk dol op elkaar waren. Nu is er niets meer van hen over. Alleen wat spullen in een magazijn. Had ik maar...'
'Nakaarten heeft geen zin. Je moet nu alleen aan de feiten denken.'
'Weet je al iets over het merkteken op de boom?'
'De betekenis zegt me niets,' zei Crawford. 'De rode draak evenmin. Beverly kent mahjong. Ze is behoorlijk bijdehand, maar dit snapt ze niet. Door zijn haar weten we dat hij geen Chinees is.'
'Hij heeft de tak afgesneden met een betonschaar. Ik begrijp niet...'
Crawfords telefoon rinkelde. Hij sprak kort in de hoorn.
'Het lab is klaar met de brief, Will. Kom mee naar Zellers kantoor. Dat is groter en niet zo somber.'
In de gang werden ze ingehaald door Lloyd Bowman, die er ondanks de hitte kurkdroog uitzag. Hij wapperde met vochtige foto's en onder zijn arm had hij een bundel Datafax vellen geklemd.
'Jack, ik moet om kwart over vier bij de rechtbank zijn,' zei hij gehaast. 'Het gaat over die valsemunter, Milton Eskew, en zijn liefje, Nan. Zij kon uit de vrije hand een bankbiljet tekenen. Twee jaar lang hebben ze me het leven zuur gemaakt door op een kleuren-Xerox hun eigen reischeques te maken. Gingen nooit het huis uit zonder die bij zich te steken. Kan ik er op tijd zijn of moet ik de openbare aanklager bellen?'
'Je haalt het wel,' zei Crawford. 'We zijn er al.'
Beverly Katz glimlachte Graham toe vanaf de bank in Zellers kantoor, waarmee ze de dreigende blik van Price, die naast haar zat, goedmaakte.
Brian Zeller, hoofd van de afdeling Wetenschappelijke Analyse, was jong voor zijn taak, maar toch werd zijn haar al wat dunner en droeg hij een bril met dubbelfocusglazen. Op de boekenplank achter Zellers bureau zag Graham de publicatie over de forensische wetenschap van H.J. Wall, Tedeschi's *Forensic Medicine* in drie delen en een antieke uitgave van *The Wreck of the Deutschland* van Hopkins.

'Will, ik geloof dat we elkaar al een keer zijn tegengekomen op de George Washington University,' zei hij. 'Ken je iedereen? Mooi.' Crawford leunde tegen de rand van Zellers bureau, zijn armen over elkaar geslagen. 'Heeft iemand iets opzienbarends te melden? Nee? Zijn er aanwijzingen gevonden waaruit blijkt dat de brief niet van de Tandenfee afkomstig is?'

'Nee,' zei Bowman. 'Enkele minuten geleden heb ik met Chicago gebeld om door te geven dat ik de flauwe indruk van getallen op de achterkant van de brief heb ontdekt. Zes-zes-zes. Ik zal het u laten zien als we daaraan toe zijn. Tot dusver heeft Chicago meer dan tweehonderd advertenties.' Hij overhandigde Graham een stapel Datafax kopieën. 'Ik heb ze gelezen en er zit niets ongewoons tussen – huwelijksadvertenties, oproepen aan weglopers. Ik weet eigenlijk niet waaraan we de advertentie moeten herkennen, als die er al tussen zit.'

Crawford schudde zijn hoofd. 'Ik ook niet. Laten we eerst maar eens kijken wat we wél hebben gevonden. Jimmy Price heeft gedaan wat hij kon, maar heeft geen enkele afdruk gevonden. Wat zijn jouw bevindingen, Bev?'

'Ik heb één snorhaar gevonden. Schubjes en dikte komen overeen met het haarmonster van Hannibal Lecter. De kleur ook. Er is een duidelijk verschil in kleur met de monsters uit Birmingham en Atlanta. Drie blauwe korreltjes en een paar donkere deeltjes zijn naar Brians afdeling gestuurd.' Ze keek vragend naar Brian Zeller.

'De korreltjes waren van een industrieel schoonmaakmiddel met chloor,' zei hij. 'Die zaten waarschijnlijk aan de handen van de schoonmaker. Er waren ook een aantal minuscule deeltjes opgedroogd bloed. Dat het bloed is, staat vast, maar het is niet voldoende om de bloedgroep vast te stellen.'

'De randen van de stukken weken af van de perforaties,' vervolgde Beverly Katz. 'Als we de rol kunnen terugvinden en er is niets meer afgescheurd, kunnen we een definitieve vergelijking maken. Ik stel voor om dat onmiddellijk door te geven, zodat de agenten, bij een eventuele arrestatie, weten dat ze naar de rol moeten zoeken.'

Crawford knikte. 'Bowman?'

'Sharon, van mijn afdeling, is op zoek gegaan naar de papiersoort en heeft verschillende monsters meegenomen om te vergelijken. Het is toiletpapier dat vooral op boten en in campers wordt gebruikt. De structuur komt overeen met het merk Wedeker, dat in

Minneapolis vervaardigd wordt. Het wordt door het hele land gedistribueerd.'

Bowman rangschikte zijn foto's op een lessenaar bij het raam. Zijn stem was verrassend diep voor zijn tengere postuur en zijn vlinderdasje bewoog lichtjes op en neer terwijl hij sprak. 'Wat het handschrift betreft: het is het handschrift van een rechtshandige die zijn linkerhand heeft gebruikt en opzettelijk in blokletters heeft geschreven. U kunt duidelijk de ongelijkmatige halen en de verschillen in lettergrootte zien. De verhoudingen doen me denken aan een man die lijdt aan niet-gecorrigeerd astigmatisme.

De inkt op beide delen van de brief lijkt bij daglicht dezelfde te zijn, een standaardbalpen Royal Blue, maar onder gekleurde filters wordt een klein verschil zichtbaar. Hij heeft twee pennen gebruikt. Ergens in het ontbrekende gedeelte van de brief is hij van pen veranderd. U kunt zien waar de eerste begon te haperen. De eerste pen is lang ongebruikt geweest... kijk maar naar de inktklodder waarmee hij begint. Misschien heeft hij met de punt naar beneden en zonder dop in een pennenstandaard gestaan, vermoedelijk op een bureau dus. Bovendien was het oppervlak waarop het papier heeft gelegen zacht genoeg om een vloeiblad te kunnen zijn. In een vloeiblad blijven indrukken achter, dus zou het mooi zijn als we dat konden vinden. Naast de rol toiletpapier van Beverly kunt u dus ook naar het vloeiblad laten zoeken.'

Bowman tikte op een foto van de achterkant van de brief. Door de extreme vergroting leek het papier groezelig. Het was doorgroefd met beschaduwde indrukken. 'Hij heeft de brief gevouwen om het onderste gedeelte te schrijven, inclusief wat er later werd uitgescheurd. Op deze vergroting van de achterkant worden bij indirect licht een aantal indrukken zichtbaar. We kunnen '666 een' ontcijferen. Misschien kreeg hij daar moeilijkheden met zijn pen en moest hij er hard op drukken en het over doen. Dat ontdekte ik pas toen ik deze sterke contrastafdruk zag. Tot nu toe hebben we geen enkele advertentie gevonden met 666 in de tekst. De zinsbouw is correct en redelijk samenhangend. De vouwen kunnen erop duiden dat de brief in een envelop van normale afmetingen werd verzonden. Deze donkere plekken zijn afkomstig van vlekken van drukinkt. Waarschijnlijk is de brief bij een of ander onschuldig drukwerk in een envelop gestopt.

Dat is alles wat ik heb,' zei Bowman. 'Jack, tenzij je nog vragen hebt, moet ik nu echt naar de rechtbank. Ik kom wel langs nadat ik mijn getuigenis heb afgelegd.'

'Zet die lui voorgoed buitenspel, hè,' zei Crawford.

Graham bestudeerde de advertenties van de *Tattler*. ('Aantrekkelijke volslanke dame, 52 jaar jong, zoekt christelijke Leeuw nietroker 40-70. Liefst zonder kinderen. Prothese geen bezwaar. Alleen oprechte reacties. Stuur brief met foto.')

Graham ging zo op in het leed en de vertwijfeling van de advertenties, dat hij pas merkte dat de anderen vertrokken waren toen Beverly Katz iets tegen hem zei.

'Sorry, Beverly. Wat zei je?' Hij keek op in haar heldere ogen en haar vriendelijke, alledaagse gezicht.

'Ik zei alleen maar dat ik het fijn vind je weer te zien, joh. Je ziet er goed uit.'

'Dank je, Beverly.'

'Saul zit op een kookcursus. Nu lijkt het nog nergens naar, maar als hij het een beetje onder de knie heeft, moet je eens langs komen. Dan kan hij zijn kunsten op jou uitproberen.'

'Doe ik.'

Zeller ging weg om de ronde door zijn laboratorium te doen. Alleen Crawford en Graham bleven over en keken naar de klok.

'Nog veertig minuten voor de persen van de *Tattler* gaan rollen,' zei Crawford. 'Ik laat iemand hun post nasnuffelen. Wat vind jij?'

'Dat je geen andere keus hebt.'

Crawford gaf de opdracht door aan Chicago via Zellers telefoon. 'Will, we moeten een vervangende advertentie opstellen voor het geval Chicago iets vindt.'

'Daar ga ik meteen mee aan de gang.'

'Ik zal de val opzetten.'

Crawford belde met de geheime dienst en sprak geruime tijd in de telefoon. Toen hij de telefoon ophing, zat Graham nog steeds te pennen.

'Mooi, die val is een juweeltje!' zei Graham. 'Het is een brievenbak aan de buitenkant van een servicebedrijf voor brandblusapparaten in Annapolis. Dat is Lecters terrein. De Tandenfee zal beseffen dat Lecter van het bestaan hiervan op de hoogte kan zijn. De bak is onderverdeeld in vakken, alfabetisch. De servicemonteurs halen daar hun opdrachten en post op. Onze man kan de bak vanuit een park aan de overkant van de weg in de gaten houden. Volgens de geheime dienst ziet het er heel goed uit. Ze hebben de val ontworpen om een valsemunter te pakken te krijgen, maar hadden hem op 't laatst toch niet nodig. Hier is het adres. Hoever ben je met de advertentie?'

'We zullen in dezelfde editie twee berichten moeten plaatsen. Het eerste om de Tandenfee te waarschuwen dat zijn vijanden hem dichter op de hielen zitten dan hij denkt. Om hem te zeggen dat hij in Atlanta een grote blunder heeft gemaakt en dat hij hangt als hij zo'n blunder nogmaals begaat. Verder dat Lecter hem "geheime informatie" heeft gestuurd, informatie die ik Lecter heb gegeven over onze activiteiten, hoe dicht we hem op de hielen zitten, welke aanwijzingen we hebben. De Tandenfee wordt gewezen op een tweede boodschap, die begint met "uw ondertekening".

Het tweede bericht begint met "Vurige Fan..." en bevat het adres van de postbak. Zo moeten we het doen. Zelfs in omzichtige bewoordingen zal de waarschuwing in het eerste bericht iedere gek die dit toevallig leest razend maken. Als ze niet achter het adres kunnen komen, kunnen ze evenmin naar de postbus gaan en roet in het eten gooien.'

'Goed! Verdomd goed doordacht! Zullen we naar mijn kantoor gaan om af te wachten wat er gebeurt?'

'Ik heb liever iets om handen. Ik moet Brian Zeller nog spreken.'

'Ga je gang maar. Als ik je nodig heb, kan ik je tenslotte snel bereiken.'

Graham vond Zeller in het Serologielab. 'Brian, zou je me een paar dingen kunnen laten zien?'

'Natuurlijk. Zeg het maar.'

'De monsters die je hebt gebruikt om de bloedgroep van de Tandenfee vast te stellen.'

Zeller keek Graham door het leesgedeelte van zijn brillenglazen aan. 'Stond er iets in het rapport dat je niet begrijpt?'

'Nee.'

'Waren er onduidelijkheden?'

'Nee.'

'Was het incompleet?' Zeller sprak het woord uit alsof het een vieze smaak had.

'Het rapport was uitstekend, kon niet beter. Ik wil het bewijsmateriaal alleen maar zelf aanraken.'

'O, juist. Natuurlijk. Dat kan geregeld worden.' Zeller geloofde dat alle mensen in het veld zo bijgelovig waren als jagers. Hij was blij Graham van dienst te kunnen zijn. 'Het ligt daarginds allemaal bij elkaar.'

Graham volgde hem tussen de lange tafels met apparatuur door. 'Ik heb gezien dat je Tedeschi leest.'

'Ja,' zei Zeller over zijn schouder. 'Zoals je weet, doen we hier niets aan forensische wetenschap, maar Tedeschi geeft in zijn werken een aantal nuttige wenken. Graham. Will Graham. Jij hebt toch de standaardmonografie geschreven over het bepalen van het tijdstip van overlijden met behulp van de activiteit van insecten? Of was jij dat niet?'

'Ja, dat heb ik geschreven.' Een stilte. 'Je hebt gelijk, op het gebied van insecten zijn Mant en Nuorteva in Tedeschi's werk beter.'

Zeller was verrast zijn gedachten verwoord te horen. 'Ach, hun werk geeft meer afbeeldingen en tabellen. Ik wil hiermee niets ten nadele van jouw werk zeggen, hoor.'

'Natuurlijk niet. Maar ze zijn gewoon beter. Dat heb ik ze ook gezegd.'

Zeller pakte zijn flesjes en objectglaasjes uit een kastje en een koelkast en legde alles op de werkblad van het laboratorium. 'Als je vragen hebt, kun je me vinden op de plek waar je me vandaan gehaald hebt. Het licht van deze microscoop zit hier aan de zijkant.'

Graham had de microscoop niet nodig. Hij trok geen van Zellers bevindingen in twijfel. Hij wist niet wat hij wilde. Hij hield de flesjes en objectglaasjes tegen het licht, ook een doorzichtige envelop met twee blonde haren die in Birmingham gevonden waren. Een tweede envelop bevatte drie haren die op mevrouw Leeds gevonden waren.

Voor Graham op het werkblad lagen speeksel en haren en sperma en een leemte waarin hij probeerde een beeld te zien, een gezicht, iets dat de plaats kon innemen van de vormloze angst in zijn binnenste.

Uit een luidspreker in het plafond klonk een vrouwenstem. 'Graham, Will Graham, naar het kantoor van speciaal agent Crawford. Met spoed!'

Toen hij binnenkwam, zat Sarah te typen met de hoorn van de telefoon aan haar oor, terwijl Crawford over haar schouder meekeek.

'Chicago heeft een advertentieopdracht gevonden waarin 666 voorkomt,' siste Crawford hem toe. 'Ze dicteren de tekst nu aan Sarah. Ze zeggen dat een gedeelte ervan code doet vermoeden.'
De regels klommen omhoog uit Sarahs schrijfmachine:

Beste Pelgrim, je vereert me...

'Dat is het! Dat is het!' zei Graham. 'Lecter noemde hem een pelgrim toen hij met me sprak!'

je bent prachtig...

'Allemachtig!' zei Crawford.

Ik zend 100 gebeden voor je veiligheid. Zoek hulp in Johannes 6:22, 8:16, 9:1, Lukas 1:7, 3:1, Galáten 6:11, 15:2, Handelingen 3:3, Openbaring 18:7, Jona 6:8...

Het typen ging langzamer toen Sarah de nummers voor de agent in Chicago herhaalde. Toen ze klaar was, besloegen de verwijzingen naar de bijbel een kwart pagina. Het was ondertekend met:

God zegene je, 666.

'Dat was het,' zei Sarah.
Crawford nam de hoorn van haar over. 'Hoor eens, Chester, hoe is het met de chef van de advertentieafdeling gegaan? ... Nee, daar heb je goed aan gedaan... Volledige zwijgplicht, ja. Blijf bij die telefoon in de buurt. Ik bel je zo terug.'
'Code,' zei Graham.
'Dat moet wel. We hebben tweeëntwintig minuten om een bericht te plaatsen mits we erin slagen de code te ontcijferen. De baas van het spul heeft tien minuten nodig om het bericht door te geven en wil voor driehonderd dollar nog een plaatsje inruimen in deze editie. Bowman zit op zijn kantoor, die heeft net pauze. Als je hem hierop zet, zal ik met de cryptografische afdeling in Langley praten. Sarah, stuur een telex met de tekst van de advertentie naar de cryptografische dienst van de CIA. Ik zal ze zeggen dat die eraan komt.'
Bowman legde het bericht op zijn bureau, de bovenkant parallel

met de bovenkant van zijn vloeiblad. Eindeloos lang – zo kwam het Graham tenminste voor – poetste hij de glazen van zijn montuurloze bril op.

Bowman stond bekend om zijn snelle werkwijze. Zelfs de afdeling explosieven vergaf het hem dat hij geen ex-marinier was en respecteerde hem.

'We hebben twintig minuten,' zei Graham.

'Juist. Heb je Langley gebeld?'

'Dat heeft Crawford gedaan.'

Bowman las het bericht verschillende keren door, bekeek het ondersteboven en van opzij, ging met zijn vinger langs de marges. Hij pakte een bijbel van zijn boekenplank. Vijf minuten lang waren alleen de ademhaling van de twee mannen en het geknisper van de dunne bladzijden te horen.

'Nee,' zei hij. 'Dat lukt niet in zo'n korte tijd. Wat heb je nog meer?'

Graham toonde hem een lege hand.

Bowman draaide zich met zijn gezicht naar Graham en zette zijn bril af. Aan weerszijden van zijn neus zat een roze plek. 'Ben je er redelijk zeker van dat de brief aan Lecter de enige communicatie is die hij met de Tandenfee gehad heeft?'

'Ja.'

'Dan moet de code iets simpels zijn. Ze hoefden zich alleen maar tegen toevallige lezers te beschermen. Gezien de perforaties in de brief aan Lecter kan er niet meer ontbreken dan een stukje van ongeveer zeven centimeter. Weinig ruimte dus voor instructies. De cijfers zijn niet geschikt voor de alfabetische code die in gevangenissen gebruikt wordt. Ik vermoed dat het een boekcode is.'

Crawford voegde zich bij hen. 'Boekcode?'

'Daar lijkt het op. Het eerste getal, in "100 gebeden", zou het paginanummer kunnen zijn. De cijferparen zouden regel en letter kunnen aanduiden. Maar in welk boek?'

'Niet de bijbel?' vroeg Crawford.

'Nee, niet de bijbel. Dat dacht ik eerst ook. Galáten 6:11 zette me eerst op het verkeerde been. "Ziet met hoe grote letters ik u eigenhandig schrijf." Dat zou van toepassing kunnen zijn, maar dat is toeval, want daarna komt Galáten 15:2. Galáten heeft maar zes hoofdstukken. Hetzelfde geldt voor Jona 6:8 – Jona heeft vier hoofdstukken. Nee, hij heeft niet een bijbel gebruikt.'

'Misschien zit er in het niet gecodeerde deel van Lecters bericht een boektitel verborgen,' zei Crawford.

Bowman schudde zijn hoofd. 'Dat geloof ik niet.'

'Dan heeft de Tandenfee in zijn brief aan Lecter het boek aangeduid,' zei Graham.

'Dat lijkt aannemelijk,' zei Bowman. 'Heeft het zin om Lecter onder druk te zetten? In een psychiatrische inrichting zouden drugs toch...'

'Drie jaar geleden hebben ze sodium amytal op hem geprobeerd in een poging erachter te komen waar hij een student van Princeton begraven had,' zei Graham. 'Hij heeft ze een recept voor een dipsausje gegeven. Bovendien, als we hem onder druk zetten, verliezen we de schakel. Als de Tandenfee het boek heeft uitgekozen, dan moet hij geweten hebben dat Lecter dat in zijn cel had.'

'Ik weet zeker dat hij er geen bij Chilton besteld of geleend heeft,' zei Crawford.

'Wat hebben de kranten daarover geschreven, Jack? Over Lecters boeken?'

'Dat hij medische boeken, psychologische boeken en kookboeken heeft.'

'Dan zou het een standaardwerk op een van die gebieden kunnen zijn. Iets zo wezenlijks dat de Tandenfee met zekerheid kon weten dat Lecter het zou bezitten,' zei Bowman. 'We moeten een lijst van Lecters boeken hebben. Heb jij er een?'

'Nee.' Graham keek naar zijn schoenen. 'Ik zou Chilton kunnen... wacht eens. Rankin en Willingham! Toen die zijn cel hebben uitgekamd, hebben ze foto's genomen om alles weer op de juiste plaats terug te kunnen zetten.'

'Wil je vragen of ze met de foto's van de boeken naar me toe komen?' zei Bowman, terwijl hij zijn aktetas pakte.

'Waar?'

'In de Library of Congress.'

Crawford nam nog eens contact op met de cryptografische dienst van de CIA. De computer in Langley probeerde consequente en oplopende cijfer-lettercombinaties en een ongelooflijke verscheidenheid aan alfabetische stelsels. Zonder resultaat. De coderingsexpert was het met Bowman eens dat het waarschijnlijk om een boekcode ging.

Crawford keek op zijn horloge. 'Will, we hebben nog maar drie keuzemogelijkheden en we zullen nu een besluit moeten nemen. We kunnen Lecters bericht uit de krant houden en niets doen. We kunnen daarvoor in de plaats onze berichten in duidelijke bewoordingen plaatsen en de Tandenfee uitnodigen naar de postbus te komen. Of we kunnen Lecters bericht laten publiceren zoals het is.'

'Weet je zeker dat we Lecters bericht nog uit de *Tattler* kunnen houden?'

'Chester denkt dat de man van de advertentieafdeling daar voor vijfhonderd dollar wel voor wil zorgen.'

'Een bericht in ongecodeerde taal zie ik niet zo zitten, Jack. Waarschijnlijk zal Lecter dan nooit meer iets van hem horen.'

'Ja, maar ik ben huiverig om Lecters bericht te laten verschijnen zonder te weten wat erin staat,' zei Crawford. 'Wat zou Lecter hem kunnen vertellen wat hij niet allang weet? Als hij te weten komt dat we een gedeeltelijke afdruk van zijn duim hebben en als zijn vingerafdrukken nergens geregistreerd zijn, dan zou hij zijn duim kunnen afsnijden en zijn gebit wegdoen en ons met een grote tandeloze grijns in de rechtszaal uitlachen.'

'In de samenvatting die Lecter onder ogen heeft gehad, stond niets over de duimafdruk. We kunnen het beste Lecters bericht gewoon laten publiceren. De Tandenfee zal dan tenminste aangemoedigd worden opnieuw contact met hem te zoeken.'

'En als hij nu eens tot andere dingen dan schrijven aangemoedigd wordt?'

'Dan zullen we ons heel lang heel rot voelen,' zei Graham. 'Toch moeten we het doen.'

Vijftien minuten later werden de grote persen van de *Tattler* in beweging gezet, steeds sneller, tot het gedreun het stof in de perskamer deed opwaaien. De FBI-agent die in de geur van inkt en krantenpapier zat te wachten, pakte een van de eerste exemplaren.

De koppen op de voorpagina luidden: 'HOOFDTRANSPLANTATIE!' en 'STERRENKUNDIGEN ZIEN GOD!'

De agent controleerde of Lecters advertentie was geplaatst en stopte de krant vervolgens in een expresenvelop voor Washington. Hij zou die krant terugzien en zich de veeg van zijn duim op de voorpagina herinneren, maar dat was pas jaren later, toen hij zijn kinderen tijdens een rondleiding door het hoofdkantoor van de FBI de bijzondere tentoonstelling liet zien.

15

Een uur voor het aanbreken van de dag ontwaakte Crawford uit een diepe slaap. Hij zag dat het nog donker was, voelde het mollige zitvlak van zijn vrouw behaaglijk tegen zijn rug. Hij wist niet waardoor hij wakker geworden was tot de telefoon voor de tweede keer overging. Hij vond het toestel zonder aarzelen.

'Jack, met Lloyd Bowman. Ik heb de code gekraakt! Ik wilde je onmiddellijk vertellen wat erin staat.'

'Oké, Lloyd.' Crawfords voeten tastten naar zijn slippers.

'Er staat: *Huis Graham Marathon, Florida. Red jezelf. Dood ze allemaal.*'

'Godverdomme! Ik moet ervandoor.'

'Dat weet ik.'

Crawford ging onmiddellijk naar zijn werkkamer zonder zelfs maar zijn ochtendjas te pakken. Hij belde twee keer naar Florida, één keer naar het vliegveld en vervolgens belde hij Graham in zijn hotel.

'Will, Bowman heeft zojuist de code ontcijferd.'

'Wat stond erin?'

'Dat vertel ik je zo. Luister goed. Alles is in orde. Ik heb overal voor gezorgd, dus blijf aan de lijn als ik het je vertel.'

'Zeg op.'

'Het gaat om je huisadres. Lecter heeft die schoft jouw huisadres gegeven.

Wacht, Will! Er zijn op dit moment twee politiewagens onderweg naar Sugarloaf. De douaneboot uit Marathon dekt de zeezijde. In zo'n kort tijdsbestek heeft de Tandenfee toch niets kunnen ondernemen. Wacht even! Je kunt sneller handelen als ik je help. Luister goed.

De agenten zullen Molly niet laten schrikken. De politiewagens blokkeren alleen de weg naar het huis. Twee agenten zullen het huis zo dicht naderen dat ze het goed in de gaten kunnen houden. Je kunt haar opbellen als ze wakker wordt. Over een halfuur haal ik je op.'

'Dan ben ik hier niet meer.'

'Het eerstvolgende vliegtuig in die richting gaat pas om acht uur. Het is sneller om ze hierheen te halen. Het huis van mijn broer aan

Chesapeake Bay staat tot hun beschikking. Ik heb een goed plan uitgedacht, Will. Luister er tenminste naar. Als het je niet bevalt, zet ik je persoonlijk op het vliegtuig.'

'Ik heb het een en ander uit het wapenarsenaal nodig.'

'Daar zorgen we voor als ik je kom afhalen.'

Molly en Willy behoorden tot de eerste passagiers die het vliegtuig op National Airport in Washington verlieten. Molly ontdekte Graham tussen de wachtenden, lachte niet maar wendde zich tot Willy en zei iets tegen hem terwijl ze snel voor de stroom toeristen die uit Florida terugkeerden uitliepen.

Ze nam Graham van top tot teen op en gaf hem toen een vluchtige kus. Haar bruine vingers voelden koud aan op zijn wang. Graham voelde de blik van de jongen. Met gestrekte arm schudde Willy hem de hand.

Toen ze naar de auto liepen, maakte Graham een grapje over het gewicht van Molly's koffer.

'Ik draag hem wel,' zei Willy.

Toen ze de parkeerplaats verlieten, voegde een bruine Chevrolet met een nummerbord van Maryland zich vlak achter hen in het verkeer.

Graham reed de brug bij Arlington over en wees op de Lincoln en Jefferson Memorials en op het Washington Monument alvorens in oostelijke richting naar Chesapeake Bay te rijden. Vijftien kilometer buiten Washington kwam de bruine Chevrolet op de binnenste rijbaan naast hen rijden. De chauffeur keek opzij met zijn hand voor zijn mond en in de auto klonk vanuit het niets opeens een krakende stem.

'Vos Edward. Je bent brandschoon! Goede reis verder.'

Graham reikte onder het dashboard naar de verborgen microfoon.

'Roger, Bobby. Bedankt!'

De Chevrolet minderde vaart en zijn richtingaanwijzer begon te knipperen.

'Dat was alleen om er zeker van te zijn dat we niet door persmuskieten of ander gespuis gevolgd werden,' zei Graham.

'Ik begrijp het,' zei Molly.

Aan het eind van de middag stopten ze bij een wegrestaurant, waar ze krab aten. Willy ging bij de bak met kreeften kijken.

'Ik vind dit afschuwelijk, Molly. Het spijt me,' zei Graham.

'Heeft hij het nu op jou voorzien?'

'We hebben geen enkele reden om dat te denken. Lecter heeft hem het idee aan de hand gedaan, heeft hem aangespoord het te doen.'

'Het is een benauwend, misselijkmakend gevoel.'

'Dat weet ik. Jij en Willy zijn in het huis van Crawfords broer veilig. Behalve Crawford en ik weet geen mens ter wereld dat jullie daar zijn.'

'Op dit moment zou ik liever niet over Crawford willen praten.'

'Het is een mooi huis, dat zul je zien.'

Ze haalde diep adem en toen ze de lucht naar buiten stootte, scheen al haar woede mee te komen, en ze bleef moe en kalm achter. Ze schonk hem een wrange glimlach. 'God, ik was echt even goed kwaad. Moeten we ons nog met iemand van de Crawfords inlaten?'

'Nee hoor.' Hij pakte haar hand. 'Hoeveel weet Willy?'

'Heel wat. De moeder van zijn vriend Tommy had thuis zo'n sensatiekrant uit de supermarkt. Tommy heeft het Willy laten lezen. Er stond een heleboel over jou in – veel verdraaide feiten. Over Hobbs, waar je daarna hebt gezeten, Lecter, alles. Hij was flink van streek. Ik heb hem gevraagd of hij erover wilde praten. Hij vroeg me alleen of ik het al die tijd had geweten. Ik zei ja, heb hem verteld dat jij en ik er één keer over gesproken hebben en dat je me alles hebt verteld vóór ons trouwen. Ik vroeg hem of hij de hele geschiedenis van mij wilde horen... zoals het wérkelijk is. Hij zei dat hij het ronduit aan jou zou vragen.'

'Wat een knul. Goed, hoor. Welke krant was het? De *Tattler*?'

'Dat weet ik niet. Dat zal wel.'

'Je wordt bedankt, Freddy.'

Een golf van woede jegens Freddy Lounds sloeg door hem heen. Hij stond op en liep naar de toiletruimte, waar hij zijn gezicht met koud water afspoelde.

Sarah wenste Crawford in diens kantoor juist goedenavond toen de telefoon begon te rinkelen. Ze legde haar portemonnee en paraplu neer om de hoorn op te nemen.

'Met het kantoor van speciaal agent Crawford. Nee, meneer Graham is niet aanwezig, maar kan ik... Wacht even, ik wil met alle plezier... Ja, morgenmiddag is hij er weer, maar zal ik niet even...' De klank van haar stem deed Crawford achter zijn bureau vandaan komen.

Ze hield de hoorn vast alsof die in haar hand was gestorven. 'Hij vroeg naar Will en zei dat hij morgenmiddag misschien zou terugbellen. Ik heb geprobeerd hem aan de praat te houden.'

'Wie was het?'

'Hij zei: "Zeg maar tegen Graham dat de Pelgrim gebeld heeft." Zo noemde dr. Lecter...'

'De Tandenfee,' zei Crawford.

Terwijl Molly en Willy hun koffers uitpakten, ging Graham naar de supermarkt. Op de markt kocht hij vers fruit. Hij parkeerde de auto tegenover het huis en bleef nog een paar minuten zitten met zijn handen om het stuur geklemd. Hij vond het afschuwelijk dat Molly om hem het huis dat haar dierbaar was had moeten verlaten en nu bij vreemden was ondergebracht.

Crawford had zijn best gedaan. Dit was geen onpersoonlijk schuiladres, met stoelen waarvan de armleuningen wit uitgeslagen waren door zwetende handen. Het was een leuk buitenhuisje, pas gewitkalkt, met een fleurige bloementuin. Het was het resultaat van zorgzame handen en het vermogen rust en orde te scheppen. De achtertuin liep schuin af naar de Chesapeake Bay en er was een zwemsteiger.

De blauwgroene, bewegende gloed van een televisiescherm scheen door de gordijnen. Graham wist dat Molly en Willy naar een honkbalwedstrijd zaten te kijken.

Willy's vader was honkballer geweest, een verdomd goede. Hij en Molly hadden elkaar in de schoolbus leren kennen en waren tijdens hun studententijd getrouwd. Ze trokken rond voor wedstrijden van de honkbalcompetitie van de staat Florida terwijl hij in de leer was bij de Cardinals. Ze namen Willy mee en hadden een geweldige tijd. Hij kreeg een proeftijd bij de Cardinals en sloeg in de eerste twee wedstrijden mooie ballen. Toen begon hij moeilijkheden te krijgen met slikken. De chirurg probeerde alles weg te snijden, maar de woekering zaaide uit en sloopte hem. Hij stierf vijf maanden later, toen Willy zes jaar oud was.

Willy benutte nog steeds iedere gelegenheid om naar honkballen te kijken. Molly keek alleen nog maar naar honkbal als ze van streek was.

Graham had geen sleutel. Hij klopte aan.

'Ik doe wel open.' Willy's stem.

'Wacht even.' Molly's gezicht verscheen tussen de gordijnen. 'Ga maar.'

Willy opende de deur. In zijn hand, stijf tegen zijn been gedrukt, had hij een ploertendoder. Er verscheen een gekwelde blik in Grahams ogen toen hij dit zag. De jongen moest het ding in zijn koffer verborgen hebben. Molly nam de zak met boodschappen van hem over. 'Wil je koffie? Er is ook gin, maar niet het merk dat je lekker vindt.'

Toen ze in de keuken was, vroeg Willy of Graham mee wilde gaan naar buiten. Vanaf de veranda aan de achterkant van het huis konden ze de ankerlichten zien van de boten die in de baai voor anker lagen.

'Will, zijn er dingen die ik moet weten om goed voor mam te kunnen zorgen?'

'Jullie zijn hier allebei veilig, Willy. Herinner je je de auto nog die ons vanaf het vliegveld volgde? De chauffeur heeft erop toegezien dat we door niemand gevolgd werden. Geen mens kan erachter komen waar jij en je moeder zijn.'

'Die getikte idioot wil jou vermoorden, hè?'

'Dat weten we niet. Ik vond het alleen geen prettig idee dat hij wist waar wij woonden.'

'Ga je hem doden?'

Even sloot Graham zijn ogen. 'Nee. Ik hoef hem alleen maar op te sporen. Ze brengen hem dan naar een inrichting voor geesteszieken om hem te laten behandelen en ervoor te zorgen dat hij niemand meer kwaad kan doen.'

'Tommy's moeder had een krant, Will, waarin stond dat je een vent in Minnesota had gedood en dat je in een zenuwinrichting had gezeten. Dat wist ik niet. Is het waar?'

'Ja.'

'Eerst wilde ik er mam naar vragen, maar toen vond ik toch dat ik het beter aan jou kon vragen.'

'Ik waardeer het dat je het me op de man af vraagt. Het was niet zomaar een zenuwinrichting; ze behandelen daar allerlei aandoeningen...' Het onderscheid leek belangrijk. 'Ik was opgenomen in de psychiatrische afdeling. Je maakt je zorgen dat ik daar ben geweest omdat ik met je moeder ben getrouwd.'

'Ik heb mijn vader beloofd dat ik goed voor haar zou zorgen. En dat zal ik doen ook.'

Graham besefte dat hij Willy voldoende moest vertellen. Maar hij wilde hem niet te veel vertellen.

Het licht in de keuken ging uit. Hij zag Molly's silhouet achter de hordeur en hij voelde het gewicht van haar oordeel. Hoe hij Willy behandelde raakte haar in het hart.

Willy wist kennelijk niet goed wat hij nu moest vragen. Graham deed het voor hem.

'Die ziekenhuistoestand was na het gebeuren met Hobbs.'

'Heb je hem doodgeschoten?'

'Ja.'

'Hoe is dat gebeurd?'

'Om te beginnen was Garrett Hobbs krankzinnig. Hij overviel studentes en hij... vermoordde ze.'

'Hoe?'

'Met een mes, hoe dan ook, ik heb een kleine metaalkrul gevonden tussen de kleren van een van de meisjes. Zo'n snipper die achterblijft als je schroefdraad aanbrengt in een metalen pijp – weet je nog toen we de buitendouche hebben gerepareerd?

Toen ben ik een heleboel waterfitters en loodgieters en dat soort vakmensen afgegaan. Dat nam heel wat tijd in beslag. Toen ik bij een bepaalde firma navraag deed, bleek Hobbs daar zijn ontslagbrief achtergelaten te hebben. Die heb ik gelezen en ik vond hem... eigenaardig. Hij was nergens aan het werk en ik moest hem dus thuis opzoeken.

Samen met een agent in uniform liep ik de trap in Hobbs' flatgebouw op. Hobbs heeft ons vermoedelijk zien aankomen. Ik was halverwege de trap naar zijn verdieping toen hij zijn vrouw naar buiten duwde. Ze was al dood voor ze de trap afviel.'

'Had hij haar vermoord?'

'Ja. Ik zei tegen de agent dat die om assistentie moest bellen. Maar toen hoorde ik dat er kinderen in de flat waren en dat er gegild werd. Ik wilde wachten tot er hulp kwam opdagen, maar dat kon toen niet meer.'

'Ben je de flat binnengegaan?'

'Ja. Hobbs had het meisje van achteren gegrepen en hij had een mes. Daarmee sneed hij haar. En ik schoot hem neer.'

'Is dat meisje doodgegaan?'

'Nee.'

'Is ze helemaal hersteld?'

'Uiteindelijk wel. Ze maakt het nu goed.'

Willy verwerkte dit zwijgend. Uit een voor anker liggende zeilboot kwam zachte muziek op hen toe.

Graham kon dingen voor Willy verzwijgen, maar hij kon niet verhinderen dat de beelden bij hemzelf weer bovenkwamen.

Hij vertelde niet hoe mevrouw Hobbs, haar lichaam vol steekwonden, zich op de overloop aan hem had vastgeklampt. Toen hij zag dat ze reddeloos verloren was en hij het gegil in de flat hoorde, maakte hij zich los uit de greep van de glibberige rode vingers en zette hij zijn schouder. Zijn schouder was zwaar gekneusd voordat de deur eindelijk meegaf. Hobbs hield zijn dochter stevig vast en probeerde haar keel door te snijden. Zij verzette zich heftig en drukte haar kin naar beneden. Grahams .38 revolver rukte hompen uit Hobbs' lijf, maar de man bleef doorhakken met zijn mes en wilde maar niet neergaan. Toen ging Hobbs huilend op de grond zitten, terwijl het meisje gierend ademhaalde. Hij hield haar vast en zag dat Hobbs de luchtpijp had doorboord, maar geen slagaderen had geraakt. Met opengesperde ogen keek de dochter wezenloos van hem naar haar vader, die huilend op de grond zat en riep: 'Zie je nou wel? Zie je nou wel?' tot hij dood voorov024viel.

Op dat moment verloor Graham zijn vertrouwen in .38 pistolen.

'Willy, ik heb het erg moeilijk gehad met dat gedoe met Hobbs. Weet je, ik kon het maar niet uit mijn gedachten zetten en zag de beelden telkens weer voor me. Op het laatst kon ik bijna nergens anders meer aan denken. Ik maakte mezelf voortdurend wijs dat ik het op een betere manier had kunnen aanpakken. En ten slotte werd ik helemaal apathisch. Ik at niet meer en sprak met niemand. Ik was zwaar depressief. Daarom raadde de dokter me aan naar het ziekenhuis te gaan. Dat heb ik gedaan. Na een tijdje kon ik wat afstand van de gebeurtenissen nemen. Het meisje dat gewond was geraakt in de flat van Hobbs kwam me opzoeken. Ze maakte het goed en we hebben een hele tijd met elkaar gesproken. Uiteindelijk heb ik alles van me afgezet en ben ik weer aan het werk gegaan.'

'Geeft het doden van iemand, zelfs als je niet anders kunt, je dan zo'n ontzettend rotgevoel?'

'Willy, het is een van de afschuwelijkste dingen die er bestaan.'

'Ik ga even naar de keuken. Wil je iets hebben? Een cola of zo?'

Willy bewees Graham graag een dienst, maar hij kleedde het altijd zo in dat het een terloopse handeling leek.

'Ja, een cola is prima.'

'Mam moet eigenlijk ook even naar buiten komen om van al die lichtjes te genieten.'

Later die avond zaten Graham en Molly op de achterveranda. Het motregende en de lichten van de boten wierpen stralenkransen in de nevel. De wind vanuit de baai bezorgde hun kippenvel.

'Dit zou weleens een tijdje kunnen duren, hè?' zei Molly.

'Ik hoop van niet, maar het is wel mogelijk.'

'Will, Evelyn heeft gezegd dat ze deze week en vier dagen van de volgende week de winkel kan overnemen. Maar ik moet terug naar Marathon, in ieder geval voor een dag of twee als mijn inkopers komen. Ik zou bij Evelyn en Sam kunnen logeren. En ik moet eigenlijk zelf naar de beurs in Atlanta. Ik moet voor september alles in orde hebben.'

'Weet Evelyn waar je bent?'

'Ik heb haar alleen gezegd dat ik naar Washington ging.'

'Mooi.'

'Het valt niet mee als je alles voor elkaar hebt, hè? Het is moeilijk om dingen te verwerven, maar nog moeilijker om ze te houden. We leven op een verrekt verraderlijke planeet.'

'Zo verraderlijk als de duivel.'

'We komen toch weer terug in Sugarloaf, hè Will?'

'Ja, we komen er terug.'

'Laat je niet opjagen. Neem geen onnodige risico's. Beloof je dat?'

'Ja.'

'Ga je vroeg terug?'

Hij had een halfuur lang met Crawford gebeld.

'Vlak voor de lunch. Als je werkelijk naar Marathon gaat, zullen we morgenochtend het een en ander moeten regelen. Willy kan gaan vissen.'

'Hij moest je gewoon naar dat andere verhaal vragen.'

'Dat weet ik en ik neem het hem niet kwalijk.'

'Die vervloekte verslaggever! Hoe heet hij?'

'Lounds. Freddy Lounds.'

'Je hebt waarschijnlijk gloeiend de pest aan die man. En ik wilde dat ik er niet over begonnen was. Laten we naar bed gaan, dan masseer ik lekker je rug.'

Even flitste de wrevel in Graham omhoog. Hij had zichzelf tegenover een elfjarige gerechtvaardigd. De jongen had het geaccepteerd. En nu wilde zij zijn rug masseren. Laten we naar bed gaan... nu alles oké is met Willy. *Als je het te kwaad hebt, hou dan als het even kan je mond.* 'Als je liever nog wat wilt nadenken, laat ik je met rust,' zei ze. Hij wilde niet denken. Absoluut niet. 'Masseer jij mijn achterkant, dan masseer ik jouw voorkant,' zei hij. 'Afgesproken, lekkere jongen!'

Hoge wind voerde de druilerige regen weg over de baai en tegen negen uur 's ochtends steeg de damp op uit de grond. De op enige afstand geplaatste doelen op het schietterrein van de politie leken in de deinende lucht terug te wijken.

De toezichthouder op de schietbaan tuurde door zijn verrekijker tot hij zich ervan had vergewist dat de man en de vrouw aan het eind van de vuurlijn zich aan de veiligheidsvoorschriften hielden. In de introductiebrief van het ministerie van justitie die de man had getoond toen hij vroeg of hij van de schietbaan gebruik mocht maken, stond 'rechercheur'. Dat kon van alles betekenen. De toezichthouder vond eigenlijk dat alleen gediplomeerde instructeurs toegang tot de baan zouden mogen krijgen om anderen schietvaardigheid bij te brengen.

Toch moest hij toegeven dat die FBI-jongen wist wat hij deed. Ze gebruikten alleen een .22 kaliber revolver, maar hij leerde de vrouw schieten vanuit de Weaver-stand, linkervoet iets naar voren, de revolver in een stevige dubbelhandige greep met isometrische spanning in de armen. Ze schoot op het silhouetdoel zeven meter voor haar. Keer op keer bracht ze het wapen vanuit het buitenvak van haar schoudertas omhoog. Dat ging door tot de toezichthouder verveeld zijn kijker liet zakken.

Hij bracht de veldkijker weer naar zijn ogen toen hij een verandering in het geluid hoorde. Ze hadden de oorbeschermers opgezet en nu oefende ze met een korte, gedrongen revolver.

Het pistool in haar handen wekte zijn belangstelling. Hij slenterde langs de vuurlijn en bleef een paar meter achter hen staan. Hij wilde het pistool graag wat beter bekijken, maar dit was niet het juiste moment om hen te storen. Hij nam het goed in zich op toen ze de lege hulzen eruit haalde en er uit een snellader vijf nieuwe instak.

Vreemd wapen voor een FBI-figuur. Het was een Bulldog .44 Special, kort en lelijk met zijn angstwekkend grote kaliber. Het was door Mag-na-port ingrijpend veranderd. De loop was bij de mond bewerkt om ervoor te zorgen dat de mond bij de terugslag niet omhoog slaat, de hamer was kort en had een stroeve greep. Hij vermoedde dat het voor de snellader was aangepast. Een duivels pistool als het geladen was met wat die FBI-man daar gereed had. Hij vroeg zich af of de vrouw daarmee uit de voeten zou kunnen. De munitie op de standaard naast hen was een interessante oplopende reeks. Allereerst was er een doos met lichte 'gaatjesponsers'. Daarachter lagen de standaarddienstkogels en tot slot iets waarover de toezichthouder veel had gelezen maar dat hij nog nooit had gezien: een rijtje Glaser veiligheidspatronen. Het topje zag eruit als een vlakgom aan het uiteinde van een potlood. Onder het topje zat een koperen huls met nr. 12 kruit in vloeibare teflon.

Het lichte projectiel was ontworpen om een enorme snelheid te bereiken, zich in het doel te boren en het kruit vrij te geven.

In spierweefsel waren de resultaten vernietigend. De getallen waren de toezichthouder bijgebleven. Tot dusver waren negentig Glasers op mensen afgeschoten. Alle negentig waren met een enkel schot uitgeschakeld. In negenentachtig gevallen had het schot de onmiddellijke dood van het slachtoffer tot gevolg. Tot verbazing van de artsen had één man het overleefd. Wat de veiligheid betreft hadden Glasers ook voordelen: ze ketsten niet af en konden zich niet door een muur heen boren en iemand in een naastliggend vertrek doden.

De man behandelde haar vriendelijk en bemoedigend, maar hij zag er zorgelijk uit.

De vrouw was nu toe aan de dienstkogels en met genoegen zag de toezichthouder dat ze de terugslag heel goed opving, met beide ogen geopend en zonder terug te deinzen. Nou ja, ze deed er misschien vier seconden over om de eerste af te schieten, maar drie belandden binnen de cirkel op de schietschijf. Niet slecht voor een beginner. Ze had best aanleg.

Hij was alweer enige tijd terug in zijn toren toen hij het helse lawaai van de Glasers hoorde.

Ze schoot ze alle vijf na elkaar af. Dit was beslist geen normale FBI-oefening.

De toezichthouder vroeg zich af wie ze in 's hemelsnaam in het doel

zagen, en voor wie er vijf Glasers nodig waren om hem te doden.
Graham kwam naar de toren om de oorbeschermers terug te brengen, terwijl zijn pupil op een bank was gaan zitten, het hoofd gebogen en haar ellebogen steunend op haar knieën.

De toezichthouder dacht dat hij wel trots op haar zou zijn en zei
hem dat ook. Ze was een heel eind gekomen op één dag. Graham
bedankte hem afwezig. De uitdrukking op zijn gezicht verwarde
de beheerder. Hij zag eruit als een man die zojuist een onherroe-
pelijk verlies had geleden.

16

De beller, 'meneer Pelgrim', had tegen Sarah gezegd dat hij de volgende middag misschien zou terugbellen. In het hoofdkwartier van
de FBI werden de nodige maatregelen getroffen om het telefoon-
gesprek te ontvangen.

Wie was meneer Pelgrim? Niet Lecter – daar had Crawford zich
al van overtuigd. Was meneer Pelgrim de Tandenfee? Misschien
wel, dacht Crawford.

De bureaus en telefoontoestellen uit Crawfords kantoor waren
's nachts overgebracht naar een groter vertrek aan de overkant van
de gang.

Graham stond in de deuropening van een geluiddichte telefooncel.
Achter hem in de cel stond Crawfords telefoon. Sarah had het toestel schoongemaakt. Haar bureau en een tafel ernaast werden grotendeels in beslag genomen door een grafische stemafdrukspectro-
graaf, bandrecorders en een stressmeter en Beverly Katz zat op
Sarahs stoel en Sarah zocht naar iets om te doen.

Op de grote klok aan de muur was het tien voor twaalf.

Dr. Alan Bloom en Crawford kwamen bij Graham staan. Ze stonden er nonchalant bij, hun handen in de zakken.

De technicus die tegenover Beverly Katz zat, trommelde met zijn
vingers op het bureau tot een fronsende blik van Crawford hem
deed stoppen.

Crawfords bureau stond vol met twee nieuwe telefoontoestellen,
een open lijn met het elektronische schakelbord van de telefoon-

maatschappij en een noodlijn naar de communicatieruimte van de FBI.

'Hoeveel tijd heb je nodig om hem te traceren?' vroeg dr. Bloom. 'Met het nieuwe systeem gaat het heel wat sneller dan de meeste mensen denken,' zei Crawford. 'Hooguit een minuut als de verbinding via elektronische schakelingen binnenkomt. Anders wat langer.' Hij verhief zijn stem en sprak tegen de aanwezigen in de ruimte. 'Als hij belt, zal hij het kort houden. Laten we het dus goed spelen. Zullen we de routine nog eens doornemen, Will?'

'Prima. Als we op het punt zijn aangekomen dat ik moet gaan praten, wil ik u nog het een en ander vragen, dokter.'

Bloom was na de anderen gearriveerd. Later op de dag moest hij spreken voor de afdeling Gedragswetenschappen in Quantico. Bloom kon cordiet op Grahams kleren ruiken.

'Goed dan,' zei Graham. 'De telefoon rinkelt. De schakeling komt onmiddellijk tot stand en in de elektronische schakelruimte wordt met de opsporing begonnen, maar de toongenerator zorgt ervoor dat de telefoon blijft overgaan zodat hij niet merkt dat we al hebben opgenomen. Op die manier hebben we twintig seconden voorsprong.' Hij wees naar de technicus. 'Als de telefoon vier keer is overgegaan, zet je de toongenerator op "uit". Begrepen?'

De man knikte. 'Na de vierde keer.'

'Dan neemt Beverly de hoorn van het toestel. Haar stem klinkt anders dan de stem die hij gisteren hoorde. Geen herkenning in de stem. Beverly klinkt verveeld. Hij vraagt naar mij. Bev zegt: "Ik zal hem moeten oproepen. Mag ik u even in de wacht zetten?" Goed, Bev?' Het leek Graham beter haar de woorden nu niet te laten oefenen, anders zouden ze straks misschien klinken als een uit het hoofd geleerd lesje.

'Goed, voor ons blijft de lijn open, voor hem is die dood. Ik denk dat hij zo langer aan de lijn blijft dan wanneer we hem laten praten.'

'Moeten we hem echt niet in de wacht zetten met een muziekje?' vroeg de technicus.

'In geen geval,' zei Crawford.

'We laten hem ongeveer twintig seconden wachten, dan komt Beverly weer aan de lijn en zegt ze: "Meneer Graham komt eraan. Ik zal u doorverbinden." Ik neem op.' Graham wendde zich tot dr. Bloom. 'Hoe zou u hem aanpakken, dokter?'

'Hij verwacht waarschijnlijk dat je niet direct gelooft dat hij het werkelijk is. Ik zou beleefd maar sceptisch doen. Ik zou een sterk onderscheid maken tussen de overlast van valse telefoontjes en de betekenis, het belang, van een telefoontje van de echte persoon. De valse telefoontjes zijn gemakkelijk te herkennen omdat daaruit duidelijk het *onvermogen* blijkt te begrijpen wat er werkelijk gaande is. Laat hem iets zeggen om te bewijzen wie hij is.' Dr. Bloom keek naar de grond en wreef met zijn hand over zijn nek.

'Je weet niet wat hij wil. Misschien verlangt hij begrip, misschien heeft hij het op jou voorzien omdat hij je als zijn tegenstander beschouwt en wil hij je wat treiteren... We zullen wel zien. Probeer zijn stemming te peilen en geef hem wat hij wil, beetje voor beetje. Ik zou niet al te snel een beroep op hem doen naar ons toe te komen, tenzij je het gevoel hebt dat hij dat graag zou willen.

Als hij paranoïde is, zul je dat gauw genoeg merken. In dat geval zou ik inspelen op zijn achterdocht of zijn grieven. Laat hem zijn gal maar spuien. Als hij daar eenmaal mee bezig is, vergeet hij misschien de tijd. Dat is alles wat ik je kan zeggen.' Bloom legde zijn hand op Grahams schouder en zei zacht: 'Hoor eens, dit zeg ik niet om je aan te moedigen en het is geen onzin, jij bent heel goed in staat om hem over de hindernissen heen te helpen. Je hebt mijn raad niet nodig. Doe gewoon wat jou als het beste voorkomt.'

Het wachten begon. Na een halfuur verbrak Crawford de stilte.

'Telefoontje of niet, we zullen toch moeten besluiten wat we verder gaan doen. Toch die val met de postbak proberen?'

'Iets beters kan ik niet bedenken,' zei Graham.

'Daarmee zouden we twee vallen hebben: jouw huis in de Keys en de postbak.'

De telefoon rinkelde.

De toongenerator werd ingeschakeld. In de elektronische schakelkamer begon de opsporing. De telefoon ging vier keer over. De technicus schakelde de toongenerator uit en Beverly nam op. Sarah luisterde mee.

'Met het kantoor van speciaal agent Crawford.'

Sarah schudde haar hoofd. Ze kende de man die belde, een van Crawfords vrienden van de afdeling Alcohol, Tabak en Vuurwapens. Beverly beëindigde het gesprek zo snel mogelijk en liet de tracering stoppen. Iedereen in het FBI-gebouw wist dat de lijn vrijgehouden moest worden.

Crawford doorliep nogmaals de details van de val met de postbak die ze op zouden zetten. Ze voelden zich verveeld en gespannen tegelijk. Lloyd Bowman kwam langs om te laten zien dat de cijferparen in Lecters geschrift van toepassing waren op bladzijde 100 van een pocketuitgave van een kookboek. Sarah bracht plastic bekertjes met koffie rond.

De telefoon rinkelde.

De toongenerator nam het over en de tracering begon. Vier keer rinkelen. De technicus schakelde de toongenerator uit. Beverly nam op.

'Met het kantoor van speciaal agent Crawford.'

Sarah begon heftig te knikken.

Graham ging zijn cel in en sloot de deur. Hij zag Beverly's lippen bewegen. Ze drukte de 'wacht'-toets in en keek naar de secondewijzer van de wandklok.

Graham zag zijn gezicht weerspiegeld in de glimmende hoorn. Twee vervormde gezichten, een in het oorstuk en een in het mondstuk. Hij rook het cordiet van de schietbaan in zijn shirt. *Niet ophangen. Lieve Heer, laat hem niet ophangen!* Veertig seconden waren verstreken. De telefoon op zijn tafel bewoog lichtjes toen hij overging. *Laat hem rinkelen. Nog één keer.* Vijfenveertig seconden. *Nu!*

'Met Will Graham. Kan ik u ergens mee helpen?'

Een gedempte lach. Een omfloerste stem: 'Dat verwacht ik wel.'

'Met wie spreek ik?'

'Heeft uw secretaresse dat niet gezegd?'

'Nee, maar ze heeft me wel uit een vergadering gehaald, meneer, en...'

'Als u me zegt dat u niet met meneer Pelgrim wilt praten, dan hang ik onmiddellijk op. Ja of nee?'

'Meneer Pelgrim, als u met een probleem zit dat ik kan oplossen, wil ik graag met u spreken.'

'Ik denk dat u met het probleem zit, meneer Graham.'

'Pardon? Ik begrijp u niet.' De secondewijzer kroop naar de minuut toe.

'U bent een druk baasje geweest, hè?' zei de stem.

'In elk geval te druk om aan de telefoon te blijven als u niet ter zake komt.'

'Mijn zaken spelen zich in dezelfde plaatsen af als die van u... Atlanta en Birmingham.'

141

'Weet u daar iets van?'

Een zacht lachje. 'Of ik daar iets van weet? Bent u geïnteresseerd in meneer Pelgrim? Ja of nee? Ik hang op als u liegt.'

Graham kon Crawford door het glas zien. Hij had in elke hand een telefoonhoorn.

'Ja. Maar weet u, ik krijg heel wat telefoontjes en de meeste zijn van mensen die beweren iets te weten.' Een minuut.

Crawford legde een van de hoorns neer en krabbelde iets op een stukje papier.

'U zou verbaasd staan als u wist hoeveel flauwekultelefoontjes we hier krijgen,' zei Graham. 'Na een gesprek van een paar minuten wordt duidelijk dat ze geen flauw idee hebben van wat er eigenlijk speelt. Heeft u dat wel?'

Sarah drukte een velletje papier tegen het glas van Grahams telefooncel. Hij las: 'Telefooncel in Chicago. Politie gaat erheen.'

'Weet u wat? U vertelt mij iets wat u weet over meneer Pelgrim en dan zal ik u misschien vertellen of het klopt,' zei de gedempte stem.

'Laten we eerst eens vaststellen over wie we het eigenlijk hebben,' zei Graham.

'We hebben het over meneer Pelgrim.'

'Hoe weet ik of meneer Pelgrim iets heeft gedaan dat mij zou interesseren? Heeft hij dat?'

'Laten we maar aannemen van wel.'

'Bent u meneer Pelgrim?'

'Ik geloof niet dat ik u dat ga vertellen.'

'Bent u een vriend van hem?'

'Zoiets.'

'Nou, bewijs dat dan. Vertel me iets waaruit ik kan opmaken dat u hem goed kent.'

'U eerst. Geef mij uw informatie maar.' Een nerveus gegiechel. 'De eerste de beste keer dat u er naast zit, hang ik op.'

'Goed dan. Meneer Pelgrim is rechtshandig.'

'Dat is een veilige gok. Dat geldt voor de meeste mensen.'

'Meneer Pelgrim wordt miskend.'

'Geen nietszeggende onzin, alstublieft.'

'Meneer Pelgrim is buitengewoon sterk.'

'Ja, dat zou je wel kunnen zeggen.'

Graham keek naar de klok. Anderhalve minuut. Crawford knikte hem bemoedigend toe.

Vertel hem niets waardoor hij van gedachten kan veranderen!

'Meneer Pelgrim is blank en ongeveer één meter tachtig lang. Maar u hebt mij nog niets verteld. Ik vraag me af of u hem eigenlijk wel kent.'

'Wilt u het gesprek beëindigen?'

'Nee, maar u zei dat we informatie zouden ruilen en daar was ik mee bezig.'

'Denkt u dat meneer Pelgrim krankzinnig is?'

Bloom schudde zijn hoofd.

'Ik geloof niet dat iemand die zo behoedzaam te werk gaat krankzinnig kan zijn. Ik denk dat hij anders is. Ik denk dat veel mensen van mening zijn dat hij krankzinnig is, en dat komt omdat hij de mensen geen gelegenheid geeft hem te begrijpen.'

'Beschrijf eens nauwkeurig wat hij volgens u met mevrouw Leeds heeft gedaan. Misschien zal ik u dan vertellen of het waar is of niet.'

'Ik peins er niet over!'

'Het beste dan.'

Grahams hartslag versnelde, maar hij hoorde nog steeds ademen aan de andere kant van de lijn.

'Daar kan ik niet op ingaan voor ik weet...'

Graham hoorde hoe de deur van de telefooncel in Chicago werd opengegooid en de hoorn ergens tegenaan kletterde toen die viel. Door de aan het snoer bungelende hoorn hoorde hij het geluid van stemmen en gebonk. Via de luidspreker in het kantoor kon iedereen het volgen.

'Verroer je niet! Geen vin! Handen achter je hoofd en langzaam achteruit de cel uit. Langzaam! Handen tegen het glas. Uit elkaar!'

Opluchting stroomde door Graham heen.

'Ik ben niet gewapend, Stan. Mijn legitimatiebewijs zit in mijn borstzak. Hé, dat kietelt!'

Door de telefoon klonk een luide, verbaasde stem. 'Met wie spreek ik?'

'Will Graham, FBI.'

'Brigadier Stanley Riddle hier, van de politie in Chicago.' Geïrriteerd nu. 'Wilt u me vertellen wat er in godsnaam aan de hand is?'

'Dat hoor ik graag van u. Hebben jullie daar een man gearresteerd?'

'Klopt. Freddy Lounds, verslaggever. Ik ken hem al tien jaar. (Hier is je notitieboekje, Freddy.) Wilt u een aanklacht tegen hem indienen?'

Grahams gezicht was lijkbleek, dat van Crawford rood. Dr. Bloom staarde naar de ronddraaiende spoelen op de bandrecorder.

'Hoort u mij?'

'Ja, ik wil een aanklacht indienen.' Grahams stem klonk gesmoord. 'Belemmering van de rechtsgang. Reken hem maar in en houdt hem vast tot de hoofdofficier van justitie contact opneemt.'

Opeens klonk Lounds' stem door de telefoon. Hij sprak snel en duidelijk nu hij de wattenpropjes uit zijn mond verwijderd had.

'Will, luister...'

'Vertel het maar aan de officier van justitie. Geef me brigadier Riddle weer.'

'Ik weet iets...'

'Geef verdomme de hoorn aan Riddle!'

Crawfords stem kwam erdoorheen. 'Laat mij het maar afhandelen, Will.'

Graham smeet de hoorn met zo'n klap neer dat iedereen binnen het bereik van de luidspreker ineenkromp. Hij kwam uit de cel en verliet het vertrek zonder iemand aan te kijken.

'Lounds, je hebt heel wat aangericht, vriend!' zei Crawford.

'Willen jullie hem pakken of niet? Ik kan jullie helpen. Geef me één minuut.' Toen Crawford zweeg, ging Lounds snel verder. 'Luister, jullie hebben zojuist laten zien hoe hard jullie de *Tattler* nodig hebben. Eerst was ik daar niet zo zeker van... nu wel. Die advertentie heeft te maken met de Tandenfee-zaak, anders zouden jullie niet zoveel moeite hebben gedaan dit gesprek op te sporen. Prima! De *Tattler* staat tot jullie beschikking. U zegt het maar.'

'Hoe heb je het ontdekt?'

'De chef van de advertentieafdeling kwam naar me toe. Hij zei dat uw kantoor in Chicago iemand had gestuurd om de advertenties te controleren. Uw man heeft vijf brieven uit de binnengekomen advertenties meegenomen. Beweerde dat het om "postfraude" ging. Kletskoek! De chef heeft fotokopieën van de brieven en enveloppen gemaakt voor hij ze aan uw mannetje meegaf. Ik heb ze doorgelezen. Ik wist dat hij vijf brieven meenam om de brief waar het in werkelijkheid om ging te maskeren. Ik had een dag of twee nodig om ze allemaal na te pluizen. Het antwoord zat op de envelop. Poststempel van Chesapeake. Het frankeernummer was van

144

de Chesapeake Psychiatrische Strafinrichting. Daar ben ik ook geweest, weet u, in het kielzog van jullie makker die zo op mij gebeten is. Wat kon het anders zijn?

Maar ik moest zekerheid hebben. Daarom heb ik opgebeld. Om te zien of jullie zouden reageren op "meneer Pelgrim". En dat deden jullie.'

'Je hebt een enorme blunder begaan, Freddy.'

'Jullie hebben de *Tattler* nodig en ik kan ervoor zorgen dat alle deuren voor jullie opengaan. Advertenties, artikelen, controleren van binnenkomende post, alles. U zegt het maar. Ik kan heel discreet zijn. Geloof me! Laat me meedoen, Crawford.'

'Geen sprake van.'

'Oké. Dan zal het niets uitmaken als iemand in de volgende editie heel toevallig zes advertenties plaatst. Allemaal gericht aan "meneer Pelgrim" en met dezelfde ondertekening.'

'Ik laat je formeel een verbod opleggen en dien een aanklacht tegen je in wegens belemmering van de rechtsgang.'

'En het zou weleens kunnen uitlekken naar alle kranten in het land.'

Lounds wist dat zijn woorden op de band werden opgenomen. Het kon hem niets meer schelen. 'Ik zweer bij God dat ik dat doe, Crawford. Ik grijp hoe dan ook mijn kans en als ik daarmee die van jullie verstier, pech gehad.'

'Je kunt bedreiging van een agent toevoegen aan wat ik zojuist heb gezegd.'

'Laat me je alsjeblieft helpen, Jack. Dat kan ik echt. Geloof me nou!'

'Ga jij maar lekker mee naar het politiebureau, Freddy. En geef me nu de brigadier weer.'

De Lincoln Versailles van Freddy Lounds rook naar haarlotion en aftershave, sokken en sigaren en de politieagent was dan ook blij de wagen te kunnen verlaten toen ze bij het politiebureau waren aangekomen.

Lounds kende de districtscommandant en een groot aantal van zijn agenten. De commandant gaf Lounds koffie en belde met het kantoor van de officier van justitie om 'te proberen die flauwekul de wereld uit te helpen'.

Lounds werd niet opgehaald om voorgeleid te worden. Nog geen halfuur later werd hij op het kantoor van de districtscommandant door Crawford gebeld. Toen was hij vrij om te gaan. De commandant liep met hem mee naar zijn wagen.

Lounds was uiterst gespannen en hij reed snel en krampachtig in oostelijke richting naar zijn flat, die uitzag over het Michiganmeer. Deze hele geschiedenis moest hem een aantal dingen opleveren en hij zou ervoor zorgen dat hem dat lukte. Geld was een van die dingen en daar zou de paperback voor zorgen. Zesendertig uur na de arrestatie zou zijn paperback in de winkel liggen. Een exclusief artikel in de dagbladen zou sensatie wekken. Hij zou de voldoening smaken te zien hoe de kwaliteitskranten – de *Chicago Tribune*, de *Los Angeles Times*, de in steen gehouwen *Washington Post* en de heilige *New York Times* – zijn auteursrechtelijk beschermd materiaal afdrukten onder zijn naam en met zijn foto's.

Wat zouden de correspondenten van al die verheven dagbladen, die op hem neerkeken, die niet eens een borrel met hem wilden drinken, zich ergeren. In hun ogen was Lounds een paria omdat hij een ander geloof had aangenomen. Als hij incompetent was geweest, een stuk onbenul zonder andere mogelijkheden, dan zouden de veteranen van de kwaliteitskranten het hem misschien vergeven hebben dat hij voor de *Tattler* werkte, een welwillendheid zoals je die jegens een achterlijke stumper toont. Maar Lounds was begaafd. Hij bezat de kwaliteiten van een goede verslaggever – intelligentie, lef en een zesde zintuig voor nieuws. Hij beschikte over veel geduld en energie.

Tegen hem sprak het feit dat hij een klier was en dus niet geliefd bij dagbladredacties en bovendien dat hij niet in staat was zijn eigen persoontje buiten zijn artikelen te houden.

Lounds had de onbedwingbare behoefte op te vallen, iets dat vaak ten onrechte met ego wordt aangeduid. Lounds was gedrongen en lelijk en klein. Hij had vooruitstekende tanden en zijn gluiperige ogen glansden als speeksel op asfalt.

Tien jaar lang had hij in de reguliere journalistiek gewerkt en toen had hij beseft dat niemand hem ooit naar het Witte Huis zou sturen. Hij begreep dat zijn uitgevers hem zouden uitmergelen, hem zouden gebruiken tot de tijd gekomen was hem als een versleten oude dronkaard achter een bureau te nagelen, waar hij uiteindelijk ongetwijfeld aan een kapotte lever zou bezwijken.

Ze wilden de informatie waarop hij de hand kon leggen, maar Freddy zelf wilden ze niet. Ze betaalden hem een topsalaris, maar veel is dat niet als je voor vrouwen moet betalen. Ze gaven hem een schouderklopje, vertelden hem dat hij zijn werk goed deed, maar verdomden het hem een eigen parkeerplek te geven.

Toen hij op een avond in 1969 op kantoor kopij zat te bewerken, zag Freddy opeens het licht.

Frank Larkin zat vlak bij hem berichten die hem over de telefoon werden gedicteerd op te schrijven, een karweitje waarmee oude verslaggevers op de krant waar Freddy werkte werden zoet gehouden. Frank Larkin was vijfenvijftig, maar hij zag eruit als zeventig. Hij had vochtige, samengeknepen ogen en liep om het halfuur naar zijn kast om een slokje te pakken. Vanaf de plaats waar hij zat, kon Freddy de drank ruiken.

Larkin stond op en slofte naar de redactrice, die hij met een hese stem iets in het oor fluisterde. Freddy luisterde altijd andermans gesprekken af.

Larkin vroeg de vrouw een maandverbandje uit het damestoilet voor hem te halen. Dat had hij nodig voor zijn bloedende achterste.

Op dat moment hield Freddy op met typen. Hij haalde het artikel uit zijn schrijfmachine, deed er een ander vel papier voor in de plaats en tikte zijn ontslagbrief.

Een week later werkte hij voor de *Tattler*. Hij begon er als redacteur voor artikelen over kanker en verdiende bijna het dubbele van zijn vorige salaris. De directie was onder de indruk van zijn houding. De *Tattler* kon het zich veroorloven hem goed te betalen, want de krant ontdekte dat kanker een uiterst lucratief onderwerp was. Een op de vijf Amerikanen stierf eraan. De familieleden van de patiënten, die uitgeput en moegestreden de strijd tegen de voortwoekerende kanker proberen te winnen met allerlei alternatieve middelen, grijpen radeloos naar alles wat ook maar enige hoop biedt.

Marktonderzoeken toonden aan dat een vette kop op de voorpagina zoals 'NIEUW GENEESMIDDEL TEGEN KANKER' of 'WONDERMIDDEL TEGEN KANKER' de verkoop in supermarkten van alle *Tattler*-edities met 22,3 procent opdreef. Er werd een daling van zes procent geconstateerd als het artikel zelf op dezelfde bladzijde stond en de lezer bij de kassa in de gelegenheid was de nietszeggende tekst te lezen.

Marktdeskundigen ontdekten dat het beter was de grote kop vet-

gedrukt op de voorpagina te brengen en het eigenlijke artikel ergens middenin te plaatsen, want dan werd het de mensen moeilijk
gemaakt om tegelijkertijd de krant open te houden en tevens hun
geld of betaalcheque te pakken.

Het standaardverhaal begon doorgaans met een vijftal alinea's in
tien-punts letters, vervolgens werd overgegaan tot een acht-punts
letter en ten slotte tot zes-punts voordat gewag werd gemaakt van
het feit dat het 'wondermiddel' nog niet beschikbaar was of dat
men pas begonnen was het op dieren te testen.

Freddy verdiende zijn geld met het schrijven van dergelijke artikelen waarmee heel wat *Tattlers* verkocht werden.

Naast de uitbreiding van de lezerskring vlogen nevenproducten zoals magische medaillons en wonderlapjes over de toonbank. Fa-
brikanten van dergelijke artikelen betaalden een hoge prijs om hun
advertenties zo dicht mogelijk bij het wekelijkse kankerartikel geplaatst te krijgen.

Veel lezers schreven naar de krant om meer informatie. Ook hieraan werd geld verdiend: hun namen werden verkocht aan een ra-
diopredikant, een schreeuwerige sociopaat, die die mensen brieven
schreef en om geld vroeg, met gebruikmaking van enveloppen met
de opdruk: 'Iemand die u lief is zal sterven tenzij...'

Freddy Lounds was goed voor de *Tattler* en de *Tattler* was goed
voor hem. Nu, na elf jaar bij deze krant, verdiende hij tweeënze-
ventigduizend dollar per jaar. Veel van zijn wensen kon hij vervullen en hij besteedde het geld dan ook om een plezierig bestaan
te leiden. Hij had een luizenleventje.

Zoals de dingen zich ontwikkelden, dacht hij flinke munt uit zijn
paperbacktransactie te kunnen slaan. Bovendien was er belangstelling uit de filmwereld. Hij had gehoord dat Hollywood een prima oord was voor onhebbelijke jongens met geld.

Freddy voelde zich lekker. Met een vaart schoot hij de ondergrondse parkeergarage van zijn flatgebouw in en met gierende remmen
bracht hij zijn wagen op zijn parkeerplaats tot stilstand. Daar, op
de muur, stond zijn naam in grote letters ten teken dat deze plek
privé-eigendom was: Frederick Lounds.

Wendy was er al... haar Datsun stond geparkeerd naast zijn parkeerplek. Mooi. Kon hij haar maar meenemen naar Washington.
Wat zouden die agenten hun ogen uitkijken! Fluitend ging hij met
de lift naar boven.

Wendy was zijn koffer aan het inpakken. Ze had er veel ervaring in en deed het dan ook goed.

In haar spijkerbroek en geruite hemd, haar bruine haren tot een paardenstaart bijeengebonden, zag ze eruit als een boerendochter. Alleen haar bleke huidskleur en haar figuur getuigden van het tegendeel. Haar lichaamsvormen waren bijna jongensachtig.

Ze keek Lounds aan met ogen die al jaren nergens meer van hadden opgekeken. Ze zag dat hij beefde.

'Je werkt te hard, Roscoe.' Ze noemde hem meestal Roscoe en om de een of andere reden vond hij dat leuk. 'Welke vlucht neem je? Die van zes uur?' Ze bracht hem een drankje en haalde haar met lovertjes bestikte jumpsuit en haar pruikendoos van het bed, zodat hij kon gaan liggen. 'Ik breng je wel naar het vliegveld. Ik ga pas na zessen naar de club.'

'Wendy City', een topless bar, was haar eigendom en ze hoefde zelf niet meer te dansen. Lounds had het contract medeondertekend.

'Wat klonk je stem geheimzinnig toen je me belde.' zei ze. 'En je kijkt zo zelfvoldaan. Wat is er aan de hand?'

'Schatje, ik heb vandaag gegokt en gewonnen. Ik maak nu kans op iets groots!'

'Je hebt nog tijd om wat te slapen voor je weg moet. Je werkt jezelf nog eens kapot.'

Lounds stak een sigaret op. In de asbak lag zijn vorige nog te branden.

'Weet je wat?' zei ze. 'Ik wil wedden dat je zo in slaap valt als je je glas leegdrinkt en een nummertje maakt.'

Lounds gezicht, dat zich als een gebalde vuist tegen haar hals perste, ontspande zich ten slotte en kwam even plotseling tot leven als een vuist zich ontspant tot een hand. Het beven hield op. Fluisterend tegen de bolling van haar vergrote borsten vertelde hij haar alles, terwijl zij met haar vinger achten beschreef op zijn rug.

'Slim bedacht, Roscoe,' zei ze. 'Ga nu maar slapen. Ik maak je op tijd wakker om je vliegtuig te halen. Het komt allemaal in orde. Alles. En dan zullen we een fantastische tijd hebben.'

Fluisterend spraken ze over de plaatsen die ze zouden bezoeken. Toen viel hij in slaap.

17

Dr. Alan Bloom en Jack Crawford zaten op klapstoelen, de enige meubelstukken die in Crawfords kantoor waren achtergebleven. 'We hebben alles uit de kast gehaald, dokter.'

Dr. Bloom bestudeerde Crawfords mensaapachtige gezicht en vroeg zich af wat er ging komen. Achter Crawfords gemopper en zijn Alka-Seltzers zag de dokter een intelligentie die even koud was als een röntgentafel.

'Waar ging Will heen?'

'Die loopt waarschijnlijk gewoon wat rond om af te koelen,' zei Crawford. 'Hij haat Lounds uit de grond van zijn hart.'

'Was je bang dat je Will kwijt zou raken toen Lecter zijn huisadres gepubliceerd had? Dat hij terug zou gaan naar zijn gezin?'

'Een moment heb ik dat gedacht, ja. Hij was behoorlijk van zijn stuk.'

'Begrijpelijk,' zei dr. Bloom.

'Toen besefte ik dat hij niet naar huis terug kan, en Molly en Willy evenmin, tot de Tandenfee uitgeschakeld is.'

'Heb je Molly ontmoet?

'Ja. Een prima vrouw. Ik mag haar wel. Ze kan mij natuurlijk wel schieten. Ik ga haar voorlopig maar uit de weg.'

'Vindt ze dat je Will gebruikt?'

Crawford keek dr. Bloom doordringend aan. 'Er zijn een paar dingen die ik met hem moet bespreken. We zullen u ook nodig hebben. Wanneer moet u in Quantico terug zijn?'

'Niet voor dinsdagmorgen. Ik heb het verzet.' Dr. Bloom trad op als gastdocent aan de afdeling voor Gedragswetenschappen aan de FBI-Academie.

'Graham is op u gesteld. Het komt niet bij hem op dat u psychologische trucs bij hem zou uithalen,' zei Crawford. De opmerking van Bloom over het 'gebruiken van Will' zat hem dwars.

'Dat doe ik ook niet. Ik zou het niet in mijn hoofd halen,' zei dr. Bloom. 'Ik ben even eerlijk tegenover hem als ik tegenover een patiënt zou zijn.'

'Precies.'

'Nee, ik wil zijn vriend zijn en niets anders. Jack, observeren behoort tot mijn studieterrein. Maar vergeet niet dat toen jij me

vroeg je een observatiebeeld van hem te geven, ik dat weigerde.'
'Dat was Petersen... die wilde een observatiebeeld.'
'Jij was degene die het me vroeg. Niettemin... als ik ooit een of ander onderzoek naar Graham zou doen, als er ooit iets zou zijn dat anderen therapeutisch gezien van nut kan zijn, dan zou ik het in zo'n vorm gieten dat hij volkomen onherkenbaar zou zijn. Als ik ooit met een wetenschappelijke publicatie over hem kom, zal die postuum verschijnen.'
'Na uw dood of na die van Graham?'
Dr. Bloom gaf geen antwoord.
'Er is me één ding opgevallen... U bent nooit alleen met Graham in een kamer. U speelt het heel subtiel, maar u bent nooit met hem onder vier ogen. Waarom is dat? Denkt u soms dat hij helderziend is?'
'Nee. Hij is een *eideticus* – hij bezit een opmerkelijk visueel geheugen – maar ik geloof niet dat hij helderziend is. Hij weigert zich door Duke te laten testen... maar dat zegt niets. Hij heeft er een hekel aan opgejut en geperd te worden. Ik ook.'
'Maar...'
'Will wenst dit als pure hersengymnastiek te beschouwen en, gezien vanuit de enge begrenzing van de forensische wetenschap, is het dat ook. Op dat gebied is hij goed, maar ik veronderstel dat hij niet de enige goede is.'
'Er zijn er niet veel,' zei Crawford.
'Bovendien beschikt hij over een zeer helder inlevings- en voorstellingsvermogen,' zei dr. Bloom. 'Hij is in staat zich te verplaatsen in mijn visie of de jouwe – en misschien nog wel andere visies die hem beangstigen en van walging vervullen. Dat is een akelige gave, Jack. Perceptie is een mes dat aan twee kanten snijdt.'
'Waarom bent u nooit met hem alleen?'
'Omdat ik een zekere beroepsmatige nieuwsgierigheid voor hem voel en hij dat onmiddellijk door zou hebben. Maar dan ook onmiddellijk.'
'Als hij u op gluren zou betrappen, zou hij dadelijk de gordijnen dichttrekken.'
'Een onaangename vergelijking, maar wel juist. Je hebt nu wel voldoende revanche genomen, Jack. We kunnen nu ter zake komen. Laten we het kort houden, ik voel me niet zo lekker.'
'Vast een psychosomatische manifestatie,' zei Crawford.

'Mijn galblaas, om precies te zijn. Nou... wat wil je van me?'

'Ik heb een medium waarin ik me tot de Tandenfee kan wenden.'

'De *Tattler*,' zei dr. Bloom.

'Ja. Denkt u dat we hem tot zelfvernietigend handelen kunnen bewegen door ons in bepaalde bewoordingen tot hem te richten?'

'Hem tot zelfmoord aanzetten?'

'Zelfmoord zou me goed van pas komen.'

'Dat betwijfel ik. Bij bepaalde vormen van geestelijke gestoordheid zou het misschien mogelijk zijn, maar in dit geval betwijfel ik het. Als hij zelfmoordneigingen had, zou hij niet zo omzichtig te werk gaan. Dan zou hij zichzelf niet zo goed beschermen. Zo hij een klassiek geval van paranoïde schizofrenie was, dan zou je zijn woede misschien kunnen forceren waardoor hij zich wellicht bloot zou geven. Je zou hem er misschien zelfs toe kunnen brengen de hand aan zichzelf te slaan. Maar dat zou je dan zonder mijn hulp moeten doen!' Zelfmoord was Blooms aartsvijand.

'Ja, dat begrijp ik,' zei Crawford. 'Zouden we zijn woede kunnen opwekken?'

'Waarom wil je dat weten? Met welk doel?'

'Laat ik het zo vragen: zouden we hem zo kwaad kunnen krijgen dat hij zijn aandacht op ons richt?'

'Hij heeft Graham al tot zijn tegenstander uitgeroepen, dat weet jij ook wel. Speel dus alsjeblieft geen spelletjes met me. Je hebt besloten Graham als lokaas te gebruiken, waar of niet?'

'Ik geloof dat ik geen andere keus heb. Het alternatief is dat hij op de 25e opnieuw toeslaat. Help me.'

'Besef je wel wat je verlangt?'

'Advies... meer niet.'

'Ik bedoel niet van mij,' zei dr. Bloom. 'Wat je van Graham verlangt. Ik wil niet dat je dit verkeerd opvat, en normaal gesproken zou ik het niet zeggen, maar je moet dit weten: wat is volgens jou Wills sterkste drijfveer?'

Crawford schudde zijn hoofd.

'Angst, Jack. De man moet met een enorme hoeveelheid angst afrekenen.'

'Omdat hij gewond is geraakt?'

'Nee, dat niet precies. Angst hangt samen met voorstellingsvermogen, het is een straf, de prijs van het voorstellingsvermogen.'

Crawford staarde naar zijn handen, die hij voor zijn buik gevou-

wen had. Hij kreeg een kleur. Het was pijnlijk hierover te praten.
'Juist. Dat is nou net waar je met de grote jongens op het school-
plein niet over praat, hè? U hoeft er niet over in te zitten dat u me
verteld hebt dat hij bang is. Ik zal hem echt niet meteen als een
slapjanus gaan zien. Zo'n hufter ben ik nu ook weer niet, dokter.'
'Ik heb nooit gedacht dat je dat was, Jack.'
'Ik zou hem nooit laten gaan als ik hem niet kon beschermen. Oké,
als ik hem niet voor tachtig procent kon beschermen. Hij is heus
geen kneus. Niet de beste, maar hij is snel. Wilt u ons helpen de
Tandenfee uit zijn tent te lokken, dokter? Er zijn al heel wat mensen dood.'
'Alleen als Graham van tevoren volledig op de hoogte is van het
risico en dat vrijwillig op zich neemt. Ik moet het hem zelf horen
zeggen.'
'Ik denk er net zo over als u, dokter. Ik zal hem geen rad voor de
ogen draaien. Niet meer dan wij allemaal dat bij elkaar doen.'

Crawford vond Graham in het kleine werkkamertje naast Zellers
lab, dat hij zich had toegeëigend en volgestopt met foto's en persoonlijke papieren van de slachtoffers. Crawford wachtte tot Graham het *Law Enforcement Bulletin* waarin hij zat te lezen weg-
legde.
'Ik kom je even vertellen wat er de 25e gebeuren gaat.' Hij hoefde Graham niet te zeggen dat de eerstvolgende vollemaan op de
25e zou zijn.
'Als hij weer toeslaat?'
'Ja, als we op de 25e een probleem hebben.'
'Dat staat wel vast.'
'De beide andere gevallen speelden zich af op zaterdagavond. Birmingham, 28 juni, vollemaan op zaterdagavond. In Atlanta was
het op 26 juli, één dag voor vollemaan, maar eveneens op een zaterdagavond. De volgende vollemaan valt op maandag, 25 augustus. Maar kennelijk heeft hij een voorkeur voor het weekend, dus
houden we ons vanaf vrijdag gereed.'
'Gereed? Houden we ons gerééd?'
'Precies. Zoals het in de leerboeken staat... de ideale aanpak van
een moordzaak'
'Dat heb ik in de praktijk nooit meegemaakt,' zei Graham. 'Het
gaat nooit volgens het boekje.'

'Nee. Bijna nooit. Het zou fantastisch zijn als we het toch precies zo konden doen: één man erop afsturen. Eén man maar. Hij neemt de situatie in zich op. Hij is voorzien van een zendertje en dicteert alles wat hij ziet. Hij kan ongestoord zijn gang gaan zolang als maar nodig is. Alleen hij... Alleen jij.'

Een lange stilte.

'Wat probeer je me duidelijk te maken?'

'Vanaf vrijdagavond de 22e houden we op Andrews Air Force Base een Grumman Gulfstream stand-by. Die heb ik geleend van Binnenlandse Zaken. Het toestel zal voorzien zijn van de basis-laboratoriumuitrusting. Wij zijn stand-by – ik, jij, Zeller, Jimmy Price, een fotograaf en twee mensen voor de ondervragingen. Zodra het telefoontje binnenkomt, gaan we op pad. Binnen een uur en vijftien minuten kunnen we ter plaatse zijn op elke plek in het oosten of zuiden.'

'En de plaatselijke autoriteiten? Die kunnen we niet tot medewerking dwingen. Die zullen niet wachten.'

'We brengen de politiecommandanten van alle districten op de hoogte. We verzoeken om instructies op te hangen in elke meldkamer en boven het bureau van iedere officier van dienst.'

Graham schudde zijn hoofd. 'Onzin! Die zullen zich nooit afzijdig houden. Dat zouden ze niet kunnen.'

'We vragen ze het volgende... veel is het niet. Als er een melding binnenkomt, gaan de eerste agenten die ter plaatse zijn naar binnen om de situatie in ogenschouw te nemen. Medisch personeel gaat naar binnen en kijkt of er nog iemand in leven is. Dan komt iedereen weer naar buiten. Wegversperringen, ondervragingen, dat alles kunnen ze precies zo doen als ze zelf willen, maar de plaats delict wordt verzegeld tot wij arriveren. Wij rijden voor, jij gaat naar binnen. Je bent voorzien van een zendertje. Je spreekt je tegen ons uit als je daartoe behoefte voelt en je zegt niets als die behoefte ontbreekt. Neem alle tijd die je nodig hebt. Pas daarna komen wij binnen.'

'De plaatselijke autoriteiten zullen niet zo lang wachten.'

'Natuurlijk niet. Ze zullen mensen van Moordzaken sturen. Toch zal de aanvraag enig effect sorteren. Er zal minder toeloop van manschappen zijn en jij krijgt alles onaangeroerd te zien.'

Onaangeroerd. Graham leunde met zijn hoofd achterover tegen de stoel en staarde naar het plafond.

'Natuurlijk,' zei Crawford, 'hebben we nog dertien dagen voor het bewuste weekend.'

'Jezus, Jack...'

'Wat nou "Jezus, Jack"?' vroeg Crawford.

'Je wordt bedankt!'

'Ik kan je niet volgen.'

'O ja, dat kun je wel. Wat je hebt gedaan? Je hebt besloten mij als lokaas te gebruiken omdat je niets anders hebt. Dus schotel je me eerst voor hoe erg het de volgende keer zal zijn, alvorens tot de kern van de zaak te komen. Psychologisch gezien niet slecht. Als je het zou toepassen op een idioot. Wat dacht je dat ik zou zeggen? Was je bang dat ik het, omdat Lecter me toen te grazen heeft genomen, niet aan zou durven?'

'Nee.'

'Ik zou het je niet kwalijk nemen als het wel zo was. We kennen allebei mensen die het zo vergaan is. Ik vind het niet prettig om als een soort schietschijf rond te lopen. Maar, verdomme, ik zit er nu eenmaal middenin en zolang hij vrij rondloopt, kunnen we niet naar huis.'

'Ik heb er nooit aan getwijfeld dat je het zou doen.'

Graham zag dat hij het meende. 'Er is nog meer, hè?'

Crawford zei niets.

'Niet Molly! Geen sprake van!'

'Jezus, Will, zelfs ík zou dat niet van je vragen.'

Graham staarde hem een ogenblik aan. 'Godallemachtig, Jack! Je hebt besloten met Freddy Lounds in zee te gaan. Heb ik gelijk of niet? Jij en onze kleine Freddy hebben het op een akkoordje gegooid!'

Crawford bestudeerde een vlekje op zijn das. Toen keek hij Graham aan. 'Je weet zelf ook wel dat het de beste manier is om hem te lokken. De Tandenfee houdt de *Tattler* in de gaten. Welk aanknopingspunt hebben we verder nog?'

'Moet het per se Lounds zijn?'

'Hij is de aangewezen tussenpersoon voor de *Tattler*.'

'Dus ik moet in de *Tattler* over de Tandenfee tekeergaan en dan mag hij het proberen. Denk je dat dit beter zal werken dan de val met de postbak? Je hoeft niet te antwoorden. Ik weet dat het beter is. Heb je er al met Bloom over gesproken?'

'Alleen terloops. We nemen het samen met hem door. En ook met

Lounds. De val met de postbak zetten we ook in werking.'
'En hoe moet het eruitzien? Ik geloof dat we hem een gemakkelijke schietkans moeten bieden. Een open plek. Ergens waar hij dichtbij kan komen. Ik denk niet dat hij vanuit een hinderlaag zal schieten. Misschien vergis ik me in hem, maar ik zie hem niet met een geweer.'
'Op de hoog gelegen plaatsen zullen we uitkijkposten neerzetten.'
Beiden dachten hetzelfde. Een kogelvrij vest van kevlar zou de negen-millimeter-kogel en het mes van de Tandenfee tegenhouden, tenzij Graham in het gezicht geraakt zou worden. Er bestond geen beveiliging tegen een schot in het hoofd als een sluipschutter de kans kreeg op hem te vuren.
'Praat jij maar met Lounds. Dat hoef ik niet te doen.'
'Hij moet je interviewen, Will,' zei Crawford vriendelijk. 'Hij moet een foto van je maken.'
Bloom had Crawford gewaarschuwd dat hij op dat punt moeilijkheden kon verwachten.

18

Toen het zover was, verraste Graham zowel Crawford als Bloom. Hij scheen bereid Lounds tegemoet te komen en zijn gezichtsuitdrukking onder de koele blauwe ogen was minzaam.
Lounds' manier van doen onderging een positieve verandering toen hij eenmaal in het hoofdkwartier van de FBI was. Als hij eraan dacht, was hij beleefd en hij zette snel en zonder drukte zijn spullen klaar.
Graham maakte slechts één keer bezwaar: hij weigerde pertinent Lounds inzage te geven in het dagboek van mevrouw Leeds of in de persoonlijke correspondentie van de gezinnen.
Toen het interview begon, beantwoordde hij Lounds' vragen op beleefde toon. Beide mannen raadpleegden aantekeningen die in overleg met dr. Bloom waren gemaakt. De vragen en antwoorden werden meermalen in betere bewoordingen herschreven.

Alan Bloom had er moeite mee iets te beramen met de opzet tot geweld. Uiteindelijk zette hij eenvoudig zijn theorieën met betrekking tot de Tandenfee uiteen. De anderen luisterden als karateleerlingen tijdens een anatomische les.

Dr. Bloom zei dat de daden en de brief van de Tandenfee wezen op een persoonlijkheid die zijn waanvoorstellingen projecteerde op de buitenwereld, projecties die een compensatie vormden voor ondraaglijke gevoelens van ontoereikendheid. Het stukslaan van de spiegels verbond deze gevoelens met zijn uiterlijk.

Het bezwaar dat de moordenaar maakte tegen de naam Tandenfee wortelde in de implicatie van seksuele perversie, die hij duidelijk met nichterigheid in verband bracht. Bloom dacht dat hij onbewust kampte met een homoseksueel conflict; een hevige angst niet te zijn. Dr. Blooms mening werd nog versterkt door een merkwaardige waarneming in het huis van de Leeds: sporen van plooien en afgedekte bloedvlekken wezen erop dat de Tandenfee Charles Leeds toen die dood was een onderbroek had aangetrokken. Volgens dr. Bloom had hij dit gedaan om zijn gebrek aan belangstelling voor Leeds te benadrukken.

De psychiater sprak over het duidelijke verband tussen agressieve en seksuele driften die bij sadisten op zeer jeugdige leeftijd naar boven komt.

De barbaarse aanvallen, voornamelijk gericht op de vrouwen en in aanwezigheid van hun gezinsleden uitgevoerd, waren duidelijk aanvallen op de moederfiguur. (Bloom, die heen en weer liep en half tot zichzelf praatte, noemde zijn onderwerp 'het kind van een nachtmerrie'. Crawford sloeg zijn ogen neer bij het horen van het medeleven in zijn stem.)

Tijdens het interview met Lounds deed Graham uitspraken die geen enkele rechercheur zou doen en geen enkele nette krant zou durven plaatsen.

Hij speculeerde dat de Tandenfee lelijk was, impotent ten opzichte van de andere sekse, en hij beweerde dat de moordenaar zijn mannelijke slachtoffers seksueel had gemolesteerd, hetgeen niet het geval was geweest. Graham zei dat de Tandenfee ongetwijfeld bij zijn vrienden en kennissen het mikpunt van spot was en voortkwam uit een milieu waar incest heel gewoon was.

Hij benadrukte dat de Tandenfee duidelijk minder intelligent was dan Hannibal Lecter. Hij beloofde de *Tattler* meer feiten en gegevens over de moordenaar te verschaffen zodra hij die in handen kreeg. Veel ordehandhavers waren het met hem oneens, zo zei hij, maar zolang hij het onderzoek leidde, kon de *Tattler* op rechtstreekse informatie van hem rekenen.

Lounds nam een heleboel foto's.

De belangrijkste foto werd genomen in Grahams 'schuilplaats in Washington', een flat die hij 'in bruikleen had tot hij de Tandenfee vernietigd had'. Het was de enige plek waar hij 'afzondering kon vinden' in de 'kermissfeer' van het onderzoek.

De foto toonde Graham in een kamerjas achter een bureau, waar hij tot laat in de nacht zat te werken. Hij verdiepte zich in een groteske 'compositietekening van de Tandenfee'.

Door het raam achter hem was een stukje van de verlichte koepel van het Capitool te zien. Als belangrijkste onderdeel was in de linkerbenedenhoek van het raam, vaag maar nog net leesbaar, de naam van een bekend motel aan de overzijde van de straat zichtbaar.

Als hij wilde, zou de Tandenfee de flat kunnen vinden.

In het hoofdkwartier van de FBI werd Graham gefotografeerd voor een spectrometer. Die had niets met de zaak te maken, maar Lounds vond het een indrukwekkend geheel.

Graham stemde zelfs toe in een foto waarop hij door Lounds geïnterviewd werd. Dit gebeurde voor de omvangrijke rekken met geweren op de afdeling Vuurwapen- en Werktuigsporen. Lounds hield een automatisch negen-millimeter-pistool in zijn hand, hetzelfde type wapen dat de Tandenfee gebruikt had. Graham wees op de geluiddemper van eigen fabrikaat, gevormd uit een stuk tv-antenne.

Dr. Bloom was verbaasd toen hij zag dat Graham kameraadschappelijk een hand op Lounds' schouder legde vlak voor Crawford de cameraknop indrukte.

Het interview en de foto's zouden de volgende dag, maandag 11 augustus, in de *Tattler* gepubliceerd worden. Zodra hij het materiaal bij elkaar had, vertrok Lounds naar Chicago. Hij zei dat hij persoonlijk toezicht wilde houden op de lay-out. Hij sprak af om Crawford dinsdagmiddag op vijf blokken van de val te ontmoeten.

Vanaf dinsdag, de dag waarop de *Tattler* overal verkrijgbaar was, zouden er twee vallen voor het monster uitstaan.

Graham zou elke avond naar zijn in de *Tattler* beschreven 'tijdelijk onderkomen' gaan.

Een gecodeerde persoonlijke aankondiging in dezelfde editie was een uitnodiging aan de Tandenfee om naar een postbus in Annapolis te komen, die dag en nacht in de gaten werd gehouden. Als dit zijn argwaan wekte, zou hij misschien denken dat de klopjacht op hem zich daar concentreerde. In dat geval zou Graham een aanlokkelijker doelwit zijn, zo redeneerde de FBI.

De politie van Florida zou ervoor zorgen dat er in Sugarloaf Key dag en nacht een politieman in burger op wacht stond.

Niettemin hing er een sfeer van ongenoegen onder de jagers – beide operaties vereisten mankracht die elders ingezet zou kunnen worden en door het feit dat Graham elke avond op de plaats van de val aanwezig moest zijn, werd zijn bewegingsvrijheid beperkt tot de omgeving van Washington.

Hoewel Crawfords instinct hem zei dat dit de beste manoeuvre was, was de hele procedure naar zijn smaak te passief. Hij had het gevoel dat ze spelletjes speelden met zichzelf in de donkere fases van de maan met minder dan twee weken te gaan voordat die weer vol aan de hemel stond.

Zondag en maandag verstreken met horten en stoten. De minuten sleepten zich voort en de uren vlogen voorbij.

Maandagmiddag reed Spurgen, hoofd van de opleiding SWAT-arrestatieteams in Quantico, rond het stratenblok waarin de flat zich bevond. Naast hem zat Graham. Crawford zat achterin.

'Rond kwart over zeven zijn er nog maar weinig voetgangers. Dan zit iedereen aan de warme hap,' zei Spurgen. Met zijn pezige, gedrongen lichaam en zijn honkbalpet achter op zijn hoofd zag hij eruit als een binnenvelder. 'Geef ons morgenavond via de vrije zender een seintje als je de spoorlijn passeert. Het beste zou zijn rond halfnegen, kwart voor negen.'

Hij reed het parkeerterrein van het flatgebouw op. 'Het is niet ideaal, maar het had erger kunnen zijn. Morgenavond parkeer je hier. Elke avond krijg je een andere plek aangewezen, maar altijd aan deze kant. De afstand tot de ingang van het gebouw is vijfenzeventig meter. Laten we erheen lopen.'

Spurgen, een korte man met o-benen, liep voor Graham en Crawford uit.

Hij speurt naar plekken waar iemand in hinderlaag zou kunnen liggen, dacht Graham.

'Als er iets gebeurt, zal dat waarschijnlijk op dit traject plaatsvinden,' zei Spurgen. 'De rechte lijn van je auto naar de ingang, de normale route, loopt over het midden van het parkeerterrein. Verder kun je je niet verwijderen van de rij auto's die hier de hele dag staat. Om dichter bij jou te komen, zal hij over een stukje open asfalt moeten lopen. Hoe goed zijn je oren?'

'Redelijk goed,' antwoordde Graham. 'Op deze parkeerplaats verdraaid goed!'

Spurgen keek onderzoekend naar Grahams gezicht, maar kon geen uitdrukking ontdekken waar hij wijs uit werd. Midden op het parkeerterrein bleef hij staan. 'We zullen de straatverlichting hier wat dimmen om het een eventuele schutter wat moeilijker te maken.'

'Dan wordt het voor jouw mensen ook moeilijker,' zei Crawford.

'Twee van mijn mensen hebben Startron nachtviziers,' zei Spurgen. 'Ik geef je een spray om op je jasje te spuiten, zodat je door de nachtviziers duidelijk herkenbaar bent, Will. Tussen twee haakjes: zorg dat je altijd een kogelvrij vest aan hebt, ongeacht hoe warm het is. Afgesproken?'

'Ja.'

'Wat is het voor een vest?'

'Kevlar... welke, Jack?... Second Chance?'

'Second Chance,' bevestigde Crawford.

'Hoogstwaarschijnlijk zal hij op je afkomen, vermoedelijk van achteren, of hij loopt je tegemoet en draait zich om om te schieten als je hem gepasseerd bent,' zei Spurgen. 'Zeven keer heeft hij gekozen voor een schot op het hoofd, nietwaar? Alle kinderen en meneer... eh... de eerste echtgenoot. Hij heeft gezien dat dat werkt. Hij zal het zo ook bij jou doen als je hem de kans geeft. *Geef hem daarvoor niet de tijd!* Ik moet je nog een paar dingen laten zien in de lobby en de flat en dan gaan we naar de schietbaan. Heb je daar tijd voor?'

'Daar heeft hij tijd voor,' zei Crawford.

Spurgen was de hogepriester van de schietbaan. Hij gaf Graham oordopjes om onder de oorbeschermers te dragen en liet hem vanuit iedere hoek op doelen schieten. Tot zijn opluchting zag hij dat Graham niet het voorgeschreven vuurwapen droeg, maar hij maakte zich zorgen om de flits uit de korte loop. Ze werkten twee uur aan één stuk door. De man stond erop om de cilinderarm en de cilindervergrendelingsbouten van Grahams .44 te controleren toen hij klaar was met schieten.

Graham nam een douche en trok andere kleren aan om de geur van kruitdamp te verwijderen voordat hij naar de baai reed voor zijn laatste vrije avond met Molly en Willy.

Na het eten nam hij zijn vrouw en stiefzoon mee naar de supermarkt en zocht met veel omhaal meloenen uit. Hij zorgde ervoor dat ze meer dan voldoende levensmiddelen kochten. Hij zag dat de oude editie van de *Tattler* nog in het rek naast de kassa stond en hoopte dat Molly het nieuwe nummer van de volgende dag niet onder ogen zou krijgen. Hij wilde haar niet vertellen wat er gaande was. Toen ze hem vroeg wat hij de komende week wilde eten, moest hij zeggen dat hij er niet zou zijn, dat hij terugging naar Birmingham. Het was de eerste echte leugen die hij haar ooit verteld had en hij bleef achter met een vieze smaak in de mond.

Hij sloeg haar gade terwijl ze door de winkelpaden liep: Molly, zijn knappe honkbalvrouwtje met haar onophoudelijke waakzaamheid ten opzichte van verdachte bultjes, die stond op driemaandelijkse medische controles voor hem en Willy, die een bedwongen angst had voor het donker, en door schade en schande had geleerd dat tijd een kwestie van geluk was. Ze kende de waarde van hun dagen. Ze kon een ogenblik vasthouden. Ze had hem geleerd van elke dag te genieten.

Pachelbels Canon vulde de zonovergoten kamer waar ze elkaar ontdekten en de vreugde was te diep om te kunnen bevatten en zelfs toen viel de angst als de schaduw van een roofvogel over hem: dit is te mooi om lang te duren.

In de winkelpaden bracht Molly haar tas regelmatig van de ene schouder over naar de andere, alsof het pistool daarin zwaarder was dan de vijfhonderd gram die het woog.

Als Graham zich bewust was geweest van wat hij tegen de meloenen mompelde, zou hij geschokt zijn geweest: 'Ik moet die schoft de nek omdraaien. Zeker weten. Dat móét ik doen.'

Gebukt onder het gewicht van leugens, wapens en levensmiddelen vormden ze met zijn drieën een klein, ernstig ploegje.

Molly rook lont. Zij en Graham spraken niet nadat de lichten gedoofd waren. Molly droomde van zware, krankzinnige voetstappen in een huis vol kamers die er nooit meer hetzelfde uit zouden zien.

19

Op Lambert St. Louis International Airport staat een krantenkiosk waar de meeste kwaliteitskranten uit het hele land verkrijgbaar zijn. De kranten uit New York, Washington, Chicago en Los Angeles worden per vrachtvliegtuig aangevoerd en zijn op de dag van uitgifte te koop.

Zoals de meeste kiosken is ook deze eigendom van een keten en de beheerder is verplicht om naast de degelijke tijdschriften en dagbladen een aantal sensatiebladen af te nemen.

Toen de *Chicago Tribune* maandagavond om tien uur werd afgeleverd, werd er tegelijk een bundel *Tattlers* naast gedeponeerd. De bundel was binnenin nog warm.

De beheerder van de kiosk ging op zijn hurken voor de stellingen zitten om de *Tribunes* erin te zetten. Er lag nog heel wat meer werk op hem te wachten. De jongens van de dagploeg onttrokken zich altijd aan het ordenen van de kranten en tijdschriften.

Een paar zwarte laarzen met ritssluitingen verscheen in zijn gezichtsveld. Een snuffelaar. Nee, de laarzen wezen in zijn richting. Ook dat nog. Iemand moest hem hebben. De krantenverkoper wilde het rangschikken van de *Tribunes* afmaken, maar de nadrukkelijke houding van de ander deed zijn nekharen overeind staan. Hij had geen vaste klanten. Hij hoefde niet vriendelijk te zijn.

'Wat moet je?' zei hij tegen de knieën.

'Een *Tattler*.'

'Dan zul je moeten wachten tot ik de bundel heb losgemaakt.'

De laarzen gingen niet weg. Ze stonden te dichtbij.

'Ik zei dat je moest wachten tot ik de bundel heb losgemaakt. Begrepen? Je ziet toch dat ik bezig ben?'

Een hand en een flits van glimmend staal en het touw om de bundel naast hem knapte. Een zilveren dollar kletterde voor hem op de grond. Uit het midden van de bundel werd een schoon exemplaar van de *Tattler* gerukt, waardoor de bovenste nummers op de vloer vielen.

De krantenverkoper kwam overeind. Zijn wangen waren rood. De man liep weg met de krant onder zijn arm.

'Hé! Hé, jij daar!'

De man keerde zich naar hem om. 'Wie, ik?'

'Ja, jij! Ik zei je toch...'

'Wat zei je?' Hij kwam terug. Hij kwam te dichtbij staan. 'Nou? Wat zei je?'

De meeste klanten worden zenuwachtig als een verkoper onbeschoft is, maar de kalmte van deze man had iets onheilspellends. De krantenverkoper keek naar de grond. 'Je krijgt nog een kwartje terug.'

Dolarhyde keerde de man zijn rug toe en liep weg. De wangen van de kioskbeheerder bleven nog een halfuur nagloeien. *Ja, die kerel was hier vorige week ook. Als hij weer komt, zal ik hem eens op z'n nummer zetten. Voor lastpakken heb ik nog iets onder de toonbank liggen.*

Dolarhyde keek de *Tattler* op het vliegveld niet in. Het bericht van Lecter van afgelopen donderdag had hem gemengde gevoelens bezorgd. Natuurlijk, dr. Lecter had gelijk met zijn bewering dat hij prachtig was en hij had het met ontroering gelezen. Hij wás prachtig. Hij voelde enige minachting voor de angst van de dokter voor die politieman. Lecter begreep hem weinig beter dan de goegemeente.

Niettemin brandde hij van nieuwsgierigheid om te weten of Lecter hem weer een boodschap had gestuurd. Hij zou wachten met kijken tot hij thuis was. Dolarhyde was trots op zijn zelfbeheersing.

Tijdens het rijden dacht hij na over de beheerder van de kiosk. Vroeger zou hij de man zijn verontschuldigingen hebben aangeboden omdat hij hem had lastig gevallen en zou hij nooit meer naar de kiosk zijn teruggegaan. Jarenlang had hij onhebbelijkheden van anderen zonder meer geslikt. Dat was voorbij. De man kon Francis Dolarhyde misschien honen, maar tegen de Draak kon hij niet op. Het maakte allemaal deel uit van zijn Wording.

Tegen middernacht brandde de lamp boven zijn bureau nog steeds. Het bericht uit de *Tattler* was gedecodeerd en lag in elkaar gefrommeld op de grond. Delen van de *Tattler* lagen verspreid waar Dolarhyde stukken had uitgeknipt voor zijn register. Het grote register lag opengeslagen onder de schildering van de Draak, de lijm onder de nieuwe knipsels moest nog opdrogen. Onder de knipsels had hij een plastic zakje vastgeplakt, dat nu nog leeg was.

Het bijschrift luidde: *Hiermee heeft hij mij aanstoot gegeven.*

Maar Dolarhyde zat niet meer achter zijn bureau.

Hij zat op de keldertrap in de koele mufheid van aarde en meel-dauw. De lichtstraal van zijn zaklantaarn bescheen afgedekte meu-belstukken, de stoffige achterkant van de grote spiegels die eens in het huis hadden gehangen en nu tegen de muren stonden, de hut-koffer waarin hij zijn kistje dynamiet bewaarde.

De lichtstraal stopte bij een hoog, met een kleed omhuld voor-werp, een van de vele in de uiterste hoek van de kelder. Spinnen-webben streken langs zijn gezicht toen hij erheen liep. Toen hij het doek wegtrok, deed het opdwarrelende stof hem niezen.

Knipperend met zijn ogen drong hij de tranen terug en hij richtte zijn zaklantaarn op de oude eiken rolstoel die hij had onthuld. De stoel had een hoge rugleuning en was zwaar en stevig. Er stonden er drie in de kelder. De gemeente had ze in de jaren veertig aan grootmoeder ter beschikking gesteld, toen ze hier haar verpleegte-huis leidde.

De wielen piepten toen hij de stoel voortrolde. Ondanks het zwa-re gewicht droeg hij de stoel met gemak naar boven. In de keuken oliede hij de wielen. De kleine voorwielen bleven piepen, maar de achterwielen hadden goede lagers en draaiden moeiteloos rond toen hij ze met een vinger aanzette.

De brandende woede in hem werd verzacht door het kalmerende gesuis van de wielen. Terwijl hij ze ronddraaide, neuriede Dolar-hyde met het gesuis mee.

20

Toen Freddy Lounds dinsdag tegen het middaguur het kantoor van de *Tattler* verliet, was hij moe en voldaan. In het vliegtuig naar Chicago had hij het hele verhaal voor de *Tattler* in elkaar gedraaid en het in de zetterij in precies dertig minuten gezet.

De rest van de tijd had hij goed doorgewerkt aan zijn paperback en de telefoon, als die ging, gewoon laten rinkelen. Hij kon goed ordenen, en hij had inmiddels zo'n vijftigduizend woorden aan de-gelijk achtergrondmateriaal.

Als de Tandenfee gepakt werd, zou hij een geweldig voorpaginaartikel en een verslag van de arrestatie schrijven. Het achtergrondmateriaal zou daar mooi bij aansluiten. Hij had geregeld dat de drie beste reporters van de *Tattler* onmiddellijk op pad konden gaan. Luttele uren na de arrestatie konden ze al gaan snuffelen naar details, waar de Tandenfee ook woonde.

Zijn agent had grootse plannen, maar in feite deed hij zijn overeenkomst met Crawford geweld aan door het hele project nu al met de man door te praten. Om dat te verhullen, zouden alle contracten en memo's na de arrestatie gedateerd worden.

Crawford had een grote troef in handen – hij had Lounds' dreigement op de bandrecorder staan. Transmissie van de ene staat naar de andere van een dreigement was een strafbaar feit dat niet onder de persvrijheid vergoelijkt werd. Lounds wist ook dat Crawford hem, met één telefoontje, grote problemen met de fiscus kon bezorgen.

Lounds' karakter bevatte rudimenten van eerlijkheid; hij had weinig illusies over de aard van zijn werk. Maar met betrekking tot deze onderneming had hij een bijna heilig vuur ontwikkeld.

Hij werd bezield door een visioen van een beter leven, een leven dat was weggelegd voor mensen met geld. Verborgen onder alle laakbare daden waaraan hij zich in de loop der jaren had schuldig gemaakt, wilden zijn aloude verwachtingen nog steeds aan het licht komen. Op dit moment worstelden ze om boven te komen.

Na zich ervan vergewist te hebben dat zijn camera's en opnameapparatuur gereed waren voor gebruik, reed hij naar huis om nog drie uur te slapen alvorens naar Washington te vliegen, waar hij Crawford in de buurt van de val zou ontmoeten.

In de ondergrondse garage zag hij tot zijn ergernis dat een donker busje voor een deel op zijn plek stond, die toch duidelijk was gemerkt met 'Frederick Lounds'.

Lounds trok met een ruk het portier van zijn auto open, waarbij hij de zijkant van het busje raakte en daar een deuk en een kras op achterliet. Dat zou die onnadenkende hufter wel leren!

Lounds was bezig zijn auto af te sluiten toen het portier van het busje achter hem openging. Hij had zich half omgedraaid toen de platte knuppel hem trof. Hij hief zijn handen, maar zijn knieën begaven het en hij voelde een enorme druk rond zijn hals waardoor hij geen lucht meer kreeg. Toen zijn zwoegende longen zich weer konden vullen, was dat met chloroform.

Dolarhyde parkeerde het busje achter zijn huis, stapte uit en rekte zich uit. Vanaf Chicago had hij met hevige rukwinden te kampen gehad en zijn armen waren vermoeid. Hij keek omhoog naar de nachtelijke hemel. Binnenkort zou de Perseïden-meteorenzwerm te zien zijn en dat wilde hij niet missen.

Openbaring: En zijn staart sleepte het derde deel van de sterren des hemels weg, en wierp ze op aarde...

Zijn optreden in een andere tijd. Dat moest hij zien en onthouden. Dolarhyde maakte de achterdeur open en deed zijn gebruikelijke ronde door het huis. Toen hij weer buiten kwam, droeg hij een nylonkous over zijn hoofd.

Hij opende het busje en bevestigde iets aan de achterkant waardoor men naar beneden kon rijden. Vervolgens rolde hij Freddy Lounds naar buiten. Lounds had alleen zijn onderbroek nog aan. Hij had een prop in zijn mond en was geblinddoekt. Hoewel hij maar gedeeltelijk bij bewustzijn was, zakte hij niet in elkaar. Hij zat rechtop, met zijn hoofd tegen de hoge rugleuning van de oude eiken rolstoel. Hij zat van het hoofd tot de voeten met epoxylijm aan de stoel vastgeplakt.

Dolarhyde rolde hem het huis binnen en zette hem in een hoek van de mooie kamer met zijn rug naar de kamer, alsof hij stout was geweest.

'Hebt u het koud? Wilt u misschien een deken?'

Dolarhyde trok de blinddoek voor Lounds' ogen weg en haalde de prop uit zijn mond. Lounds gaf geen antwoord. Er hing een chloroformlucht om hem heen.

'Ik zal een deken voor u pakken.' Dolarhyde trok een plaid van de divan en stopte Lounds er tot zijn kin onder. Daarna drukte hij hem een fles ammoniak onder zijn neus.

Lounds ogen sperden zich open en keken naar de vage omtrekken van muren. Hij kuchte en begon te praten.

'Een ongeluk? Ben ik zwaar gewond?'

De stem achter hem zei: 'Nee, meneer Lounds. Alles komt best in orde.'

'Mijn rug doet pijn. Mijn huid. Heb ik brandwonden? Ik hoop in godsnaam dat ik niet ben verbrand.'

'Verbrand? Verbrand? Nee. Rust nu maar een beetje uit. Ik kom zo weer bij u terug.'

'Laat me gaan liggen. Luister, ik wil dat u mijn kantoor belt. O, mijn god, ik zit in een gipskorset. Mijn rug is gebroken – vertel me de waarheid!'

Voetstappen verwijderden zich.

'Wat doe ik hier?' De vraag eindigde in een schrille kreet.

Het antwoord kwam van ergens ver achter hem. 'U doet hier boete, meneer Lounds.'

Lounds hoorde voetstappen de trap opgaan. Hij hoorde een douche stromen. Zijn hoofd was nu helderder. Hij herinnerde zich dat hij het kantoor had verlaten en was weggereden, maar verder wist hij niets meer. De zijkant van zijn hoofd bonkte en de geur van chloroform maakte hem misselijk. Hij was bang dat hij in deze kaarsrechte houding zou stikken in zijn eigen speeksel als hij moest overgeven. Hij sperde zijn mond wagenwijd open en haalde diep adem. Hij hoorde zijn hart bonken.

Lounds hoopte dat hij droomde. Hij probeerde zijn arm van de armleuning op te heffen, waarbij hij opzettelijk hard trok tot de pijn in zijn handpalm en zijn arm hevig genoeg was om hem uit welke droom dan ook te doen ontwaken. Nee, hij sliep niet. Zijn hersens werkten koortsachtig.

Als hij zich inspande, kon hij zijn ogen juist voldoende draaien om zijn arm enkele seconden te zien. Hij zag hoe hij was vastgemaakt. Dit was bepaald geen methode om gebroken ruggen te beschermen. Dit was geen ziekenhuis. Iemand had hem in zijn macht!

Lounds dacht voetstappen op de verdieping boven zich te horen, maar het kon evengoed het geluid van zijn hartslag zijn.

Hij probeerde na te denken. Spande zich hevig in om na te denken. *Hou je hoofd koel en denk na*, fluisterde hij. Koel en denk na.

De traptreden kraakten toen Dolarhyde naar beneden kwam.

Bij iedere stap voelde Lounds zijn gewicht. Nu stond er iemand achter hem.

Lounds kraamde een aantal woorden uit voordat hij de klank van zijn stem onder controle had.

'Ik heb uw gezicht nog niet gezien. Ik zou u niet kunnen identificeren. Ik weet niet hoe u eruitziet. De *Tattler*, ik werk voor de *National Tattler*, zal een beloning – een grote beloning – voor me betalen. Een half miljoen, misschien wel een miljoen. Een miljoen dollar!'

Stilte achter hem. Toen gekraak van divanveren. Hij was gaan zitten.

'Wat denkt u, meneer Lounds?'

Vergeet de pijn en de angst en denk na. Nu! Omwille van de tijd.
Om tijd te winnen. Jaren. Hij heeft nog niet besloten me te doden.
Hij heeft me zijn gezicht niet laten zien.

'Wat denkt u, meneer Lounds?'

'Ik weet niet wat er met me gebeurd is.'

'Weet u wie ik ben, meneer Lounds?'

'Nee. En dat wil ik helemaal niet weten, geloof me.'

'Volgens u ben ik een verdorven, homoseksuele stakker. Een beest, hebt u gezegd. Waarschijnlijk door een wat al te milde rechter uit het gekkenhuis losgelaten.' Normaal gesproken zou Dolarhyde de slissende 's' vermeden hebben in zijn woorden, maar in de aanwezigheid van deze toehoorder, die beslist niet tot lachen geneigd was, voelde hij zich bevrijd. 'Nu weet u het, hè?'

Niet liegen. Denk snel na. 'Ja.'

'Waarom schrijft u leugens, meneer Lounds? Waarom beweert u dat ik gek ben? Vooruit, geef antwoord!'

'Als iemand... als iemand dingen doet die de meeste mensen niet kunnen begrijpen, zeggen ze dat hij...'

'Gek is.'

'Zo noemden ze ook mensen als... de gebroeders Wright. Door de geschiedenis heen...'

'Geschiedenis. Begrijpt u wat ik doe, meneer Lounds?'

Begrip. Dat was het! Een kans. Pakken! 'Nee, maar ik geloof dat ik de gelegenheid heb gekregen om het te begrijpen en dan *kan ik het mijn lezers uitleggen, zodat die het ook zullen begrijpen.*'

'Voelt u zich bevoorrecht?'

'Het is een voorrecht. Maar ik moet u – van man tot man – zeggen dat ik bang ben. Als je bang bent, kun je je moeilijk concentreren. Als u een groots idee hebt, hoeft u niet te vrezen dat ik er niet van onder de indruk zal zijn.'

'Man tot man. Man tot man! Met die uitdrukking probeert u de suggestie van openhartigheid te wekken, meneer Lounds, en dat waardeer ik. Maar ziet u, ik ben geen man. Ik ben wel als man, als mens, begonnen, maar – bij de gratie Gods en mijn eigen wil – ben ik anders en meer dan een man geworden, meer dan een mens. U zegt dat u bang bent. Gelooft u dat God hier aanwezig is, meneer Lounds?'

'Dat weet ik niet.'

'Bidt u op dit moment tot Hem?'

'Soms bid ik wel. Om eerlijk te zijn, ik bid meestal alleen als ik bang ben.'

'En helpt God u dan?'

'Dat weet ik niet. Ik denk er later niet meer aan. Eigenlijk zou ik dat wel moeten doen.'

'Dat zou u wel moeten. Juist, ja. Er zijn zoveel dingen die u zou moeten begrijpen. Straks zal ik u helpen te begrijpen. Wilt u me nu excuseren?'

'Natuurlijk.'

Voetstappen verlieten de kamer. Het glijden en rammelen van een keukenlade. Lounds had heel wat moorden verslagen die gepleegd waren in keukens waar alles bij de hand was. Politieverslagen kunnen je een heel andere kijk op keukens bezorgen. Het geluid van stromend water.

Lounds dacht dat het avond moest zijn. Graham en Crawford verwachtten hem. Op dit moment werd hij vast al gemist. Een intense, verslagen droefheid vermengde zich kortstondig met zijn angst. Ademhaling achter zich; zijn draaiende oog ving een witte flits op. Een hand, sterk en bleek. Deze hield een kop thee met honing vast. Lounds zoog de thee door een rietje op.

'Ik zou een groot, waarheidsgetrouw artikel schrijven,' zei hij tussen twee slokjes door. 'Alles wat u maar wilt. Ik kan u beschrijven zoals u wilt, of niet beschrijven. Helemaal geen beschrijving.'

'Ssstt.' Een vinger tikte op zijn hoofd. Het werd lichter in het vertrek. De stoel begon te draaien.

'Nee. Ik wil u niet zien.'

'O, maar dat moet, meneer Lounds. U bent verslaggever. U bent hier om een verslag te doen. Als ik u heb omgedraaid, doe dan uw ogen open en kijk naar me. Als u ze niet vrijwillig opendoet, zal ik uw oogleden aan uw voorhoofd nieten.'

Een smakkend geluid, een klik en de stoel draaide rond. Lounds zat nu met zijn gezicht naar de kamer, zijn ogen stijf dichtgeknepen. Een vinger tikte gebiedend op zijn borst. Zijn oogleden werden aangeraakt. Hij keek.

Op Lounds, in zijn zittende positie, maakte hij een zeer lange indruk zoals hij daar in zijn kimono stond. Een nylonkous was tot onder zijn neus opgerold. Hij keerde Lounds zijn rug toe en liet de kimono vallen. De sterke rugspieren spanden zich boven de schitterende tatoeage van de staart die over zijn onderrug naar beneden liep en zich rond zijn been slingerde.

De Draak draaide langzaam zijn hoofd, keek over zijn schouder naar Lounds en grijnsde hem toe, een grijns vol puntige uitsteeksels en zwarte gaten.

'O, mijn god!' zei Lounds.

Lounds zat nu in het midden van de kamer, vanwaar hij het scherm kon zien. Dolarhyde, achter hem, had zijn kimono weer aangetrokken en het gebit in gedaan, dat hem het spreken mogelijk maakte.

'Wilt u weten wat ik ben?'

Lounds probeerde te knikken, maar de lijm trok aan zijn schedel.

'Niets liever dan dat. Ik durfde het alleen niet te vragen.'

'Kijk.'

De eerste dia toonde Blakes schildering, de grote Man-Draak, met wijd uitstaande vleugels en een zwiepende staart, hangend boven *de vrouw bekleed met de zon.*

'Begrijpt u het nu?'

'Ik begrijp het.'

Dolarhyde doorliep snel de rest van zijn dia's.

Klik. Mevrouw Jacobi, levend. 'Begrijpt u het?'

'Ja.'

Klik. Mevrouw Leeds, levend. 'Begrijpt u het?'

'Ja.'

Klik. Dolarhyde, de woeste Draak, de spieren gespannen en de staarttatoeage, naast het bed van de Jacobi's. 'Begrijpt u het?'

'Ja.'

Klik. Mevrouw Jacobi, wachtend. 'Begrijpt u het?'

'Ja.'

Klik. Mevrouw Jacobi, nadien. 'Begrijpt u het?'

'Ja.'

Klik. De Draak, in razernij. 'Begrijpt u het?'

'Ja.'

Klik. Mevrouw Leeds, wachtend, haar echtgenoot levenloos naast zich. 'Begrijpt u het?'

'Ja.'

Klik. Mevrouw Leeds nadien, besmeurd met bloed. 'Begrijpt u het?'

'Ja.'

Klik. Freddy Lounds, een kopie van een foto in de *Tattler*. 'Begrijpt u het?'

'O, god!'

'Begrijpt u het?'

'O, mijn god!' De woorden langgerekt, zoals een huilend kind praat.

'Begrijpt u het?'

'Alstublieft! Nee!'

'Nee wat?'

'Niet ik!'

'Nee wat? U bent een man, meneer Lounds. Bent u een man?'

'Ja.'

'Denkt u soms dat ik een poot ben?'

'Hemel, nee!'

'Bent u een poot, meneer Lounds?'

'Nee.'

'Bent u van plan nog meer leugens over mij te schrijven, meneer Lounds?'

'O nee! Nee!'

'Waarom hebt u die leugens geschreven, meneer Lounds?'

'Dat moest van de politie. Ik heb gedaan wat zij zeiden!'

'U citeert Will Graham.'

'Graham heeft me die leugens verteld. Graham!'

'Zult u nu de waarheid vertellen? Over mij? Mijn werk? Mijn Wording! Mijn *Kunst*, meneer Lounds! Is dit Kunst?'

'Kunst.'

De angst in Lounds' stem maakte dat Dolarhyde ongedwongen kon spreken; hij vloog op de wrijf- en sisklanken, de explosieve klanken vormden zijn grote, gevliesde vleugels.

'U hebt geschreven dat ik, die meer zie dan u, krankzinnig ben. Ik, die de wereld zoveel meer geschonken heb dan u, zou krankzinnig zijn! Ik heb meer aangedurfd dan u, ik heb mijn unieke stempel zoveel dieper in de aarde gedrukt, waar het veel langer zal blijven voortbestaan dan uw stof. Uw leven is vergeleken met het mijne een slakkenspoor op steen. Een zielig, glimmend slijmspoor op de letters van mijn gedenksteen.' De woorden die Dolarhyde in zijn register had geschreven, welden nu in hem op.

'Ik ben de Draak en u noemt mij *krankzinnig*? Mijn bewegingen zijn even gretig gevolgd en vermeld als die van een machtige komeet. Hebt u weleens gehoord van de komeet in 1054? Natuurlijk niet. Uw lezers volgen u zoals een kind met zijn vingers het spoor van een slak volgt en met evenveel verstand. Terug naar uw holle hersenpan en uw aardappelhoofd, zoals een slak zijn eigen slijmspoor terug volgt.

Tegenover Mij bent u een slak in de zon. U staat tegenover een grootse Wording en u herkent die niet eens. U bent een mier in de nageboorte!

Het ligt in uw aard één ding naar behoren te doen: tegenover Mij beeft u terecht. Angst is niet wat u Mij verschuldigd bent, Lounds, u en de andere mieren. *Ontzag bent u Mij verschuldigd!'*

Dolarhyde stond met zijn hoofd gebogen, zijn duim en wijsvinger tegen de brug van zijn neus. Toen verliet hij de kamer.

Hij heeft het masker niet afgedaan, dacht Lounds. *Hij heeft het masker niet afgedaan. Als hij zonder masker terugkomt, ben ik er geweest. Mijn god, mijn hele lichaam is drijfnat.* Hij rolde zijn ogen in de richting van de deuropening en luisterde naar de geluiden die van de achterkant van het huis kwamen.

Toen Dolarhyde terugkeerde, droeg hij het masker nog steeds. Hij had een lunchtrommeltje en twee thermosflessen bij zich. 'Voor uw rit terug naar huis.' Hij hield een thermosfles omhoog. 'IJs. Dat zullen we nodig hebben. Voor we gaan, zullen we eerst nog wat op de band opnemen.'

Hij bevestigde een microfoon aan de plaid vlak bij Lounds' gezicht. 'Zeg me na.'

Een halfuur lang namen ze op. Ten slotte: 'Dat is alles, meneer Lounds. U hebt het erg goed gedaan.'

'Laat u me nu gaan?'

'Ja. Maar er is iets waarmee ik u kan helpen begrijpen en niet vergeten.' Dolarhyde wendde zich af.

'Ik wil u graag begrijpen. Ik wil dat u weet hoezeer ik het op prijs stel dat u me vrijlaat. U weet dat ik vanaf nu billijk zal zijn.'

Dolarhyde kon niet antwoorden. Hij had zijn gebit verwisseld.

De bandrecorder stond weer aan.

Hij grijnsde naar Lounds, een bruine, vlekkerige grijns. Hij legde zijn hand op Lounds' hart en terwijl hij zich vertrouwelijk over hem heen boog alsof hij hem wilde kussen, beet hij Lounds' lippen af en spuwde ze op de grond.

21

De dag breekt aan in Chicago, somber, met een grauw, laaghangend wolkendek.

Een bewaker van de veiligheidsdienst kwam uit de lobby van het *Tattler*-gebouw om, wrijvend over zijn onderrug, op de rand van het trottoir een sigaret te roken. Hij was de enige op straat, en in de stilte kon hij het geklik horen van de verkeerslichten boven op de heuvel, een heel stratenblok verderop.

Een half stratenblok ten noorden van het verkeerslicht, buiten het gezichtsveld van de bewaker, hurkte Francis Dolarhyde naast Lounds neer achter in het busje. Hij schikte de deken tot een grote capuchon over Lounds' hoofd.

Lounds leed hevige pijn. Hij leek verdoofd, maar zijn geest werkte koortsachtig. Er waren dingen die hij moest onthouden. Onder de blinddoek door kon hij Dolarhydes vingers zien, die de aangekoekte mondprop controleerden.

Dolarhyde trok de witte verplegersjas aan, legde een thermosfles in Lounds' schoot en rolde hem het busje uit. Toen hij de wielen blokkeerde en zich omdraaide om de loopplank in de wagen terug te schuiven, kon Lounds vanonder zijn blinddoek het uiteinde van de bumper van het busje zien.

Hij werd omgedraaid, en zag... ja!... het nummerbord! Niet meer dan een flits, maar Lounds brandde het in zijn geheugen.

Nu werd hij voortgeduwd. Stoeptegels. Een hoek om en een stoep af. Papier ritselde onder de wielen.

Dolarhyde zette de rolstoel neer op een rommelige, beschutte plek tussen een vuilcontainer en een geparkeerde vrachtwagen. Hij trok aan de blinddoek. Lounds sloot zijn ogen. Een fles ammoniak werd onder zijn neus geduwd.

De zachte stem vlak naast zijn oor.

'Kunt u me horen? U bent er bijna.' Nu ging de blinddoek af. 'Knipper met uw ogen als u me verstaat.'

Dolarhyde trok met zijn duim en wijsvinger zijn oog open. Lounds staarde in Dolarhydes gezicht.

'Ik heb u één klein leugentje verteld.' Dolarhyde tikte tegen de thermosfles. 'Ik heb uw lippen niet echt op ijs gezet.' Hij trok de deken weg en opende de thermosfles.

Toen Lounds de benzine rook, probeerde hij zich in zijn wanhoop los te rukken, waardoor de huid van zijn onderarmen werd getrokken en de stevige stoel kreunde. De koude benzine stroomde over zijn hele lichaam, de damp drong zijn keel binnen en ondertussen werd hij naar het midden van de straat geduwd.

'Vind je het fijn om Grahams schoothondje te zijn, Freeeeddiii-ieeeee?'

De benzine ontvlamde met een plof, een duw, rollend in de richting van de *Tattler*, met gierende wielen... iiiieeeek, iiiieeeek, iek-iiieeeeeek...

De bewaker keek op toen een ijzige kreet de brandende mondprop wegblies. Hij zag de vuurbal aankomen, bonkend over de gaten in de weg en een spoor van rook en vonken achter zich latend, terwijl de vlammen als vleugels achterwaarts wapperden en vertekend in de winkelruiten weerkaatst werden.

De vuurbal veranderde van richting, vloog tegen een geparkeerde auto op en sloeg voor het gebouw over de kop. Een van de wielen bleef draaien, terwijl de vlammen door de spaken sloegen en hun tongen uitstrekten naar de wanhopige gedaante van het brandende slachtoffer.

De bewaker rende terug naar de lobby. Hij vroeg zich af of het geval zou ontploffen, of hij uit de buurt van de ramen moest blijven. Hij zette het brandalarm in werking. Wat kon hij nog meer doen? Hij griste het brandblusapparaat van de muur en keek naar buiten. Het was nog niet ontploft.

Voorzichtig kwam de bewaker door de grauwe rook die zich laag over het plaveisel verspreidde naderbij en spoot eindelijk het schuim over Freddy Lounds heen.

22

Volgens het schema moest Graham het appartement in Washington om kwart voor zeven 's morgens verlaten, ruimschoots voor de ochtendspits.

Hij stond zich te scheren toen Crawford belde.

'Goedemorgen.'

'Laat dat "goede" maar weg,' zei Crawford. 'De Tandenfee heeft Lounds in Chicago te grazen genomen.'

'Allemachtig! Nee!'

'Hij leeft nog en vraagt naar je. Hij heeft niet veel tijd meer.'

'Ik ga erheen.'

'Ik zie je wel op het vliegveld. United 245. Het toestel vertrekt over veertig minuten. Je kunt makkelijk op tijd terug zijn in de flat vanavond... als we daarmee tenminste nog doorgaan.'

Speciaal agent Chester van het FBI-kantoor in Chicago wachtte hen op O'Hare op in de stromende regen. Chicago is een stad die gewend is aan sirenes. Met tegenzin week het verkeer voor hen uit toen Chester met loeiende sirene over de snelweg raasde, terwijl de flitsen van zijn rode zwaailicht zich door de dichte stortregen boorden.

Hij verhief zijn stem om boven het geluid van de sirene uit te komen. 'Volgens de politie van Chicago is hij in zijn garage overmeesterd. Ik heb mijn informatie uit de tweede hand. We zijn hier momenteel niet zo populair.'

'Hoeveel heeft hij losgelaten?' vroeg Crawford.

'Alles, de valstrik, alles.'

'Heeft Lounds hem kunnen zien?'

'Ik heb nog geen beschrijving gehoord. De politie van Chicago heeft rond 6.20 uur een kentekennummer verspreid.'

'Heb je dr. Bloom voor me te pakken kunnen krijgen?'

'Zijn vrouw, Jack. Dr. Bloom heeft vanmorgen een galblaasoperatie ondergaan.'

'Fijn!' zei Crawford.

Chester stopte onder de druipende overkapping van de ziekenhuisingang. 'Jack, Will, voor jullie naar binnen gaan... ik hoorde dat die schoft Lounds behoorlijk toegetakeld heeft. Wees op het ergste voorbereid.'

Graham knikte. De hele weg naar Chicago had hij geprobeerd zijn hoop in de kiem te smoren dat Lounds zou sterven vóór hij hem zou zien.

De gang van het Paege Brandwondencentrum was een koker van smetteloze tegels. Een lange arts met een merkwaardig ouwelijk-jong gezicht loodste Graham en Crawford weg van het groepje mensen voor Lounds' deur.

'De brandwonden van meneer Lounds zijn fataal,' zei de dokter. 'De pijn kan ik wel voor hem verzachten en dat zal ik ook doen. Hij heeft vuur ingeademd en zijn keel en longen zijn onherstelbaar beschadigd. Hij komt misschien niet meer bij kennis. In zijn toestand zou dat een zegen zijn.

Mocht hij wel bij bewustzijn komen, dan zal ik, op verzoek van de plaatselijke politieautoriteiten, de zuurstofbuis uit zijn keel verwijderen – heel even maar – voor het geval hij in staat is vragen te beantwoorden.

Zijn zenuwstelsel is op dit moment nog verdoofd door het vuur. Er staat hem oneindig veel pijn te wachten, als hij zo lang in leven blijft. Ik heb de politie het volgende te verstaan gegeven, en dat geldt ook voor u: iedere poging tot ondervraging zal ik onderbreken om hem een pijnstillend middel toe te dienen als hij mij daarom vraagt. Is dat duidelijk?'

'Ja,' zei Crawford.

Met een knikje in de richting van de agent voor de deur sloeg de arts zijn handen op de rug van zijn witte laboratoriumjas ineen en verwijderde zich als een wadende zilverreiger.

Crawford keek Graham aan. 'Gaat het een beetje?'

'Met mij wel. *Ik* werd tenslotte door het SWAT-team beschermd.'

Lounds' hoofd lag op een paar kussens. Zijn haren en oren waren verdwenen en kompressen boven zijn niets ziende ogen vervingen de weggebrande oogleden. Zijn tandvlees was opgezet door de blaren.

De verpleegster naast zijn bed verschoof de infuusstandaard zodat Graham dichterbij kon komen. Lounds rook als een uitgebrande stal.

'Freddy, ik ben het, Will Graham.'

Lounds drukte zijn nek tegen het kussen.

'Dat is maar een reflex. Hij is buiten bewustzijn,' zei de verpleegster.

De plastic zuurstofbuis die zijn verschroeide, gezwollen luchtpijp openhield siste op de cadans van de respirator.

In een hoek van het vertrek zat een bleke rechercheur met een bandrecorder en een klembord op zijn schoot. Graham merkte hem pas op toen hij begon te spreken.

'Lounds noemde uw naam toen hij op de Eerste Hulp lag en de zuurstofbuis nog niet was aangebracht.'

'Was u erbij?'

'Later. Maar wat hij heeft gezegd, staat op de band. Hij heeft de brandweermannen, die als eersten bij hem waren, een kenteken-nummer gegeven. Toen heeft hij het bewustzijn verloren. Op de Eerste Hulp hebben ze hem een injectie gegeven, waarna hij weer even bij kennis kwam. Enkele mensen van de *Tattler*, die de ambulance gevolgd waren, waren erbij. Ik heb een kopie van de band-opname.'

'Laat maar horen.'

De agent prutste wat aan zijn bandrecorder. 'Ik neem aan dat u de koptelefoon wel zult willen gebruiken,' zei hij, terwijl hij angst-vallig probeerde een uitdrukkingsloos gezicht te bewaren. Hij drukte de knop in.

Graham hoorde stemmen, het geratel van zwenkwieltjes, 'leg hem in drie', de bons van een brancard tegen een klapdeur, een kok-halzend gerochel en een krassende stem die sprak zonder lippen.

'Tandenfee!'

'Freddy, heb je hem gezien? Hoe zag hij eruit, Freddy?'

'Wendy? Asjevieu, Wendy. Grahan heev ne elazerd. Die schout wist het. Grahan heev ne elazerd. Schout legde ov voto hand ov ne alsov ik ze hondje as. Wendy?'

Een geluid als een leeglopende afvoer. De stem van een arts. 'Zo is het genoeg. Laat me erbij. Aan de kant. Onmiddellijk!'

Dat was alles.

Graham boog zich over Lounds heen terwijl Crawford naar de band luisterde.

'We proberen het kentekennummer te achterhalen,' zei de agent.

'Kon u verstaan wat hij zei?'

'Wie is Wendy?' vroeg Crawford.

'Dat hoertje in de gang. Dat blondje met die grote prammen. Ze vraagt steeds of ze naar binnen mag. Ze weet niets.'

'Waarom laat je haar niet binnen?' vroeg Graham, die naast het bed stond met zijn rug naar hen toe.

'Geen bezoekers.'

'De man is stervende.'

'Denkt u soms dat ik dat niet weet? Ik ben hier al goddomme al vanaf kwart voor zes... sorry, zuster.'

'Neem maar even pauze,' zei Crawford. 'Ga koffiedrinken, steek je kop onder de koude kraan. Hij kan toch niet spreken. Doet hij het wel, dan zet ik de bandrecorder aan.'

'Oké. Daar ben ik wel even aan toe.'

Toen de agent weg was, liet Graham Crawford bij het bed achter en liep naar de vrouw in de gang.

'Wendy?'

'Ja.'

'Als je zeker weet dat je naar binnen wilt, mag je met mij meelopen.'

'Ja, ik wil naar hem toe. Zal ik eerst even mijn haar kammen?'

'Niet nodig.' zei Graham.

Toen de agent terugkeerde, deed hij geen poging haar te verwijderen.

Wendy van Wendy City hield Lounds' verschroeide klauw vast en staarde hem strak aan. Eén keer bewoog hij zich, kort voor het middaguur.

'Het komt allemaal goed, Roscoe,' zei ze. 'We gaan fantastische tijden tegemoet.'

Lounds bewoog nog even en stierf toen.

23

Districtscommandant Osborne van de afdeling Moordzaken van de politie van Chicago had het grauwe spitse gezicht van een steenvos. Overal op het politiebureau lagen exemplaren van de *Tattler*. Er lag er ook een op zijn bureau.

Hij bood Crawford en Graham geen stoel aan.

'Hadden jullie helemaal niets met Lounds afgesproken over wat hij hier in Chicago uitspookte?'

'Nee, hij zou naar Washington komen,' zei Crawford. 'Hij had zijn vlucht besproken. Dat ben je vast wel nagegaan.'

'Ja, dat klopt. Hij verliet zijn kantoor gisteren rond halfeen. Werd overvallen in de garage van zijn flatgebouw, dat zal rond tien voor twee zijn geweest.'

'Iets gevonden in de garage?'

'Zijn sleutels lagen onder zijn auto. Er is geen parkeerwacht. Vroeger was er een op afstand bediende garagedeur, maar nadat die op een paar auto's was neergekomen, is die verwijderd. Niemand heeft iets gezien. Het ziet ernaar uit dat we dat vandaag nog wel een paar keer te horen krijgen. We zijn nu bezig met zijn wagen.'

'Kunnen wij daarbij helpen?'

'Zodra ik het rapport binnenkrijg, geef ik het aan je door. Je hebt nog niet veel gezegd, Graham. In de krant was je spraakzamer.'

'Uit wat jij hebt gezegd, ben ik anders ook niet veel wijzer geworden.'

'Heb je een beetje de pest in, commandant?' vroeg Crawford.

'Ik? Waarom zou ik? We hebben een telefooncel voor jullie overvallen en daarbij godbetert een reporter in de kraag gegrepen. Vervolgens dienen jullie geen aanklacht tegen hem in. Jullie móéten een of andere deal met hem gesloten hebben, waardoor hij pal voor zijn roddelmachine gebarbecued wordt. Nu nemen de andere kranten het voor hem op alsof hij een van hen was.

Bovendien zitten we nu in Chicago opgescheept met onze eigen Tandenfee-moord. Hartstikke fijn! "Tandenfee in Chicago!" Bedankt, jongens! Nog voor middernacht krijgen we te maken met minstens zes schietongelukjes in de huiselijke sfeer, kerels die met een dronken kop hun eigen huis binnensluipen, door hun vrouw gehoord worden... pief-paf-poef! Misschien krijgt de Tandenfee de smaak wel te pakken van Chicago, besluit hij nog een poosje langer te blijven en wat plezier te maken.'

'We kunnen twee dingen doen,' zei Crawford. 'De hoofdcommissaris en de officier van justitie optrommelen, alle heethoofden opstoken, zowel bij jou als bij mij, óf we kunnen ons koest houden en proberen die schoft te grijpen. Dit was mijn operatie en ik heb er een puinhoop van gemaakt, dat weet ik. Is jou hier in Chicago nooit zoiets overkomen? Ik wil je niet voor de voeten lopen, commandant. We willen hem pakken en wegwezen. Zeg maar wat je wilt.'

Osborne verschoof wat spulletjes op zijn bureau: een pennenbakje, een foto van een kind met een spits vossengezicht in een drumbanduniform. Hij leunde achterover in zijn stoel, tuitte zijn lippen en slaakte een zucht. 'Op dit moment wil ik koffie. Jullie ook?'

'Graag,' zei Crawford.

'Ik ook,' zei Graham.

Osborne vulde de plastic bekertjes. Hij gebaarde naar een paar stoelen.

'De Tandenfee moet een busje of een bestelwagen of zoiets hebben gehad om Lounds in die rolstoel te kunnen vervoeren,' zei Graham.

Osborne knikte. 'Het nummerbord dat Lounds heeft gezien, was gestolen van een tv-reparatiewagen in Oak Park. Hij heeft de kentekenplaat van een bedrijfsauto gepakt, dus had hij die nodig voor een truck of een bestelwagen. Hij heeft het bord op de tv-wagen vervangen door een ander gestolen nummerbord, zodat het niet meteen ontdekt zou worden. Sluwe knaap. Eén ding weten we wel: hij heeft het nummerbord van de tv-wagen gehaald na halfnegen gisterochtend. De chauffeur van de tv-wagen is gisteren eerst gaan tanken en hij heeft betaald met een creditcard. De pompbediende heeft het juiste kenteken op de slip genoteerd. De nummerplaat is dus na die tijd gestolen.'

'Heeft niemand een bestelwagen of een busje gezien?' vroeg Crawford.

'Nee. De bewaker van de *Tattler* heeft niets gezien. Hij zou het goed doen als scheidsrechter bij worstelwedstrijden; die zien ook nooit wat. De brandweer heeft alleen naar de brand gekeken. We zijn bezig met de ondervraging van mensen in de omgeving van het *Tattler*-gebouw die 's nachts aan het werk waren en in de wijken waar die televisiemonteur dinsdagochtend heeft gewerkt. We hopen dat iemand heeft gezien dat hij het nummerbord stal.'

'Ik zou graag de stoel nog even willen bekijken,' zei Graham.

'Die staat in ons lab. Ik zal ze voor je bellen.' Osborne zweeg even. 'Lounds heeft zijn hoofd koel gehouden, dat moet je hem nageven. Een hele prestatie om in zijn toestand het nummer te onthouden en het ook nog door te geven! Hebben jullie gehoord wat Lounds in het ziekenhuis nog gezegd heeft?'

Graham knikte.

'Het is niet mijn bedoeling om zout in de wond te wrijven, maar ik wil alleen weten of we hetzelfde hebben gehoord. Wat heb jij eruit opgemaakt?'

'"Tandenfee. Graham heeft me belazerd. Die schoft wist het. Graham heeft me belazerd. Schoft legde op foto hand op me alsof ik zijn hondje was".'

Een monotone voordracht. Osborne kon niet uitmaken wat Graham hierbij voelde. Hij stelde een andere vraag.

'Doelde hij op die foto van jou en hem in de *Tattler*?'

'Dat moet wel.'

'Hoe kwam hij daar nou juist op, denk je?'

'Lounds en ik konden niet zo goed met elkaar overweg.'

'Maar op de foto keek je toch heel vriendelijk naar Lounds. De Tandenfee doodt eerst het huisdier van zijn slachtoffers. Is dat het?'

'Dat is het.' De steenvos was snel van begrip, dacht Graham.

'Jammer dat jullie hem niet in de gaten hebben gehouden.'

Graham gaf geen antwoord.

'Het was de bedoeling dat Lounds bij ons zou zijn op het moment dat de Tandenfee de *Tattler* onder ogen kreeg,' zei Crawford.

'Kun je uit Lounds' woorden nog iets anders opmaken? Iets dat voor ons bruikbaar is?'

Graham richtte zijn gedachten met moeite weer op het heden en moest Osbornes vraag voor zichzelf eerst herhalen voor hij antwoord kon geven. 'Uitgaand van wat Lounds zei, weten we dat de Tandenfee de *Tattler* heeft gezien vóór hij Lounds te grazen nam, nietwaar?'

'Klopt.'

'Ervan uitgaand dat de *Tattler* hem tot actie heeft aangezet, valt het je dan niet op dat hij er wel heel snel bij was? Het blad is maandagavond van de persen gerold; dinsdag – waarschijnlijk dinsdagmorgen – steelt hij in Chicago nummerborden en dinsdagmiddag heeft hij Lounds al te pakken. Wat maak je daaruit op?'

'Dat hij het artikel heel vroeg gelezen heeft en dat hij vlakbij was,' zei Crawford. 'Of hij heeft het hier in Chicago gelezen of hij heeft het maandagnacht ergens anders gelezen. Vergeet niet dat hij op de *Tattler* zat te wachten om de advertentiekolommen na te pluizen.'

'Of hij was al hier of hij bevond zich op rij-afstand,' zei Graham. 'Hij had Lounds nooit zo snel te pakken kunnen krijgen als hij met zo'n grote oude rolstoel, die niet eens ingeklapt kan worden, ook nog met het vliegtuig moest reizen. En hij is niet hierheen komen vliegen om vervolgens een bestelwagen en nummerborden te stelen en daarna nog eens op zoek te gaan naar een bruikbare, antieke rolstoel. Hij moet al een dergelijke rolstoel in zijn bezit gehad hebben – een nieuwe zou voor zijn werkwijze niet bruikbaar zijn geweest.' Graham stond op, frunnikte aan de koordjes van de luxaflex en staarde naar de stenen muur aan de overkant. 'Hij had de rolstoel al of wist waar zo'n ding stond.'

Osborne opende zijn mond om iets te vragen, maar Crawfords gezicht waarschuwde hem dat hij moest wachten.

Graham legde knopen in het koordje van de luxaflex. Zijn handen trilden.

'Hij wist waar zo'n stoel stond,' moedigde Crawford hem aan.

'Hmmmm,' zei Graham. 'Je kunt zien hoe... het idee begint met de rolstoel. Met het zien van en de gedachte aan de rolstoel. Daardoor is het idee waarschijnlijk in hem opgekomen toen hij zat te bedenken wat hij met die schoften zou doen. Freddy, die als een vuurbal over de straat rolt... wat een schouwspel moet dat zijn geweest.'

'Denk je dat hij heeft staan kijken?'

'Misschien. Hij heeft het beslist voor zich gezien voor hij dit deed, toen hij zijn plan zat uit te denken.'

Osborne keek naar Crawford. Crawford was betrouwbaar. Osborne wist dat Crawford betrouwbaar was, en Crawford stond hier duidelijk achter.

'Als hij de stoel in zijn bezit had of wist waar hij hem kon halen... We zouden navraag kunnen doen bij verpleegtehuizen,' zei Osborne.

'Het was een volmaakte manier om Freddy in bedwang te houden,' zei Graham.

'Een behoorlijk lange tijd. Hij is vijftien uur en vijfentwintig minuten weg geweest, om en nabij,' zei Osborne.

'Als hij Freddy alleen maar uit de weg had willen ruimen, had hij dat ook in de garage kunnen doen,' zei Graham. 'Hij had hem in zijn wagen kunnen verbranden. Hij wilde met Freddy praten of hem een tijdje op de pijnbank leggen.'

'Dat heeft hij dan achter in zijn bestelwagen gedaan of hij heeft hem ergens heen gebracht,' zei Crawford. 'Gezien de lange duur zou ik zeggen dat hij hem ergens naartoe heeft gebracht.'

'Dat moest dan wel een veilige plek zijn. Als hij hem goed had ingebakerd, zou hij in een verpleegtehuis niet veel aandacht trekken bij het in- en uitgaan,' zei Osborne.

'Dan had hij toch nog de rompslomp eromheen,' zei Crawford. 'Opruimen en schoonmaken en zo. Stel dat hij de stoel al in zijn bezit had en dat hij de beschikking had over een busje en een veilige plek waar hij hem op zijn gemak kon bewerken. Doet dat niet denken aan een eigen huis?'

Osbornes telefoon rinkelde. Hij snauwde in de hoorn.

'Wat?... Nee, ik wil niet met de *Tattler* praten... Nou, dan mag ik hopen dat het geen onzin is. Verbind haar maar door... Commandant Osborne, ja... Hoe laat? Wie heeft de telefoon als eerste opgepakt... op de centrale? Haal haar daar weg, als u wilt. Vertel me nog eens wat hij zei... Ik stuur een agent, die is er met vijf minuten.'

Osborne hing op en bleef even peinzend naar het toestel zitten staren.

'De secretaresse van Lounds heeft een minuut of vijf geleden een telefoontje gekregen,' zei hij. 'Ze zweert dat het Lounds' stem was. Hij zei iets dat ze niet goed kon verstaan: "...macht van de Grote Rode Draak". Dat meende ze te horen.'

24

Dr. Frederick Chilton stond in de gang buiten de cel van Hannibal Lecter. Naast hem stonden drie potige zaalhulpen. Een van hen had een dwangbuis in zijn hand en een ander een spuitbus mace. De derde laadde zijn injectiegeweer.

Lecter zat aan zijn tafel een actuariële tabel te bestuderen en aantekeningen te maken. Hij hoorde de voetstappen naderen. Hij hoorde het geluid van het geweer vlak achter zich, maar hij ging door met lezen en liet niet merken dat hij wist dat Chilton er was. Chilton had hem tegen het middaguur de dagbladen gestuurd en hem tot 's avonds laten wachten alvorens hem te laten weten hoe hij gestraft zou worden voor zijn hulp aan de Draak.

'Dokter Lecter,' zei Chilton.

Lecter keerde zich om. 'Goedenavond, dokter Chilton.' Hij negeerde de aanwezigheid van de bewakers. Hij keek alleen naar Chilton.

'Ik kom uw boeken halen. Al uw boeken.'

'Juist, ja. Mag ik vragen hoelang u van plan bent ze te houden?'

'Dat hangt van uw houding af.'

'Is dit uw eigen besluit?'

'Ik bepaal hier de strafmaatregelen.'

'Natuurlijk. Will Graham zou zoiets niet eisen.'

'Kom naar het net en steek uw handen hierin, dokter Lecter. Ik vraag het geen tweede keer.'

'Natuurlijk, dokter Chilton. Ik hoop dat het de goede maat is...
de vorige knelde een beetje om mijn borst.'
Dr. Lecter trok de dwangbuis aan alsof het een smoking was. Een
van de zaalhulpen stak zijn handen door het net en maakte de
dwangbuis op de rug vast.
'Help hem naar zijn bed,' zei Chilton.
Terwijl de zaalhulpen de boekenplanken leeghaalden, poetste Chilton zijn bril op en rommelde met een pen door Lecters persoonlijke paperassen.
Vanuit de donkere hoek van zijn cel keek Lecter toe. Zelfs in de
dwangbuis was hij op een vreemde manier elegant.
'Onder de gele map,' zei Lecter rustig, 'vindt u een aan u gerichte
afwijzing van de *Archives*. Die zat tussen mijn post van de *Archives* en ik vrees dat ik de envelop heb geopend zonder naar de adres-
sering te kijken. Neem me niet kwalijk.'
Chilton kleurde. Hij wendde zich tot een van de zaalhulpen.
'Ik geloof dat je de bril van het toilet van dr. Lecter er maar beter
af kunt halen.'
Chilton wierp een blik op de actuariële tabel. Bovenaan had Lecter zijn leeftijd geschreven: eenenveertig. 'En wat heeft u hier?'
vroeg Chilton.
'Tijd,' zei dr. Lecter.

Afdelingshoofd Brian Zeller bracht de koerierskoffer en de wielen
van de rolstoel naar Instrumentenanalyse, lopend in een tempo dat
zijn gabardine broek deed ritselen.
De medewerkers van de dagploeg die hij had vastgehouden, kenden het ritselende geluid maar al te goed: Zeller had haast.
Er was al genoeg oponthoud geweest. De vermoeide koerier, wiens
vlucht vanwege slechte weersomstandigheden met vertraging uit
Chicago vertrokken was en vervolgens had moeten uitwijken naar
Philadelphia, had een auto gehuurd en was naar het FBI-laboratorium in Washington gereden.
Het politielab in Chicago is efficiënt, maar voor sommige dingen
is de uitrusting daar niet toereikend. Die ging Zeller nu doen.
Hij deponeerde de lakschilfers van Lounds' portier bij de spectro-
meter.
Beverly Katz bij Haar en Vezels kreeg de wielen, die ze samen met
anderen zou onderzoeken.

Tot slot ging Zeller naar het kleine hete vertrek waar Liza Lake zich over haar gaschromatograaf boog. Ze was bezig met het onderzoeken van as van een brandstichtingzaak in Florida en bekeek de pieken op de bewegende grafiek.

'Vloeibaar gas uit een aansteker,' zei ze. 'Daarmee heeft hij het aangestoken.' Ze had al zoveel monsters onder ogen gehad, dat ze geen handboek meer nodig had om de verschillende soorten brandstoffen te kunnen onderscheiden.

Zeller rukte zijn blik los van Liza Lake en gaf zichzelf een zware berisping omdat hij zich in dit vertrek zo prettig voelde. Hij schraapte zijn keel en hield de twee glimmende verfblikken omhoog.

'Chicago?' vroeg ze.

Zeller knikte.

Ze controleerde de staat van de blikken en het zegel van de deksels. Het ene blik bevatte asresten van de rolstoel, het andere verkoolde resten van Lounds.

'Hoelang zit het al in de blikken?'

'Minstens zes uur,' antwoordde Zeller.

'Ik kijk er nu meteen wel even naar.'

Ze doorboorde het deksel met een dikke injectienaald, zoog wat lucht op die samen met de asresten in het blik zat opgesloten en injecteerde de lucht direct in de gaschromatograaf. Ze stelde het apparaat uiterst nauwkeurig af. Terwijl het luchtmonster door de kolom van de chromatograaf stroomde, bewoog de naald over het brede grafiekpapier.

'Loodvrij...' zei ze. 'Alcoholbenzine, loodvrije alcoholbenzine. Dat zie je niet vaak.' Ze bladerde snel een losbladige map voorbeeldgrafieken door. 'Ik kan je nog geen merk geven. Ik zal het met pentaan proberen en dan laat ik het je wel weten.'

'Prima,' zei Zeller. Pentaan zou de vloeibare bestanddelen in de asresten oplossen, dan zelf aan het begin van de grafiek neerslaan, zodat de vloeistoffen overbleven voor nadere analyse.

Om één uur 's nachts had Zeller alle gegevens die het onderzoek had opgeleverd.

Liza Lake had het merk alcoholbenzine kunnen achterhalen: Freddy Lounds was verbrand met 'Servco Supreme'.

Geduldig borstelen in de groeven van de rolstoelbanden had twee soorten tapijtvezels opgeleverd – wol en synthetisch. Schimmel in de aarde in de loopvlakken wees erop dat de rolstoel lange tijd op een koele, donkere plaats had gestaan.

De overige resultaten waren minder bevredigend. De lakschilfers waren niet van oorspronkelijke lak van een autofabriek. Na door de spectrometer te zijn gevoerd en te zijn vergeleken met het lakdossier van de landelijke auto-industrie bleek het om een goede kwaliteit Duco-lak te gaan, waarvan een partij van honderdzesentachtig gallon in het eerste kwartaal van 1978 was geproduceerd en verkocht aan verscheidene autospuiterijketens.

Zeller had gehoopt nauwkeurig het type voertuig alsmede het bouwjaar te kunnen bepalen.

Hij stuurde de resultaten per telex door aan Chicago.

De politie van Chicago wilde de wielen terug. De wielen waren moeilijk goed te verpakken voor de koerier. Zeller stopte ook de laboratoriumrapporten in de koerierskoffer, samen met post en een pakje dat voor Graham gekomen was.

'Ik ben verdorie geen muilezel,' mopperde de koerier toen hij zeker was dat Zeller hem niet meer kon horen.

Het ministerie van justitie beschikt over een aantal kleine appartementen in de omgeving van het hof van het Zevende District in Chicago, waar juristen en bevoorrechte getuige-deskundigen gebruik van konden maken als het hof zitting heeft. Graham was ondergebracht in een van deze appartementen en Crawford in een flatje aan de overkant van de gang.

Hij arriveerde om negen uur 's avonds, doodmoe en nat. Sinds het ontbijt in het vliegtuig vanuit Washington had hij niet meer gegeten en de gedachte aan voedsel stond hem tegen.

Eindelijk was die natte, sombere woensdag voorbij. Hij kon zich niet herinneren ooit zo'n rotdag te hebben meegemaakt.

Nu Lounds dood was, leek het waarschijnlijk dat hij het volgende doelwit zou zijn. De hele dag had Chester over hem gewaakt: toen hij in Lounds' garage was, toen hij in de regen op het verschroeide plaveisel stond waar Lounds was verbrand. Met felle flitslampen op zijn gezicht vertelde hij de pers dat hij 'kapot was van het verlies van zijn vriend Frederick Lounds'.

Hij zou ook naar de begrafenis gaan. Net als een aantal FBI-agenten en politiemensen, in de hoop dat de moordenaar zou komen om Grahams verdriet te zien.

Hij kon zijn gevoel eigenlijk niet benoemen: een kille misselijkheid en nu en dan een akelig blij gevoel dat niet hij dodelijk verbrand was in plaats van Lounds.

Het kwam Graham voor dat hij in de afgelopen veertig jaar niets had geleerd: hij was alleen maar moe geworden.

Hij maakte een stevige martini en dronk die terwijl hij zich uitkleedde. Hij nam er nog een na zijn douche terwijl hij naar het journaal keek.

('Een valstrik van de FBI om de Tandenfee te vangen is mislukt. Een doorgewinterde journalist kwam daarbij om het leven. We komen hier straks op terug met ooggetuigenverslagen.')

Voor de nieuwsuitzending ten einde was, noemden ze de moordenaar al 'de Draak'. De *Tattler* had het aan alle zenders uitgebazuind. Dit verbaasde Graham niet. De editie van donderdag zou goed verkocht worden.

Hij maakte een derde martini en belde Molly.

Ze had het tv-journaal van zes uur en dat van elf uur gezien en ze had de *Tattler* gelezen. Ze wist dat Graham als lokaas had gediend.

'Je had het me moeten vertellen, Will.'

'Misschien. Ik vind van niet.'

'Zal hij nu proberen jou te doden?'

'Vroeg of laat. Het zal hem nu niet meevallen, want ik blijf nooit lang op dezelfde plaats. Ik word onafgebroken bewaakt, Molly, en dat weet hij. Er zal niets gebeuren.'

'Je stem klinkt een beetje beneveld. Heb je je kameraad uit de koelkast aangesproken?'

'Ik heb inderdaad een paar borrels op.'

'Hoe voel je je?'

'Knap rot.'

'Op het nieuws zeiden ze dat de FBI de verslaggever geen enkele bescherming heeft geboden.'

'Het was de bedoeling dat hij bij Crawford zou zijn tegen de tijd dat de Tandenfee de krant in handen kreeg.'

'Ze noemden hem in het nieuws nu de Draak.'

'Zo noemt hij zichzelf.'

'Will, ik moet je... Ik wil met Willy hier weg.'

'Waarheen?'

'Naar zijn grootouders. Het is al heel lang geleden dat Willy bij hen is geweest. Ze willen hem graag weer eens zien.'

'O, juist.'

De ouders van Willy's vader hadden een ranch aan de kust van Oregon.

'Ik krijg hier de kriebels. Ik weet wel dat het best veilig is, maar we doen toch bijna geen oog dicht. Misschien spelen de schietlessen me parten. Ik weet het niet.'

'Het spijt me, Molly.' Kon ik je maar zeggen hoezeer het me spijt.'

'Ik zal je missen. Wij allebei.'

Dus haar besluit stond al vast.

'Wanneer vertrekken jullie?'

'Morgenochtend.'

'En de winkel?'

'Evelyn wil wel waarnemen. Ik regel zelf nog de herfstinkopen met de groothandel en zij mag de winst houden.'

'De honden?'

'Ik heb haar gevraagd het asiel te bellen, Will. Het spijt me, maar misschien wil iemand er een paar hebben.'

'Molly, ik...'

'Als ik kon voorkomen dat jou iets overkomt door hier te blijven, zou ik dat doen. Maar je kunt niet op iedereen letten, Will. Ik help je niet door hier te blijven. Als wij weg zijn, hoef je alleen nog maar aan je eigen veiligheid te denken. Ik ben niet van plan dat vervloekte pistool de rest van mijn leven bij me te dragen, Will.'

'Daarvandaan kun je misschien een keer naar Oakland, naar een wedstrijd van de Athletics.' Dat had hij helemaal niet willen zeggen. Oei, het blijft veel te lang stil.

'Nou, hoe dan ook, ik bel je wel,' zei ze. 'Of nee, jij zult mij waarschijnlijk moeten bellen.'

Graham voelde iets in zich scheuren. Hij kreeg het benauwd.

'Ik zal de dienst vragen alles voor je te regelen. Heb je je vlucht al geboekt?'

'Ja, maar niet onder mijn eigen naam. Ik was bang dat de pers misschien...'

'Heel goed. Prima. Ik zal ervoor zorgen dat er iemand is om jullie uitgeleide te doen. Dan hoeven jullie niet door de gebruikelijke controle en kunnen jullie volkomen onopgemerkt Washington verlaten. Goed? Laat me dat alsjeblieft doen. Hoe laat vertrekt het vliegtuig?'

'Om 9.40 uur. American 118.'

'Prima, halfnegen achter het Smithsonian. Daar is een parkeer-plaats. Daar kun je de auto achterlaten. Er zal iemand op je wach-ten. Hij zal naar zijn horloge luisteren, brengt het naar zijn oor als hij uit zijn auto stapt. Goed?'
'Dat is prima.'
'Zeg, moet je overstappen op O'Hare? Dan zou ik kunnen ko-men...'
'Nee. Ik stap over in Minneapolis.'
'O, Molly! Misschien kan ik je daar komen ophalen als alles voor-bij is.'
'Dat zou erg fijn zijn.'
Erg fijn.
'Heb je genoeg geld?'
'De bank maakt telegrafisch wat over.'
'Wat bedoel je?'
'Naar Barclay op de luchthaven. Maak je geen zorgen.'
'Ik zal je missen.'
'Ik jou ook, maar dat is nu niet anders. Door de telefoon maakt de afstand niets uit. Willy doet je de groeten.'
'Doe hem de groeten terug.'
'Pas goed op, lieveling.'
Ze had hem nog nooit eerder lieveling genoemd. Hij vond het maar niks. Hij vond nieuwe namen maar niks: lieveling, Rode Draak.
De officier van de nachtdienst in Washington ging meteen aan de slag om Molly's vertrek te regelen.
Graham drukte zijn gezicht tegen het koele glas van het raam en keek toe hoe regenvlagen het verkeer beneden hem teisterden, ter-wijl bliksemflitsen de grauwe straat deden oplichten. Op het glas bleven afdrukken van zijn voorhoofd, neus, lippen en kin achter.
Molly was weg.
De dag was voorbij en nu lag alleen de nacht voor hem, en de lip-loze stem die hem beschuldigde.
De vriendin van Lounds hield wat restte van zijn hand vast tot het voorbij was.
'Hallo, dit is Valerie Leeds. Tot mijn spijt kan ik op het moment niet de telefoon oppakken...'
'Het spijt mij ook,' zei Graham.
Graham vulde zijn glas opnieuw en ging aan het tafeltje bij het raam zitten, terwijl hij naar de lege stoel tegenover zich staarde.

Hij staarde net zo lang tot de ruimte in de stoel bezet leek te worden door een mannengestalte die was samengesteld uit donkere, dwarrelende stofdeeltjes, een verschijning als een schaduw op in de lucht zwevend stof. Hij probeerde het beeld een vastere vorm te laten aannemen, een gezicht te zien. Het bewoog zich niet, had geen uitdrukking maar keek hem, gezichtloos, met tastbare aandacht aan.

'Ik weet dat het niet meevalt,' zei Graham. Hij was stomdronken. 'Je moet proberen op te houden, je koest te houden tot we je vinden. Als je dat niet kunt, kom dan verdomme achter mij aan. Mij een zorg. Daarna wordt het beter. Ze hebben nu iets om je te helpen op te houden. Om je te helpen dit niet langer zo verschrikkelijk graag te willen. Help me. Help me een beetje. Molly is weg, ons aller Freddy is dood. Het gaat nu tussen jou en mij, makker.' Hij leunde over de tafel, stak zijn hand uit om hem aan te raken, maar de verschijning was verdwenen.

Graham legde zijn hoofd op de tafel, zijn wang op zijn arm. Hij zag de afdrukken van zijn voorhoofd, neus, mond en kin op de ruit toen de bliksem daarachter opflitste. Een gezicht waarover druppels langs het glas naar beneden kropen. Blind. Een gezicht vol regen.

Graham had zijn uiterste best gedaan de Draak te begrijpen.

Af en toe hadden de ruimtes in de ademende stilte van de huizen van de slachtoffers waar de Draak zich had voortbewogen, getracht te spreken.

Soms voelde Graham zich hem zeer na. In de voorbije dagen had een gevoel bezit van hem genomen dat hij zich herinnerde van andere onderzoeken: het honende gevoel dat hij en de Draak dezelfde dingen deden op een aantal momenten van de dag, dat er parallellen waren in de alledaagse details van hun levens. Ergens zat de Rode Draak te eten, stond hij onder de douche, lag hij te slapen op hetzelfde tijdstip waarop hij dat deed.

Graham spande zich in om hem te leren kennen. Hij probeerde hem te zien achter de verblindende schittering van objectglaasjes en medicijnflesjes, achter de regels van politierapporten. Hij spande zich tot het uiterste in.

Maar om de Draak te kunnen begrijpen, om het koude gedruppel in zijn duisternis te kunnen horen, om de wereld door zijn rode nevel te kunnen zien, had Graham dingen gezien moeten hebben die hij nooit zou kunnen zien, en had hij door de tijd gevlogen moeten hebben...

25

Springfield, Missouri, 14 juni 1938.
Moe en met veel pijn stapte Marian Dolarhyde Trevane voor het City Hospital uit een taxi. De warme wind blies zandkorrels tegen haar enkels toen ze de treden naar de ingang beklom. De koffer die ze meezeulde, zag er beter uit dan haar wijde soepjurk, en dat gold ook voor het gevlochten handtasje dat ze tegen haar gezwollen buik klemde. Ze had twee kwartjes en een dubbeltje in haar tas. En in haar buik droeg ze Francis Dolarhyde.
Bij de opnamebalie zei ze dat ze Betty Johnson heette, hetgeen niet waar was. Ze zei dat haar echtgenoot muzikant was, maar dat ze niet wist waar hij was, en dat was waar.
Ze legden haar op de armenzaal van de kraamafdeling. Ze keek niet naar de patiënten die aan weerszijden naast haar lagen. Ze staarde recht voor zich uit naar de voetzolen aan de overkant van de zaal.
Nog geen vier uur later werd ze naar de verloskamer gereden, waar Francis Dolarhyde werd geboren. De verloskundige merkte op dat hij er eerder als 'een bladneusvleermuis uitzag dan als een baby', wederom een waarheid. Hij werd geboren met een tweezijdig gespleten bovenlip en gehemelte, zowel het harde als het zachte gehemelte. Het middelste deel van zijn mond zat los en stak naar voren. Zijn neus was plat.
De artsen besloten hem niet dadelijk aan zijn moeder te tonen. Ze wilden eerst zien of de zuigeling zonder zuurstof in leven zou blijven. Ze legden hem in een bedje achter in de babyzaal en zorgden ervoor dat hij vanaf het 'kijkraam' niet te zien was. Hij kon ademen, maar hij kon niet drinken. Door de kloof in zijn gehemelte kon hij niet zuigen.
De eerste dag huilde hij minder aanhoudend dan een heroïnebaby, maar zijn gekrijs was niet minder doordringend.
Tegen de middag van de tweede dag was een zwak, klaaglijk geluid het enige dat hij nog kon voortbrengen.

Na het wisselen van de dienst om drie uur, viel er een grote schaduw over zijn bedje. Prince Easter Mice, honderdtwintig kilo zwaar, schoonmaakster en verpleeghulp op de kraamvrouwenafdeling, stond naar hem te kijken, haar armen over haar stevige boezem gevouwen. Ze werkte al zesentwintig jaar op de zuigelingenafdeling en had zo ongeveer negenendertigduizend baby's gezien. Deze zou in leven blijven als hij voeding binnenkreeg.

Prince Easter had geen opdracht van de Heer ontvangen dit kind te laten sterven. Ze dacht niet dat het ziekenhuis die wel had ontvangen. Ze haalde uit haar zak een rubberen kurk waardoor een gebogen glazen rietje was gestoken. Ze duwde de kurk in een fles met melk. Haar hand was groot genoeg om de baby vast te houden en tegelijkertijd zijn hoofdje te ondersteunen. Ze drukte hem tegen haar borst tot ze wist dat hij haar hartslag moest voelen. Toen hield ze hem achterover en schoof het buisje in zijn keel. Hij kreeg ongeveer zestig gram naar binnen en viel toen in slaap.

'Ziezo!' zei ze. Ze legde hem in zijn bedje en vervolgde haar normale bezigheden met de luieremmers.

Op de vierde dag verhuisden de verpleegsters Marian Dolarhyde Trevane naar een eenpersoonskamer. In een kan op de wastafel stonden nog stokrozen van de vorige patiënt. De bloemen stonden er nog mooi bij.

Marian was een knap meisje en haar gezicht, dat pafferig was geweest van haar beproevingen, begon zijn normale aanzien te herwinnen. Ze keek de dokter aan toen deze tegen haar begon te praten, terwijl hij een hand op haar schouder legde. Ze rook de geur van sterke zeep op zijn hand en ze concentreerde zich op de kraaienpootjes rond zijn ogen tot zijn woorden tot haar doordrongen. Toen sloot ze haar ogen en deed ze niet open toen ze de baby binnenbrachten.

Ten slotte keek ze. Ze deden de deur dicht toen ze begon te gillen. Daarna gaven ze haar een injectie.

Op de vijfde dag verliet ze alleen het ziekenhuis. Ze wist niet waar ze naar toe moest. Ze kon nooit meer terug naar huis, dat had haar moeder haar duidelijk te verstaan gegeven.

Marian Trevane telde de passen tussen de straatlantaarns. Telkens als ze drie lantaarns voorbij was, ging ze op haar koffer zitten om uit te rusten. De koffer had ze tenminste nog. Elke stad had, vlak bij het busstation, wel een lommerd. Dat had ze ontdekt in de tijd dat ze met haar man rondtrok.

Springfield had in 1938 geen kliniek voor plastische chirurgie. In Springfield moest je het doen met het gezicht waarmee je was geboren.

Een chirurg van het City Hospital deed wat hij kon voor Francis Dolarhyde. Hij trok het voorste gedeelte van zijn mond met een elastische band naar achteren en vervolgens sloot hij de spleten in zijn lip met een rechthoekige overslagtechniek die tegenwoordig niet meer wordt toegepast. Echt fraai waren de resultaten niet.

De chirurg had zich de moeite getroost het probleem te bestuderen en besloot, terecht, dat het kind pas op zijn vijfde jaar aan het harde gedeelte van zijn gehemelte geholpen kon worden. Een operatie vóór die tijd zou de groei van zijn gezicht belemmeren.

Een plaatselijke tandarts bood aan een obturator te maken, die het gehemelte van de baby afsloot zodat de vloeistof bij het drinken niet naar zijn neus liep.

De zuigeling ging voor anderhalf jaar naar het vondelingentehuis in Springfield en daarna naar het Morgan Lee Memorial-weeshuis. De eerwaarde S.B. 'Buddy' Lomax stond aan het hoofd van het weeshuis. Broeder Buddy riep de andere jongens en meisjes bij elkaar en vertelde hun dat Francis een hazenlip had, maar dat ze daarover nooit in zijn bijzijn mochten praten. Daarna stelde broeder Buddy voor om voor hem te bidden.

Gedurende de jaren na zijn geboorte leerde de moeder van Francis Dolarhyde in haar eigen levensonderhoud te voorzien.

Marian Trevane vond om te beginnen een baan als typiste op het kantoor van een kopstuk van de Democratische Partij van St. Louis. Met zijn hulp slaagde ze erin haar huwelijk met de afwezige meneer Trevane nietig te laten verklaren.

Tijdens de echtscheidingsprocedure werd er niet over een kind gerept.

Met haar moeder had ze geen contact. ('Ik heb je niet grootgebracht om de del uit te hangen met dat Ierse uitschot' waren de afscheidswoorden van mevrouw Dolarhyde voor Marian toen deze er met Trevane vandoor ging).

Marians ex-echtgenoot belde haar één keer op kantoor op. Ernstig en vroom vertelde hij haar dat hij bekeerd was en vroeg hij of hij, Marian en het kind dat hij 'tot zijn verdriet nooit had gezien' samen misschien een nieuw leven konden beginnen. Zijn stem klonk gebroken.

Marian vertelde hem dat het kind doodgeboren was en hing op.

Stomdronken stond hij een paar dagen later met zijn koffer op de stoep van het pension waar zij woonde.

Toen ze hem verzocht weg te gaan, zei hij dat het haar schuld was dat hun huwelijk was mislukt en dat het kind dood werd geboren. Hij uitte zijn twijfel of hij wel de vader van het kind was.

In een vlaag van woede vertelde Marian Dolarhyde Michael Trevane precies wat hij verwekt had en dat hij het mocht hebben. Ze wreef hem onder de neus dat er in de familie Trevane twee mensen met een hazenlip waren.

Ze stuurde hem de straat op en verbood hem ooit nog contact met haar op te nemen. Dat deed hij niet meer. Wel belde hij jaren later, dronken en nijdig om Marians rijke, nieuwe echtgenoot en haar luxueuze leventje, haar moeder.

Hij vertelde mevrouw Dolarhyde over het mismaakte kind en zei dat haar vooruitstekende tanden bewezen dat de erfelijke schuld bij de Dolarhydes lag.

Een week later werd Michael Trevane door een tram in Kansas City in tweeën gehakt.

Toen Trevane mevrouw Dolarhyde had verteld dat Marian ergens een zoon verborgen hield, bleef ze het grootste deel van de nacht op. Lang en mager in haar schommelstoel zat grootmoeder Dolarhyde in het vuur te staren. Tegen het aanbreken van de dag begon ze langzaam en doelbewust te schommelen.

Ergens boven in het grote huis riep een slaperige, schorre stem. De vloer boven grootmoeder Dolarhyde kraakte toen iemand naar de badkamer schuifelde.

Er klonk een zware bons – van iemand die viel – en de schorre stem uitte een kreet van pijn.

Grootmoeder Dolarhyde wendde haar blik geen moment van het vuur. Ze schommelde sneller heen en weer en na verloop van tijd zweeg de stem.

Tegen het einde van zijn vijfde levensjaar kreeg Francis Dolarhyde zijn eerste en enige bezoeker in het weeshuis.

Hij zat in de dichte walm van de kantine toen een oudere jongen hem kwam halen en hem naar het kantoor van broeder Buddy bracht.

De dame die bij broeder Buddy op hem wachtte, was lang en van middelbare leeftijd. Ze had een dikke laag poeder op haar gezicht en haar haar was strak naar achteren getrokken en in een knot vastgezet. Haar gezicht was spierwit. Er zaten gele vlekken in haar grijze haar, op het wit van haar ogen en op haar tanden.

Wat Francis trof en wat hij zich altijd zou herinneren, was dat ze verheugd glimlachte toen ze zijn gezicht zag. Dat was nog nooit eerder gebeurd. Het zou ook nooit meer gebeuren.

'Dit is je grootmoeder,' zei broeder Buddy.

'Hallo,' zei ze.

Broeder Buddy veegde met een grote hand langs zijn eigen mond. 'Vooruit, zeg eens gedag.'

Francis had geleerd een paar woorden te zeggen door zijn bovenlip op te trekken naar zijn neusgaten, maar hij was nog niet vaak in de gelegenheid geweest iemand gedag te zeggen. 'Lhho' was het beste waartoe hij in staat was.

Grootmoeder scheen nog meer met hem in haar schik te zijn. 'Kun je "grootmoeder" zeggen?'

'Probeer eens "grootmoeder" te zeggen,' zei broeder Buddy.

De G was hem te machtig. Francis onderdrukte zijn tranen.

Een rode wesp zoemde en tikte tegen het plafond.

'Geeft niets, hoor,' zei zijn grootmoeder. 'Ik weet zeker dat je wel je naam kunt zeggen. Een grote jongen als jij moet dat kunnen. Laat me je naam eens horen.'

Het gezicht van het kind klaarde op. Dat hadden de grote jongens hem geleerd. Hij wilde haar graag een plezier doen. Hij zei in opperste concentratie: 'Kuttenkop.'

Drie dagen later haalde grootmoeder Dolarhyde Francis uit het weeshuis weg en nam hem mee naar haar eigen huis. Ze begon hem onmiddellijk te helpen met zijn spraak. Ze concentreerde zich op één woord. Dat was 'moeder'.

Binnen twee jaar na de scheiding trouwde Marian Dolarhyde met Howard Vogt, een succesvolle advocaat met stevige banden met de Democratische Partij in St. Louis.

Vogt was een weduwnaar met drie jonge kinderen, een joviale, ambitieuze man, die vijftien jaar ouder was dan Marian Dolarhyde. Hij had nergens een hekel aan, behalve aan de *St. Louis Post-Dispatch* die hem had aangewezen als schuldige bij het kiezersschandaal van 1936 en de greep van de St. Louis-democraten naar het gouverneurschap in 1940 had verijdeld.

In 1943 was Vogts ster opnieuw rijzende. Hij was kandidaat voor het staatscongres en werd genoemd als mogelijke afgevaardigde voor de op handen zijnde staatsconventie.

Marian was een verdienstelijke, aantrekkelijke gastvrouw en Vogt kocht voor haar een prachtig huis in Olive Street dat zich uitstekend leende voor het ontvangen van gasten.

Francis Dolarhyde woonde een week bij zijn grootmoeder toen ze hem meenam naar dat huis.

Grootmoeder had het huis van haar dochter nog nooit gezien. Het dienstmeisje dat de deur opende, kende haar niet.

'Ik ben mevrouw Dolarhyde,' zei ze, terwijl ze het meisje resoluut voorbijliep. Haar onderjurk stak enkele centimeters onder haar rok uit. Ze trok Francis mee een grote woonkamer binnen, waar een behaaglijk vuur brandde.

'Wie is dat, Viola?' klonk een vrouwenstem van boven.

Grootmoeder pakte Francis bij zijn kin. Hij rook de geur van de koele, leren handschoen. Een doordringend gefluister. 'Ga naar moeder, Francis. Ga naar moeder. Vlug!'

Hij deinsde voor haar terug, probeerde zich aan haar scherpe blik te onttrekken.

'Ga naar moeder. Vlug!' Ze greep zijn schouders beet en duwde hem naar de trap. Hij liep naar boven en vanaf de overloop keek hij op haar neer. Ze maakte een dwingende beweging met haar kin.

Door de onbekende gang liep hij naar de openstaande slaapkamerdeur.

Moeder zat voor haar toilettafel en controleerde haar make-up in een door lampen omlijste spiegel. Ze maakte zich op voor een politieke bijeenkomst. Te veel rouge zou niet passen.

Ze zat met haar rug naar de deur.

'Moehner,' piepte Francis, zoals hem was geleerd. Hij deed zijn uiterste best het goed te zeggen. 'Moehner.'

Toen zag ze hem in de spiegel. 'Als je Ned zoekt, hij is niet thuis...'

'Moehner.' Hij liep het onbarmhartige licht in.

Marian hoorde beneden de stem van haar moeder om thee vragen. Haar ogen sperden zich open en ze bleef doodstil zitten. Ze keerde zich niet om. Ze deed de make-upverlichting uit en liep voor de spiegel weg. In het nu schemerige vertrek begon ze zacht te kreunen, een kreun die eindigde in een snik. Misschien om zichzelf, misschien ook om hem.

Grootmoeder nam Francis mee naar alle politieke bijeenkomsten die daarop volgden. Ze vertelde iedereen wie hij was en waar hij vandaan kwam. Ze liet hem tegen iedereen hallo zeggen. 'Hallo' werd thuis niet geoefend.

Vogt verloor de verkiezingen met een verschil van achttienhonderd stemmen.

26

In het huis van zijn grootmoeder bestond Francis Dolarhydes nieuwe wereld uit een woud van blauw geaderde benen.

Grootmoeder Dolarhyde leidde al drie jaar haar verpleegtehuis toen hij bij haar kwam wonen. Sinds de dood van haar echtgenoot had ze geldzorgen gekend; zelf was ze als dame grootgebracht en ze had nooit een beroep geleerd.

Het enige wat ze bezat was een groot huis en de schulden van haar overleden echtgenoot. Geld verdienen aan kostgangers was niet haalbaar. Het huis lag te afgezonderd om er een succesvol pension van te maken. Onteigening hing haar boven het hoofd.

De aankondiging in de krant van Marians huwelijk met de welgestelde Howard Vogt was grootmoeder als een buitenkansje voorgekomen. Ze schreef Marian meermalen en verzocht haar om hulp, maar ze kreeg nooit antwoord. Als ze opbelde, werd haar door een bediende onveranderlijk meegedeeld dat Marian niet thuis was. Ten slotte sloot grootmoeder Dolarhyde verbitterd een overeenkomst met de gemeentelijke instanties en nam ze armlastige bejaarden in haar huis op. Voor elke bejaarde ontving ze een bedrag van de gemeente en een enkele betaling van die verwanten die de overheid wist op te sporen. Het was een moeilijke tijd, tot ze ook particuliere patiënten uit de hogere klasse begon te krijgen.

Al die tijd stak Marian geen hand uit om haar te helpen, terwijl Marian dat makkelijk had kunnen doen.

Nu speelde Francis Dolarhyde op de vloer in het woud van benen. Hij deed alsof de mahjongstenen van grootmoeder autootjes waren en manoeuvreerde ze langs voeten die eruitzagen als knoestige wortels. Mevrouw Dolarhyde wist ervoor te zorgen dat haar inwoners altijd schone kleren droegen, maar ze kon hun maar niet aan het verstand brengen dat ze hun schoenen moesten aanhouden. De oudjes zaten de godganse dag in de zitkamer naar de radio te luisteren. Mevrouw Dolarhyde had daar ook een aquarium neergezet, waarnaar ze konden kijken en met een bijdrage van een particuliere donateur had ze haar parketvloeren laten afdekken met linoleum om ze te beschermen tegen de onvermijdelijke incontinentie.

Ze zaten op de banken en in rolstoelen naar de radio te luisteren, hun doffe ogen gericht op de vissen of op niets of op iets dat ze lang geleden hadden gezien.

Francis zou zich altijd het geschuifel van voeten over het linoleum herinneren gedurende de warme, roezemoezige dag, evenals de geur van gestoofde tomaten en kool uit de keuken, de geur van de oude mensen, die deed denken aan in de zon gedroogd papier waarin vlees verpakt had gezeten. En altijd die radio.

Rinso white, Rinso bright
Happy little washday song.

Francis bracht zoveel mogelijk tijd door in de keuken, want daar was zijn vriendin. De kokkin, Queen Mother Bailey, was opgegroeid in dienst van de familie van wijlen meneer Dolarhyde. Soms bracht ze in de zak van haar schort een pruim voor Francis mee en ze noemde hem: 'Buidelratje, altijd aan het dromen.' In de keuken was het warm en veilig. Maar Queen Mother Bailey ging 's avonds naar huis...

December 1943: Francis Dolarhyde, vijf jaar oud, lag boven in zijn kamer in het huis van grootmoeder. Het was pikdonker in de kamer door de verduisteringsgordijnen tegen de Japanners. Het woord 'Japanners' kon hij niet uitspreken. Hij moest plassen. Hij durfde niet op te staan in het donker.

Hij riep zijn grootmoeder, die in haar bed beneden lag.
'Aayma! Aayma!' Zijn stemgeluid klonk als dat van een jong geitje. Hij riep tot hij moe werd. 'Awlief, aayma!'
Toen kon hij zijn plas niet meer ophouden. Eerst warm liep de urine over zijn benen en onder zijn billen door en daarna werd het koud en kleefde zijn nachthemd kil tegen zijn lijf. Hij wist niet wat hij moest doen. Hij haalde diep adem en rolde op zijn andere zij, zodat hij met zijn gezicht naar de deur kwam te liggen. Er gebeurde niets met hem. Hij zette zijn voeten op de grond. In het donker stond hij op, terwijl zijn gezicht gloeide en zijn nachthemd tegen zijn benen plakte. Hij rende naar de deur. De deurknop kwam hard tegen zijn voorhoofd aan en hij viel op zijn kletsnatte achterwerk. Hij krabbelde snel overeind en draafde de trap af, terwijl zijn vingers piepend over de leuning gleden. Naar de kamer van zijn grootmoeder. Daar kroop hij in het donker over haar heen en nestelde zich onder de dekens tegen haar aan. Nu had hij het weer warm.
Grootmoeder bewoog zich, spande zich, waardoor haar rug hard tegen zijn wang voelde. Haar stem sliste: 'Ik heb nog nooit...' Een gestommel op het nachtkastje toen ze haar gebit zocht en vond, een geklak toen ze het in haar mond stopte. 'Ik heb nog nooit zo'n walgelijk en smerig kind als jij gezien. Wegwezen! Mijn bed uit!' Ze knipte het bedlampje aan. Huiverend stond hij op het vloerkleed. Ze veegde met haar duim langs zijn wenkbrauw. Er zat bloed op haar duim.
'Heb je iets gebroken?'
Hij schudde zo hevig zijn hoofd dat er bloeddruppels op grootmoeders nachthemd vielen.
'Naar boven. Vooruit!'
Terwijl hij de trap opliep, viel de duisternis op hem. Hij kon het licht niet aandoen omdat grootmoeder de koordjes zo kort had afgeknipt, dat alleen zij er bij kon. Hij wilde niet weer in het natte bed kruipen. Lange tijd bleef hij aan het voeteneinde van zijn bed staan. Hij dacht dat ze niet zou komen. De donkerste hoeken van de kamer zeiden hem dat ze niet zou komen.
Ze kwam, haar armen vol met lakens, en rukte aan het korte lichtkoord. Ze zei geen woord tegen hem terwijl ze het bed verschoonde.
Ze greep zijn arm en trok hem door de gang naar de badkamer.

Het lichtkoordje hing boven de spiegel en ze moest op haar tenen gaan staan om erbij te kunnen. Ze gaf hem een washandje, nat en koud.

'Doe je nachthemd uit en was jezelf.'

De geur van pleisters en het metaalachtige geklik van een schaar. Ze tilde hem op het deksel van de wc en plakte een pleister over de snee boven zijn oog.

'Zo,' zei ze. Ze drukte de schaar tegen zijn onderbuik en hij voelde het koude staal.

'Kijk,' zei ze. Ze duwde zijn hoofd naar beneden, zodat hij kon zien hoe zijn kleine penis tussen de geopende schaar lag. Toen sloot ze de schaar tot hij de pijn voelde.

'Wil je dat ik hem afknip?'

Hij probeerde naar haar op te kijken, maar ze hield zijn hoofd naar beneden. Hij snikte en er viel speeksel op zijn buik.

'Nóú?'

'Nee, aayma! Nee, aayma!'

'Ik beloof je dat ik hem zal afknippen als je je bed nog eens bevuilt. Begrepen?'

'Ja, aayma.'

'Je kunt de wc best vinden in het donker en er als een brave jongen op gaan zitten. Je hoeft er niet bij te gaan staan. En nu terug naar je bed.'

Om twee uur 's nachts kwam de wind opzetten. Warme windvlagen uit het zuidoosten deden de takken van de dode appelbomen tegen elkaar kletteren en de bladeren van de levende bomen heftig ritselen. De wind joeg warme regendruppels tegen de zijkant van het huis waar Francis Dolarhyde, tweeënveertig jaar oud, lag te slapen.

Hij lag op zijn zij en zoog op zijn duim, zijn haren lagen vochtig en plat tegen zijn voorhoofd en in zijn nek.

Hij wordt wakker. Hij luistert naar zijn ademhaling in de duisternis en naar het zachte geknipper van zijn oogleden. Zijn vingers ruiken flauw naar benzine. Hij heeft een volle blaas.

Hij tast op het nachtkastje naar het glas waarin zijn gebit zit.

Dolarhyde doet altijd eerst zijn gebit in zijn mond voor hij opstaat. Nu loopt hij naar de badkamer. Hij doet het licht niet aan. Hij vindt het toilet op de tast en gaat er als een brave jongen op zitten.

27

De verandering in grootmoeder werd voor het eerst duidelijk tijdens de winter van 1947, toen Francis negen was.

Ze gebruikte de maaltijden niet langer met Francis in haar kamer. Ze verhuisden naar de gemeenschappelijke eettafel in de eetkamer, waar ze de maaltijden met de bejaarde inwoners presideerde.

Als meisje had grootmoeder geleerd zich als een charmante gastvrouw te gedragen, en nu haalde ze haar zilveren tafelbel te voorschijn, poetste hem op tot hij glom en zette hem naast haar bord. Het presideren van een lunchtafel, zorgen voor een geruisloze bediening, het op gang houden van gesprekken en erop letten dat ook de zwijgzamere types aan bod komen, de beste karaktertrekken van de intelligente personen onder de aandacht van de anderen brengen, dat alles vereist een grote bedrevenheid, die men tegenwoordig helaas niet veel meer ziet.

Grootmoeder was er in haar tijd erg goed in geweest. Haar inspanningen aan deze tafel vrolijkten de maaltijden in het begin op voor de twee of drie inwoners die tot enige redelijke conversatie in staat waren.

Francis zat in de stoel van de gastheer aan het andere uiteinde van de rij knikkende hoofden terwijl grootmoeder putte uit haar herinneringen. Ze toonde levendige belangstelling voor de huwelijksreis van mevrouw Floder naar Kansas City, nam verscheidene keren de gele koorts met meneer Eaton door en luisterde vriendelijk naar de terloopse, niet bepaald intelligente geluiden van de anderen.

'Is dat niet interessant, Francis?' zei ze, terwijl ze belde voor de volgende gang. De maaltijden bestonden uit een reeks prutjes van groenten en vlees, die ze, tot groot ongenoegen van de keukenhulp, in gangen verdeelde.

Ongelukjes tijdens de maaltijd werden genegeerd. Er werd gebeld en na een gebaar werd degene die had geknoeid, in slaap was gevallen of was vergeten wat hij aan tafel kwam doen, geholpen. Grootmoeder beschikte altijd over zoveel personeelsleden als ze kon betalen.

Toen grootmoeders gezondheidstoestand achteruitging, werd ze magerder en kon ze kleren dragen die lange tijd in de kast hadden gehangen. Sommige daarvan waren elegant. Door haar gelaats-trekken en haar haardracht vertoonde ze een opmerkelijke gelij-kenis met George Washington op het dollarbiljet.

Toen het voorjaar aanbrak, waren haar manieren wat achteruit-gegaan. Ze overheerste de tafel en wenste niet te worden onder-broken als ze over haar jeugd in St. Charles vertelde. Ze onthulde zelfs persoonlijke dingen om Francis en de anderen te inspireren.

Het was inderdaad waar dat grootmoeder in 1907 een seizoen als wereldse jongedame had beleefd en was uitgenodigd voor een aan-tal van de betere bals aan de overkant van de rivier in St. Louis. 'Daar heb ik iets geleerd waar iedereen zijn voordeel mee zou kun-nen doen,' zei ze. Ze keek veelbetekenend naar Francis, die onder de tafel zijn benen over elkaar sloeg.

'In die tijd werd er, medisch gezien, weinig gedaan aan kleine ui-terlijke onvolkomenheden,' zei ze. 'Ik had een mooie huid en glan-zende haren, en dat buitte ik volledig uit. Mijn slechte gebit com-penseerde ik met een krachtige persoonlijkheid en een sprankelende geest, en wel met zo'n succes, dat men dat gebitje uiteindelijk als mijn persoonlijke charme ging zien. Ik zou het voor niets ter we-reld hebben willen ruilen.'

Ze wantrouwde artsen, zo verklaarde ze breedvoerig, maar toen het duidelijk werd dat afwijkingen aan haar gehemelte haar haar tanden zouden kosten, bezocht ze een van de meest vooraanstaande tandartsen in het Midwesten, dr. Felix Bertl, een Zwitser. In de hogere kringen waren de 'Zwitserse tanden' van dr. Bertl erg in trek, zei grootmoeder, en hij had een opmerkelijke praktijk.

Van heinde en verre kwamen ze naar hem toe: operazangers die bang waren dat hun stem zou worden aangetast als hun mond van vorm veranderde, acteurs en anderen die in de openbare belang-stelling stonden.

Dr. Bertl kon het natuurlijke gebit van een patiënt exact namaken en had geëxperimenteerd met verschillende samenstellingen en de effecten daarvan op de klank.

Toen dr. Bertl haar kunstgebit had voltooid, zagen haar tanden er precies zo uit als voorheen. Ze overwon met haar wilskracht en verloor niets van haar unieke charme, zei ze met een puntige grijns. Als er in dit verhaal al een les van praktisch belang verborgen zat, kon Francis die pas later appreciëren. Er zouden geen medische in-grepen op hem toegepast worden voor hij die zelf kon betalen.

Francis kon de maaltijden doorstaan omdat hij iets had om naar uit te kijken.

Elke avond kwam de man van Queen Mother Bailey haar halen in de door een ezel voortgetrokken wagen die hij gebruikte om brandhout te vervoeren. Als grootmoeder boven bezig was, mocht Francis tot de grote weg met hen meerijden.

De hele dag keek hij naar dat ritje uit: zittend op de bank naast Queen Mother, terwijl haar lange, magere echtgenoot zwijgend en bijna onzichtbaar in de duisternis de wagen mende en luisterend naar het geratel van de metalen wielen van de wagen over het grind en het gerinkel van de bitten. Twee ezels, bruin en soms bemodderd, met manen die als borstels overeind stonden en zwiepende staarten. De geur van zweet en gekookte katoenen kleding, snuiftabak en warm tuigleer. Ook was er de geur van houtrook als meneer Bailey nieuwe stukken grond had vrijgemaakt en soms, als hij zijn geweer had meegenomen, lagen er een paar konijnen of eekhoorns in de wagen, lang uitgestrekt alsof ze nog renden.

Tijdens de rit naar de hoofdweg werd er niet gesproken, alleen meneer Bailey bromde af en toe iets tegen de ezels. Door het hotsen van de wagen werd de jongen tegen de Baileys aangedrukt, een prettig gevoel. Bij de hoofdweg aangekomen, stapte hij van de wagen en beloofde hij rechtstreeks naar huis terug te gaan. Daarna keek hij hoe de lantaarn op de wagen zich verwijderde. Hij kon hen horen praten. Soms maakte Queen Mother haar man aan het lachen en lachte zij met hem mee. Het was prettig om daar zo in het donker te staan en hun gelach te horen en te weten dat ze niet om hem lachten.

Later zou hij daar anders over denken...

Af en toe speelde Francis Dolarhyde met de dochter van een boer, die drie akkers verderop woonde. Grootmoeder vond het goed dat ze kwam spelen omdat ze het leuk vond om het kind te kleden in de kleren die Marian als klein meisje had gedragen.

Ze was een roodharig, lusteloos kind en ze was meestal te moe om te spelen.

Op een warme junimiddag, toen het vissen met strohalmen naar insecten op het kippenerf begon te vervelen, vroeg ze of ze Francis in zijn broek mocht kijken.

In een hoekje tussen het kippenhok en een lage heg, die hen onttrok aan blikken vanuit de benedenramen van het huis, liet hij zijn broek zakken. Zij op haar beurt liet hem haar kruis zien, met haar pluizige katoenen onderbroek om haar enkels.

Toen hij zich op zijn hurken liet zakken om goed te kijken, kwam een onthoofde kip ruggelings de hoek om fladderen, het stof met zijn vleugels hoog opwaaiend. Het in haar bewegingen belemmerde meisje huppelde achteruit toen bloedspetters tegen haar benen vlogen.

Francis sprong overeind, zijn broek nog omlaag, toen Queen Mother Bailey achter de kip de hoek omkwam en hen beiden zag.

'Luister eens, jongen,' zei ze rustig, 'je wilde kijken hoe het eruitziet. Je hebt het gezien, dus kun je nu iets anders doen. Hou je bezig met dingen die kinderen behoren te doen en hou je kleren aan. En helpen jullie me nu maar die haan te vangen.'

De verlegenheid van de kinderen verdween snel toen de kip hun ontglipte. Maar grootmoeder keek toe vanachter het raam op de bovenverdieping...

Grootmoeder zag hoe Queen Mother weer door de achterdeur naar binnen ging. De kinderen verdwenen in het kippenhok. Grootmoeder wachtte vijf minuten en ging toen stilletjes naar het kippenhok. Ze rukte de deur open. De kinderen waren bezig veren voor hoofdtooien te verzamelen.

Ze stuurde het meisje naar huis en troonde Francis mee naar binnen.

Ze zei hem dat ze hem zou terugsturen naar het weeshuis van broeder Buddy nadat ze hem gestraft had. 'Ga naar boven. Ga naar je kamer, doe je broek uit en wacht op me terwijl ik mijn schaar haal.'

Urenlang lag hij in zijn kamer met zijn broek uit op zijn bed te wachten, zich vastklampend aan de beddensprei in afwachting van de schaar. Hij hoorde de geluiden die het avondmaal begeleidden en later het gekraak en geklos van de houtwagen en het gesnuif van de ezels toen de man van Queen Mother haar kwam halen, en hij lag nog steeds te wachten.

Tegen de ochtend sliep hij in, maar hij schrok steeds wakker om te wachten.

Grootmoeder kwam niet opdagen. Misschien was ze het vergeten. Gedurende de dagelijkse karweitjes van de daaropvolgende dagen wachtte hij nog steeds, en hij herinnerde zich vele momenten tijdens die dagen waarop hij werd overmand door een ijzige angst. Nooit zou hij het wachten staken.

Hij ontweek Queen Mother Bailey, sprak niet met haar en vertelde haar niet waarom. Ten onrechte meende hij dat zij tegen grootmoeder had gezegd wat ze bij het kippenhok had gezien. Nu was hij ervan overtuigd dat ze om hem hadden gelachen als hij de wagenlantaarn in de duisternis zag verdwijnen. Hij kon dus kennelijk niemand vertrouwen.

Het was moeilijk om stil te liggen en te gaan slapen als het in zijn gedachten aanwezig was. Het was moeilijk tijdens zo'n heldere nacht stil te liggen.

Francis wist dat grootmoeder gelijk had. Hij had haar vreselijk gekwetst. Hij had haar te schande gemaakt. Iedereen moest weten wat hij gedaan had – tot zelfs in St. Charles toe. Hij was niet boos op grootmoeder. Hij wist dat hij een diepe Liefde voor haar koesterde. Hij wilde het juiste doen.

Hij verbeeldde zich dat er inbrekers in huis waren en hij grootmoeder beschermde. Toen nam ze haar woorden terug: 'Je bent toch geen kind van de duivel, Francis. Je bent mijn lieve jongen.'

Hij dacht aan een inbreker die het huis binnendrong en vastbesloten was om voor grootmoeder zijn broek te laten zakken.

Hoe moest Francis haar beschermen? Hij was te klein om het tegen een grote inbreker op te nemen.

Hij dacht erover na. In de bijkeuken hing Queen Mothers hakmes. Dat had ze met een krant schoongeveegd nadat ze de kip ermee gedood had. Hij moest dat hakmes eigenlijk maar pakken. Het was zijn verantwoordelijkheid. Hij zou zijn angst voor het donker moeten overwinnen. Als hij werkelijk van grootmoeder hield, zou hij degene moeten zijn voor wie anderen in het donker bang zouden moeten zijn. Voor wie de *inbreker* bang zou moeten zijn.

Hij sloop de trap af en vond het hakmes. Het verspreidde een vreemde geur, dezelfde geur die in de gootsteen hing als ze een kip aan het plukken waren. Het hakmes was scherp en het gewicht ervan voelde geruststellend aan in zijn hand.

Hij liep met het hakmes naar grootmoeders kamer om zich ervan te overtuigen dat er geen inbrekers waren.

Grootmoeder lag te slapen. Het was erg donker, maar hij wist precies waar ze lag. Als er een inbreker was, zou hij zijn ademhaling kunnen horen zoals hij ook de ademhaling van grootmoeder kon horen. Hij zou weten waar zijn hals zich bevond zoals hij ook precies wist waar grootmoeders hals was. Vlak onder de ademhaling. Als er een inbreker was, zou hij hem stilletjes besluipen, op deze manier. Hij zou het hakmes met beide handen boven zijn hoofd heffen, op deze manier.

Francis stapte op grootmoeders pantoffel naast het bed. Het hakmes maakte een slingerbeweging in de duizelingwekkende duisternis en raakte de metalen kap van haar leeslamp.

Grootmoeder rolde zich om en maakte een smakkend geluid met haar mond. Francis bleef stilstaan. Zijn armen trilden van de inspanning om het hakmes omhoog te houden. Grootmoeder begon te snurken.

De liefde die Francis voelde, deed hem bijna uiteenbarsten. Hij sloop de kamer uit. Hij moest zorgen dat hij klaar was om haar zonodig te kunnen beschermen. Hij moest iets doen. Hij was niet meer bang voor het donkere huis, maar het verstikte hem.

Hij ging door de achterdeur naar buiten en bleef in de heldere nacht staan, zijn gezicht geheven, happend alsof hij het licht kon inademen. Een minuscule maanschijf, vervormd op het wit van zijn weggerolde ogen, veranderde in een cirkel toen de ogen naar beneden draaiden en concentreerde zich ten slotte in zijn pupillen.

De liefde in hem zwol op tot een ondraaglijke vorm en hij kon die niet naar buiten hijgen. Snel liep hij nu naar het kippenhok. De grond onder zijn voeten voelde koud aan, het hakmes sloeg koud tegen zijn been. Uit angst dat hij uit elkaar zou barsten, begon hij te rennen...

Terwijl Francis zich bij de pomp bij het kippenhok stond te wassen, was hij vervuld van een innerlijke vrede zoals hij nooit eerder had ervaren. Voorzichtig verkende hij dit gevoel en hij kwam tot de ontdekking dat de vrede eindeloos was en hem volledig omhulde.

Dat wat grootmoeder in haar goedheid niet had afgeknipt, was er nog als een beloning toen hij het bloed van zijn buik en benen waste. Zijn geest was helder en kalm.

Hij moest iets met het nachthemd doen. Hij kon het maar beter verstoppen onder de zakken in het rookhok.

De ontdekking van de dode kip hield grootmoeder bezig. Ze zei dat het niet het werk van een vos leek.

Toen Queen Mother een maand later eieren ging rapen, vond ze er weer een. Ditmaal was de nek omgedraaid.

Aan de eettafel zei grootmoeder dat ze ervan overtuigd was dat het uit haat was gedaan door een 'stuk onbenul van een dienstmeid die ik de laan uit heb gestuurd'. Ze zei dat ze de sheriff had ingeschakeld.

Francis zat zwijgend op zijn plaats, terwijl hij zijn hand opende en sloot bij de herinnering aan een oog dat tegen zijn handpalm knipperde. In bed omklemde hij soms zijn geslacht om zich ervan te overtuigen dat het niet was afgeknipt. Als hij zichzelf zo vasthield, verbeeldde hij zich soms het geknipper van een oog te voelen.

Grootmoeder veranderde snel. Ze werd steeds twistzieker en niemand hield het in haar dienst lang vol. Hoewel ze een tekort had aan hulp in de huishouding, nam ze de persoonlijke leiding van de keuken op zich, instrueerde Queen Mother dusdanig dat het eten er niet op vooruitging. Queen Mother, die haar leven lang voor de Dolarhydes had gewerkt, was de enige constante onder het personeel.

Met een rood hoofd liep grootmoeder in de hete keuken van het ene karweitje naar het andere, waarbij ze schotels vaak half afgemaakt liet staan en die ook nooit werden opgediend. Ze maakte stoofschotels van restjes terwijl groente in de bijkeuken lag te verwelken.

Tegelijkertijd werd ze abnormaal zuinig. Ze verminderde de hoeveelheid zeep en bleekmiddel in de was tot de lakens er grauw uitzagen.

In november nam ze vijf negervrouwen aan als huishoudelijke hulp. Ze bleven niet lang.

Op de avond dat de laatste vertrok, was grootmoeder woedend. Tierend liep ze door het huis. Ze kwam in de keuken en zag dat Queen Mother Bailey een theelepeltje meel op het werkblad had achtergelaten nadat ze deeg had uitgerold.

In de walm en hitte van de keuken, een halfuur voor etenstijd, liep ze naar Queen Mother toe en sloeg haar in het gezicht.

Geschokt liet Queen Mother Bailey de soeplepel uit haar handen vallen. Tranen sprongen in haar ogen. Grootmoeder bracht haar hand opnieuw omhoog. Een grote roze handpalm duwde haar weg. 'Doe dat *nooit* meer. U bent uzelf niet, mevrouw Dolarhyde, maar doe dat *nooit* meer!'

Onder het krijsen van beledigingen draaide grootmoeder zich om, waarbij ze een pan soep omstootte. Sissend droop de soep op het fornuis. Ze ging naar haar kamer en smeet de deur met een klap dicht. Francis hoorde haar in haar kamer vloeken en dingen tegen de muren smijten. Die avond kwam ze niet meer te voorschijn.

Queen Mother ruimde de soep op en gaf de oudjes te eten. Toen stopte ze haar schamele bezittingen in een mand, trok haar oude vest aan en zette haar gebreide muts op. Ze ging op zoek naar Francis, maar kon hem niet vinden.

Ze zat al in de wagen toen ze de jongen in het hoekje van de veranda zag zitten. Hij keek toe hoe ze moeizaam uit de wagen klom en naar hem toe kwam.

'Buidelratje, ik ga nu weg. Ik kom hier niet meer terug. Sironia van de kruidenier zal je mama voor mij bellen. Als je me nodig hebt voor je mama er is, kom je maar naar mijn huis.'

Toen ze hem over zijn wang wilde strelen, draaide hij zijn hoofd weg.

Meneer Bailey klakte met zijn tong tegen de ezels. Francis zag hoe de lantaarn zich verwijderde. Hij had hem al vaker nagekeken sinds hij wist dat Queen Mother hem had verraden, met een verdrietig en leeg gevoel. Nu kon het hem niets schelen. Hij was blij. Gewoon een zwak licht van een petroleumlamp op een ezelwagen die langs de weg uit het gezicht verdween. Het was niets in vergelijking tot de maan.

Hij vroeg zich af hoe het zou zijn om een ezel te doden.

Marian Dolarhyde Vogt kwam niet toen Queen Mother Bailey haar belde.

Ze kwam twee weken later na een telefoontje van de sheriff van St. Charles. Ze arriveerde halverwege de middag in een vooroorlogse Packard. Ze droeg handschoenen en een hoed.

Aan het einde van de oprijlaan werd ze opgewacht door een hulp-sheriff, die zich vooroverboog naast het portierraampje.

'Mevrouw Vogt, uw moeder heeft ons bureau rond het middaguur gebeld. Ze zei iets over een hulp die iets had gestolen. Neem me niet kwalijk dat ik het zeg, maar toen ik hier kwam, sprak ze wartaal en het zag ernaar uit dat de zaken hier verwaarloosd werden. De sheriff dacht dat hij maar het beste eerst contact met u kon opnemen, als u begrijpt wat ik bedoel. Tenslotte staat meneer Vogt nogal in de publiciteit.'

Marian begreep hem. Meneer Vogt was tegenwoordig directeur van publieke werken in St. Louis en stond niet zo erg in de gunst van de partij.

'Voor zover mij bekend heeft niemand anders het huis gezien,' zei de hulpsheriff.

Marian trof haar moeder in diepe slaap aan. Twee van de oudjes zaten nog aan tafel op hun middageten te wachten. In de achtertuin liep een vrouw in haar onderjurk.

Marian belde haar echtgenoot. 'Hoe vaak inspecteren ze deze tehuizen... ze hebben waarschijnlijk niets gezien... Ik weet niet of er klachten van familieleden zijn geweest, ik geloof niet dat deze mensen nog familieleden hebben... Nee. Blijf jij maar weg. Ik heb een paar negers nodig. Zorg dat ik die krijg... en dr. Waters. Ik regel het wel.'

Binnen vijfenveertig minuten arriveerde de dokter met een verpleeghulp in het wit. Vlak na hen arriveerde een bestelbusje waarin Marians dienstmeisje en nog vijf huishoudelijke hulpen zaten.

Marian, de dokter en de verpleger waren in grootmoeders kamer toen Francis uit school kwam. Francis hoorde zijn grootmoeder vloeken. Toen ze haar in een van de rolstoelen van het verpleegtehuis naar buiten rolden, had ze een glazige blik in haar ogen. Een plukje watten zat met een pleister vastgeplakt op haar arm. Haar gezicht was ingevallen en zag er vreemd uit zonder haar gebit. Marians arm was eveneens verbonden; zij was gebeten.

Grootmoeder werd weggevoerd in de wagen van de dokter. Ze zat naast de verpleger op de achterbank. Francis keek haar na. Hij wilde zwaaien, maar liet toen zijn hand slap naast zijn lichaam vallen.

Marians schoonmaakploeg boende en luchtte het huis, waste een enorme stapel wasgoed en baadde de oudjes. Marian werkte net zo hard mee en zorgde voor een lichte maaltijd.

Ze sprak alleen tegen Francis om te vragen waar ze bepaalde dingen kon vinden.

Ten slotte stuurde ze de schoonmakers naar huis en belde ze de gemeente. Mevrouw Dolarhyde had een beroerte gehad, zo verklaarde ze.

Het was al donker toen de maatschappelijk werkers de patiënten in een schoolbus kwamen ophalen. Francis dacht dat ze hem ook zouden meenemen. Over hem werd niet gesproken.

Marian en Francis bleven alleen in het huis achter. Zij ging met het hoofd in haar handen aan de eettafel zitten. Hij ging naar buiten en klom in een appelboom.

Eindelijk riep Marian hem. Ze had zijn kleren in een kleine koffer gepakt.

'Je zult met mij mee moeten,' zei ze, terwijl ze naar haar wagen liep. 'Stap in. Niet met je schoenen op de zitting.'

Ze reden weg in de Packard en lieten de lege rolstoel in de tuin staan.

Er kwam geen schandaal. De autoriteiten zeiden dat het zielig was voor mevrouw Dolarhyde en dat ze het tehuis goed geleid had. De Vogts bleven buiten schot.

Grootmoeder werd opgenomen in een particuliere zenuwinrichting. Het zou veertien jaar duren voor Francis weer naar haar en haar huis terugging.

'Francis, dit zijn je stiefzusters en stiefbroer,' zei zijn moeder. Ze bevonden zich in de bibliotheek van de Vogts.

Ned Vogt was twaalf, Victoria dertien en Margaret negen. Ned en Victoria keken elkaar aan. Margaret staarde naar de grond.

Francis kreeg een kamer boven aan de trap naar de bediendenvertrekken. Sinds de rampzalige verkiezingen van 1944 hadden de Vogts geen kamermeisje voor de bovenverdieping meer in dienst.

Francis werd ingeschreven op de Potter Gerard lagere school, op loopafstand van het huis en ver van de episcopale particuliere school die de andere kinderen bezochten.

Gedurende de eerste dagen ontliepen de kinderen Vogt hem zoveel mogelijk, maar tegen het einde van de eerste week kwamen Ned en Victoria naar boven om hem te roepen.

Francis hoorde hen minutenlang staan fluisteren voor de deurknop werd omgedraaid. Toen ze merkten dat de deur op slot zat, klopten ze niet. Ned zei: 'Doe die deur open!'

Francis opende de deur. Ze zeiden geen woord terwijl ze zijn kleren in de kast doorzochten. Ned Vogt trok de lade van de kleine toilettafel open en pakte de dingen die hij vond tussen duim en wijsvinger vast: zakdoekjes met F.D. erop geborduurd, een barréklem van een gitaar, een kever in een potje, een uitgave van *Baseball Joe in the World Series* die een keer nat was geworden en een beterschap-kaart met als afzender 'je klasgenootje Sarah Hughes'.

'Wat is dit?' vroeg Ned.

'Een barréklem.'

'Waarvoor?'

'Een gitaar.'

'Heb je een gitaar?'

'Nee.'

'Waarvoor heb je hem dan nodig?' vroeg Victoria.

'Hij was van mijn vader.'

'Ik kan je niet verstaan. Wat zei je? Laat het hem nog eens zeggen, Ned.'

'Hij zei dat dat ding van zijn vader was.' Ned snoot zijn neus in een van de zakdoekjes en liet het toen in de la vallen.

'Ze zijn vandaag de pony's komen weghalen,' zei Victoria. Ze ging op het smalle bed zitten. Ned ging naast haar zitten, met zijn rug tegen de muur en zijn voeten op de sprei.

'Geen pony's meer,' zei Ned. 'Geen zomervakanties meer aan het meer. Weet je waarom? Zeg op, kleine bastaard!'

'Vader is vaak ziek en verdient niet zoveel geld meer,' zei Victoria. 'Soms gaat hij niet eens naar kantoor.'

'Weet je hoe dat komt dat hij ziek is, kleine bastaard?' vroeg Ned. 'Praat zodat ik je kan verstaan.'

'Grootmoeder zei dat hij een zuiplap is. Versta je dat?'

'Hij is ziek van jouw lelijke smoel,' zei Ned.

'Daarom hebben de mensen niet op hem gestemd,' zei Victoria.

'Donder op,' zei Francis. Toen hij zich omdraaide om de deur te openen, gaf Ned hem een trap in de rug. Francis greep met beide handen naar zijn rug en dat spaarde zijn vingers toen Ned hem in de maag schopte.

'O, Ned!' riep Victoria. 'O, Ned!'

Ned greep Francis' oren beet en trok hem dicht voor de spiegel boven de toilettafel.

'Daarom is hij ziek!' Ned ramde zijn gezicht tegen de spiegel. 'Daarom is hij ziek!' Bang! 'Daarom is hij ziek!' Bang! De spiegel werd besmeurd met bloed en slijm. Ned liet hem los en hij zakte op de grond. Victoria keek naar hem, haar ogen wijd opengesperd en haar onderlip tussen haar tanden geklemd. Zo lieten ze hem achter. Zijn gezicht was nat van bloed en speeksel. Zijn ogen traanden van de pijn, maar hij huilde niet.

28

De regen in Chicago tikt niet aflatend, de hele nacht door, op de overhuiving boven het open graf van Freddy Lounds.

Donderslagen teisteren het bonkende hoofd van Will Graham terwijl hij van de tafel naar een bed wankelt, waar dromen kronkelen onder het kussen.

De wind beukt in op het oude huis boven St. Charles, dat kreunt boven het geluid uit van de regen tegen de ramen en de donderslagen.

De traptreden kraken in de duisternis. Meneer Dolarhyde komt naar beneden, zijn kimono ritselt over de treden, een wakkere blik in zijn ogen na enkele uren diepe slaap.

Zijn haren zijn vochtig en keurig gekamd. Hij heeft zijn nagels geborsteld. Hij beweegt zich rustig en langzaam voort, hanteert zijn concentratie als een overvolle kop.

Film naast zijn projector. Twee spoelen. Andere spoelen liggen in de prullenmand om verbrand te worden. Twee zijn overgebleven, gekozen uit de tientallen familiefilmpjes die hij in het laboratorium heeft gekopieerd en mee naar huis genomen om nader te bekijken.

Dolarhyde installeert zich in zijn leunstoel met een schaal kaas en fruit onder handbereik om de films te bekijken.

De eerste film toont een picknick tijdens het weekend van de vierde juli. Een knap gezin, drie kinderen, een vader met een stierennek die met zijn dikke vingers in een pot augurken graait. En de moeder.

De beste opname van haar is die tijdens een spelletje softbal met de buurkinderen. Ze is hooguit vijftien seconden in beeld terwijl ze probeert het derde honk te stelen en met haar gezicht naar de pitcher en de thuisplaat staat, haar voeten in lichte spreidstand, klaar om weg te spurten, haar borsten schommelend onder haar truitje als ze zich vanuit haar middel vooroverbuigt. Een ergerlijke onderbreking terwijl een kind met een knuppel zwaait. Dan de vrouw weer, die terugloopt naar het tweede honk. Ze zet één voet op het bootkussen dat ze als honk gebruiken en de dijspier van het been waar haar gewicht op rust, spant zich aan.

Telkens weer kijkt Dolarhyde naar de opnamen van de vrouw. Voet op het honk, schuine heupstand, aangespannen spier onder de kort afgeknipte pijpen van de spijkerbroek.

Het laatste beeld bevriest hij. De vrouw en haar kinderen. Ze zijn vies en vermoeid. Ze slaan de armen om elkaar heen en een hond loopt kwispelend rond hun benen.

Een knetterende donderslag doet het geslepen kristal in grootmoeders kabinet rinkelen. Dolarhyde steekt zijn hand uit naar een peer.

De tweede film bestaat uit verschillende delen. De titel, *Het nieuwe huis*, is met centen gespeld op een stuk karton boven een stukgeslagen spaarvarken. De film begint met vader, die het bordje TE KOOP uit de tuin haalt. Hij houdt het omhoog en kijkt met een verlegen grijns naar de camera. De zakken van zijn broek zijn binnenstebuiten gekeerd.

Een onvast, lang shot van moeder en drie kinderen op het stoepje voor de voordeur. Het is een mooi huis. Een opname van het zwembad. Een klein kind met nat haar loopt naar de duikplank, natte voetafdrukken op de tegels achterlatend. Hoofden dobberen in het water. Een hondje zwemt naar een dochtertje toe, zijn oren naar achteren, zijn kin omhoog, en het wit van zijn ogen glanzend in de zon.

Moeder, die zich in het zwembad vasthoudt aan het trapje. Ze kijkt op naar de camera. Haar krullerige, zwarte haar glanst als een vacht, de welving van haar borsten glinsterend van het water boven haar badpak, haar benen maken onder het wateroppervlak schaarbewegingen.

's Avonds. Een slecht belichte opname over het zwembad naar het verlichte huis, de lichten reflecterend in het water.

Familieplezier binnenshuis. Overal dozen en kisten. Een oude hutkoffer die nog niet op de zolder was weggeborgen.

Een klein meisje verkleedt zich in grootmoeders kleren. Ze heeft een grote zonnehoed op. Vader zit op de divan. Hij lijkt een tikje aangeschoten te zijn. Nu wil vader de camera hebben. Hij houdt de camera niet helemaal recht. Moeder staat met de hoed op voor de spiegel.

De kinderen verdringen zich om haar heen, de jongens lachen en plukken aan de oude kleren. Het meisje kijkt peinzend naar haar moeder, ziet zichzelf in de toekomst.

Een close-up. Moeder keert zich om en neemt met een grote glimlach een pose aan voor de camera, haar hand achter haar hoofd. Ze is een mooie vrouw. Rond haar hals hangt een camee.

Dolarhyde bevriest het beeld. Hij spoelt de film een stukje terug. Keer op keer wendt ze zich glimlachend van de spiegel af.

Afwezig pakt Dolarhyde de film met het softbalspel en laat die in de prullenmand vallen.

Hij haalt de spoel van de projector en kijkt naar het Gateway-label op de doos: *Bob Sherman, Star Route 7, Box 603, Tulsa, Okla.* Nog makkelijk te bereiken ook.

Dolarhyde houdt de film in de palm van zijn hand en bedekt hem met zijn andere hand alsof het iets levends is dat kan proberen te ontsnappen. De spoel lijkt als een krekel tegen zijn handpalm te springen.

Hij herinnert zich de schokkerige beelden, de gejaagdheid in het huis van de Leeds toen de lichten aangingen. Hij had eerst met meneer Leeds moeten afrekenen voordat hij zijn filmlampen kon aanzetten.

Deze keer wil hij een rustiger verloop. Het zou verrukkelijk zijn om tussen de slapers in te kruipen terwijl de camera loopt en lekker tegen hen aan te liggen. Dan zou hij in het donker toeslaan en zich, genoeglijk tussen hen in zittend, bevredigen.

Dat krijgt hij wel voor elkaar met infrarode film en hij weet waar die te krijgen is.

De projector staat nog aan. Dolarhyde blijft zitten met de film tussen zijn handen terwijl voor hem op het witte scherm andere beelden bewegen op de lange zucht van de wind.

Hij is niet vervuld van wraakgevoelens, alleen van liefde en gedachten aan de komende gloriedaad, harten die zwakker en sneller gaan kloppen, als wegstervende, vluchtende voetstappen.

Hij ongeremd. Hij ongeremd, vervuld van liefde, terwijl de Shermans die zich voor hem openen.

Het verleden dringt zich niet aan hem op, alleen de gloriedaad die gaat komen. Hij denkt niet aan het huis van zijn moeder. Zijn bewuste herinneringen aan die tijd stellen eigenlijk weinig voor en zijn erg vaag.

Toen Dolarhyde ergens in de twintig was, verdwenen de herinneringen aan het huis van zijn moeder en lieten slechts een olievlek op het oppervlak van zijn geest achter. Hij wist dat hij daar maar een maand had gewoond. Hij wist niet meer dat hij op negenjarige leeftijd was weggestuurd omdat hij Victoria's kat had opgehangen.

Een van de weinige beelden die waren blijven hangen, waren die van het huis zelf, verlicht, gezien vanaf de straat in de winterse schemering als hij er langskwam op weg van de lagere school Potter Gerard naar het huis anderhalve kilometer verderop, waar hij was ondergebracht.

Hij kon zich de geur herinneren van de bibliotheek van Vogt, als een piano die net was geopend, toen zijn moeder hem daar ontving om hem wat spulletjes voor de vakantie mee te geven. Hij herinnerde zich niet de gezichten voor de ramen van de bovenverdieping toen hij wegliep over het bevroren trottoir met de praktische geschenken die leken te branden onder zijn arm, zich huiswaarts haastend naar een plek in zijn gedachten die totaal verschilde van St. Louis.

Toen hij elf was, had hij een actief en intens fantasieleven en als de druk van zijn liefde te groot werd, bevrijdde hij die. Hij leefde zich uit op huisdieren, waarbij hij met kille blik de gevolgen overzag. Ze waren zo mak, dat het heel gemakkelijk was. Nooit bracht de politie de kleine bloedspetters op de smerige vloeren van garages met hem in verband.

Op zijn tweeënveertigste herinnerde hij zich dat niet meer. Evenmin dacht hij toen ooit nog aan de mensen in het huis van zijn moeder: zijn moeder, zijn stiefzusjes en zijn stiefbroer.

Soms zag hij hen in zijn slaap tijdens de briljante fragmenten van een koortsdroom, veranderd en groot. Met gezichten en lichamen in felle papegaaienkleuren bogen ze zich als roofsprinkhanen over hem heen.

Als hij een bespiegelende bui had, hetgeen zelden gebeurde, had hij vele plezierige herinneringen. Die betroffen zijn militaire diensttijd.

Toen hij op zeventienjarige leeftijd was betrapt terwijl hij via een raam het huis van een vrouw binnendrong om redenen die nooit waren vastgesteld, had hij mogen kiezen tussen het leger en de gevangenis. Hij koos voor het leger.

Na de basistraining werd hij naar de opleiding voor donkere-kamerspecialisten gestuurd en naar San Antonio overgeplaatst, waar hij in het Brooke Army Hospital aan opleidingsfilms voor de geneeskundige dienst werkte.

Hij trok de aandacht van chirurgen van het Brooke-ziekenhuis, die besloten om zijn gezicht te verbeteren.

Ze voerden plastische chirurgie uit op zijn neus, waarbij ze kraakbeen uit het oor gebruikten om de columella te verlengen, en herstelden zijn lip met behulp van een interessante Abbé-flapprocedure, die een hele drom artsen naar de operatiezaal trok om de operatie te volgen.

De chirurgen waren trots op het resultaat. Dolarhyde weigerde in de spiegel te kijken en richtte zijn blik door het raam naar buiten.

Uit aftekenlijsten van de filmotheek bleek dat Dolarhyde een groot aantal films meenam, voornamelijk over letsel, die hij pas de volgende dag terugbracht.

In 1958 nam hij vrijwillig dienst in het leger en tijdens deze tweede diensttijd ontdekte hij Hongkong. Hij was gelegerd in Seoel, Korea, waar hij films ontwikkelde van de kleine verkenningsvliegtuigen die het leger aan het eind van de jaren vijftig uitzond over de achtendertigste breedtecirkel, en was tweemaal in de gelegenheid om met verlof naar Hongkong te gaan. Hongkong en Kowloon konden in 1959 elke honger stillen.

In 1961 werd grootmoeder uit de zenuwinrichting ontslagen. Twee maanden voor hij zou afzwaaien vroeg en kreeg Dolarhyde ontslag uit de dienst wegens bijzondere omstandigheden. Hij ging naar huis om voor haar te zorgen.

Ook voor hem volgde nu een merkwaardig vreedzame periode. Door zijn nieuwe baan bij Gateway kon Dolarhyde een vrouw in dienst nemen om overdag voor grootmoeder te zorgen. 's Avonds zaten ze samen zwijgend in de mooie kamer bij elkaar. De stilte werd alleen onderbroken door het tikken en het galmen van de oude klok.

Hij zag zijn moeder één keer terug, in 1970, bij de begrafenis van grootmoeder. Met zijn gele ogen, die ontstellend sterk op de hare geleken, keek hij dwars door haar heen, langs haar heen. Ze had een vreemde kunnen zijn.

Zijn uiterlijk verraste zijn moeder. Hij had een brede borst en zag er keurig uit. Hij had haar mooie teint en een verzorgde snor, die, naar ze vermoedde, bestond uit getransplanteerd hoofdhaar.

De daaropvolgende week belde ze hem één keer op en hoorde hoe de hoorn langzaam weer op het toestel werd gelegd.

Gedurende negen jaar na grootmoeders dood leefde Dolarhyde onbezorgd en bezorgde hij niemand last. Zijn voorhoofd vertoonde geen enkele rimpel. Hij wist dat hij wachtte. Waarop wist hij niet. Een onbeduidende gebeurtenis, die iedereen weleens overkomt, vertelde de kiem onder zijn schedel dat het tijd was: hij stond bij een raam op het noorden een strook film te bekijken, toen hij de veroudering van zijn handen opmerkte. Het was alsof zijn handen, die de film vasthielden, zich opeens aan hem openbaarden en in het heldere licht zag hij dat de huid over de beenderen en pezen was verslapt en dat de huid van zijn handen droge, diamantvormige rimpeltjes vertoonde zo klein als de schubben van een hagedis.

Toen hij ze in het licht hield, werd hij overspoeld door een doordringende geur van kool en gestoofde tomaten. Hij huiverde, hoewel het warm was in de kamer. Die avond trainde hij zwaarder dan gewoonlijk.

Tegen de muur van Dolarhydes gymnastiekruimte op zolder was naast zijn halters en gewichten een langwerpige spiegel tegen de muur bevestigd. Het was de enige spiegel in het huis en hij kon zijn lichaam er op zijn gemak in bewonderen omdat hij tijdens zijn training altijd een masker droeg.

Hij bekeek zichzelf aandachtig terwijl zijn spieren zich spanden. Op zijn veertigste had hij gemakkelijk kunnen meedoen aan regionale kampioenschappen bodybuilding. Toch was hij niet tevreden.

Nog voor de week voorbij was, stuitte hij toevallig op het schilderij van Blake. Het trof hem dadelijk.

Hij zag het op een grote kleurenfoto in *Time Magazine*, als illustratie bij een artikel over de Blake-retrospectief in de Tate Gallery in Londen. Het Brooklyn Museum had voor de tentoonstelling *De grote rode draak en de vrouw bekleed met de zon* naar Londen gestuurd.

Het commentaar van de criticus van *Time* luidde: 'Weinig demonische afbeeldingen in de westerse kunst stralen een dermate sterke nachtmerrieachtig geladen seksualiteit uit...' Dolarhyde hoefde de tekst niet te lezen om dit vast te stellen.

Dagenlang droeg hij de foto bij zich, 's avonds laat fotografeerde en vergrootte hij de afbeelding in de donkere kamer. Het merendeel van de tijd was hij opgewonden. Hij hing de afbeelding naast de spiegel in zijn trainingsruimte en staarde ernaar terwijl hij de gewichten hief. Hij kon alleen in slaap komen als hij zich tot het uiterste had ingespannen en, al kijkend naar zijn medische films, zichzelf bevredigde.

Sinds zijn negende jaar wist hij dat hij in wezen alleen stond en dat hij altijd alleen zou zijn, een conclusie die eerder bij iemand van veertig past.

Nu hij veertig was, werd hij gegrepen door een fantasieleven met de glans en de frisheid en intensiteit van de jeugd. Hij was niet langer slechts alleen.

Op een tijdstip waarop andere mannen voor het eerst hun afzondering zien en vrezen, begon Dolarhyde de zijne te begrijpen: hij was alleen omdat hij uniek was. Door het vuur van bekering zag hij dat als hij eraan bleef werken, als hij de ware prikkels die hij zo lang had onderdrukt volgde en ze cultiveerde als de inspiraties die ze werkelijk waren, hij kon Worden.

Het gezicht van de Draak is op de schildering niet zichtbaar, maar het werd Dolarhyde steeds duidelijker hoe dat eruit moest zien.

Terwijl hij in de zitkamer naar zijn medische films keek, buiten adem van het gezwoeg met de gewichten, sperde hij zijn kaken wijd van elkaar om grootmoeders gebit in zijn mond te stoppen. Het paste niet tegen zijn gespleten gehemelte en zijn kaken deden al snel pijn.

Elk vrij moment werkte hij aan zijn kaken. Hij beet op een hard rubberen blokje tot de spieren als walnoten zijn wangen deden uitpuilen.

In de herfst van 1979 nam Francis Dolarhyde een deel van zijn aanzienlijke hoeveelheid spaargeld op en nam drie maanden verlof bij Gateway. Hij ging naar Hongkong en hij nam de tanden van zijn grootmoeder mee.

Toen hij terugkwam, waren de roodharige Eileen en zijn overige collega's het er roerend over eens dat de vakantie hem goed had gedaan. Hij was rustig. Het viel hun nauwelijks op dat hij niet langer gebruik maakte van de kleedkamer of de douche voor het personeel – dat had hij voor die tijd ook niet zo vaak gedaan.

Het gebit van zijn grootmoeder lag weer in het glas naast haar bed. Zijn eigen, nieuwe gebit lag achter slot en grendel in zijn bureau boven.

Als Eileen hem had kunnen zien voor zijn spiegel, de tanden op hun plaats, de nieuwe tatoeage in het felle licht in zijn trainingsruimte, zou ze gegild hebben. Eén keer.

Hij had nu de tijd, hij hoefde zich niet meer te haasten. Hij had de eeuwigheid. Het duurde vijf maanden voor hij zijn keus op de Jacobi's liet vallen.

De Jacobi's waren de eersten die hem zouden helpen, de eersten die hem zouden opheffen in de Glorie van zijn Wording. De Jacobi's waren beter dan wat ook, beter dan alles wat hij ooit gekend had.

Tot de familie Leeds.

En nu, terwijl hij groeide in kracht en glorie, waren daar de Shermans en de nieuwe intimiteit van het infrarood. Uiterst veelbelovend...

29

Francis Dolarhyde moest zijn eigen territorium bij Gateway Film Processing verlaten om te bemachtigen wat hij nodig had.

Dolarhyde was hoofd productie van Gateways grootste afdeling – de afdeling waar familiefilms werden ontwikkeld – maar er waren nog vier andere afdelingen.

De economische malaise van de jaren zeventig sloeg een diepe bres in de productie van familiefilms en de videorecorders leverden een steeds grotere concurrentie. Gateway moest uitbreiden.

Het bedrijf richtte afdelingen op waar films op videoband werden gezet, waar luchtfoto's afgedrukt werden en waar service verleend werd aan kleine commerciële filmmakers.

In 1979 kreeg Gateway een buitenkansje. Met het ministerie van defensie en het ministerie van energie werden contracten gesloten voor het ontwikkelen en testen van nieuwe emulsies voor infraroodfotografie.

Het ministerie van energie wilde gevoelige infraroodfilm voor haar studie van warmtebehoud; Defensie wilde het voor nachtelijke verkenningen.

Eind 1979 kocht Gateway een klein bedrijf – Baeder Chemicals – dat gehuisvest was in een belendend gebouw en startte daar met het project.

Tijdens zijn lunchpauze liep Dolarhyde onder een stralend blauwe hemel naar Baeder, voorzichtig om de reflecterende plassen heen stappend. Lounds' dood had hem in een uitstekend humeur gebracht.

Iedereen bij Baeder scheen te zijn gaan lunchen.

Hij vond de deur die hij zocht aan het eind van een wirwar van gangen. Op het bordje naast de deur stond: VOOR INFRAROOD GEVOELIGE APPARATUUR IN WERKING. GEEN VEILIGHEIDSLAMPEN, NIET ROKEN, GEEN WARME DRANKJES. Boven het bordje brandde een rood lampje.

Dolarhyde drukte op een knop en even later sprong het lampje op groen. Hij betrad de lichtsluis en klopte op de binnendeur.

'Kom verder.' Een vrouwenstem.

Koele, volslagen duisternis. Het gegorgel van water, de vertrouwde geur van de D-76 ontwikkelaar en een zweem van parfum.

'Ik ben Francis Dolarhyde. Ik kom vanwege de droger.'

'O, prima. Sorry, maar ik heb een volle mond. Ik was bijna klaar met lunchen.'

Hij hoorde hoe papier tot een prop werd geknepen en vervolgens in een prullenmand werd gegooid.

'Eigenlijk had Ferguson om de droger gevraagd,' zei de stem in de duisternis. 'Hij is met vakantie, maar ik weet waar hij heen moet. Heeft u er een bij Gateway?'

'Ik heb er twee. De ene is groter dan de andere. Hij zei niet hoeveel ruimte hij heeft.' Weken geleden had Dolarhyde een memo gezien over het drogerprobleem.

'Als u het niet erg vindt om eventjes te wachten, zal ik het u laten zien.'

'Uitstekend.'

'Ga met uw rug tegen de deur staan' – haar stem had de klank aangenomen van een ervaren docent – 'doe drie passen naar voren tot u de tegels onder uw voeten voelt. Daar vindt u aan uw linkerhand een kruk.'

Hij vond de kruk. Hij was nu dichter bij haar. Hij kon het geritsel van haar laboratoriumschort horen.

'Bedankt dat u gekomen bent,' zei ze. Ze had een heldere stem, waarin iets hards doorklonk. 'U bent hoofd van de ontwikkelafdeling in het grote gebouw, hè?'

'Inderdaad.'

'Dezelfde "Hr. D." die de uitbranders uitdeelt als de aanvraagformulieren verkeerd zijn opgeborgen?'

'Dezelfde.'

'Ik ben Reba McClane. Ik hoop dat hier niets mis is.'

'Daar heb ik niets meer mee te maken. Ik heb alleen de indeling van de donkere kamer gemaakt toen we dit bedrijf hadden gekocht. Ik ben hier in geen zes maanden geweest.' Een lange toespraak voor zijn doen, maar makkelijker in het donker.

'Nog een minuutje en dan kan het licht weer aan. Hebt u een centimeter nodig?'

'Ik heb er een.'

Dolarhyde vond het prettig in het donker met de vrouw te praten. Hij hoorde hoe ze in een tas rommelde, het dichtklikken van een poederdoos.

Hij vond het jammer toen de timer rinkelde.

'Daar gaat-ie dan. Ik zal dit spul in het Zwarte Gat stoppen,' zei ze.

Hij voelde een koude luchtstroom, hoorde het dichtslaan van een deurtje met rubberen sluitranden en het gesis van een vacuümslot. Een zuchtje wind en parfum beroerde hem toen ze langs hem heen liep.

Dolarhyde duwde zijn knokkel onder zijn neus, trok een bedachtzaam gezicht en wachtte tot het licht aanging.

Toen dat gebeurde, stond ze glimlachend bij de deur met haar gezicht in de richting waar ze hem vermoedde. Haar ogen maakten kleine, onwillekeurige bewegingen achter haar gesloten oogleden. In de hoek stond een witte stok met rode banden. Hij haalde zijn hand voor zijn gezicht weg en glimlachte.

'Zou ik een pruim mogen pakken?' vroeg hij. Er lagen er een aantal op de lange tafel waaraan ze had zitten werken.

'Natuurlijk. Ze zijn heerlijk.'

Reba McClane was ongeveer dertig jaar. Ze had een knap, goedgevormd gezicht dat een vastberaden uitdrukking vertoonde. Op de brug van haar neus zat een klein stervormig litteken. Haar haar was een mengeling van tarwe en roodgoud, geknipt in een page-kopje dat een wat ouderwetse indruk maakte. De zon had haar handen van gezellige sproetjes voorzien. Tegen de achtergrond van de tegels en het roestvrije staal van de donkere kamer leek ze te schitteren als de herfst.

Hij kon haar onbelemmerd gadeslaan. Even vrij als de lucht kon hij zijn blik over haar heen laten glijden. Ze was niet in staat blik-ken te ontwijken.

Dolarhyde voelde vaak warme plekjes, prikkelende plekjes, op zijn huid als hij met een vrouw praatte. Die kropen over zijn lichaam naar iedere plaats waar de vrouw volgens hem naar keek. Zelfs als een vrouw haar blik van hem afwendde, dacht hij dat ze zijn weer-spiegeling kon zien. Hij was zich altijd bewust van reflecterende oppervlakken. Hij kende de gevaren van reflectie zoals een haai de zandbanken kent.

Zijn huid was nu koel. De hare was sproeterig, als parelmoer bij haar hals en de binnenkant van haar polsen.

'Ik zal u de kamer laten zien waar hij hem wil neerzetten,' zei ze. 'We kunnen hem wel vast opmeten.'

Ze namen de maat.

'Nu wil ik u om een gunst vragen,' zei Dolarhyde.

'Zeg het maar.'

'Ik heb wat infraroodfilm nodig. Goede film, gevoelig op ongeveer duizend nanometer.'

'U zult het in de diepvries moeten bewaren en het er na het ma-ken van de opnamen ook weer in terugdoen.'

'Dat weet ik.'

'Kunt u me een indruk van de condities geven? Dan kan ik mis-schien...'

'Opnamen op een afstand van ongeveer twee meter, met Wratten-filters voor de lampen.' Het klonk te zeer als een politiecontrole. 'In de dierentuin,' zei hij. 'Ze willen de nachtdieren filmen.'

'Dat moet dan wel erg spookachtig zijn als ze het gangbare infra-rood niet kunnen gebruiken.'

'Dat zal best.'

'Ik denk dat we dat wel kunnen regelen. Maar u zult ervoor moe-ten tekenen. Er mag hier niets de deur uit zonder dat daarvoor ge-tekend is.'

'Prima.'

'Wanneer hebt u het nodig?'

'Rond de twintigste. Niet later.'

'U zult het beslist weten, maar ik zeg het toch maar: hoe gevoeliger de film, des te ingewikkelder de manier om ermee om te gaan. U krijgt te maken met koelers, droog ijs, noem maar op. Om een uur of vier uur gaan ze een aantal monsters bekijken. Als u wilt, kunt u meekijken, dan kunt u de voor uw doeleinden beste emulsie uitzoeken.'

'Ik zal er zijn.'

Reba McClane telde haar pruimen toen Dolarhyde vertrokken was. Hij had er eentje gepakt.

Vreemde man, die meneer Dolarhyde. Ze had geen enkele vervelende pauze van medeleven of bezorgdheid in zijn stem gehoord toen ze het licht had aangedaan. Misschien had hij al geweten dat ze blind was. Of nog beter, misschien kon het hem geen barst schelen.

Dat zou een verademing zijn.

30

In Chicago was de begrafenis van Freddy Lounds aan de gang. *The National Tattler* betaalde de uitgebreide dienst en zorgde ervoor dat die op donderdag, de dag na zijn dood, kon plaatsvinden. Dan zouden de foto's gepubliceerd kunnen worden in de *Tattler*-editie van donderdagavond.

De uitvaartdienst in de kapel duurde lang en naast het graf kwam er ook geen eind aan.

Een radioprediker hield een eindeloos lange, overdreven sentimentele lofrede. Graham liet zich op de vettige golven van zijn kater wiegen en probeerde de toegestroomde menigte te bestuderen. Het gehuurde koor aan het graf weerde zich dapper terwijl de camera's van de *Tattler*-fotografen snorden. Er waren twee tv-ploegen aanwezig met vaste camera's. Politiefotografen met perskaarten fotografeerden de mensenmassa.

Graham herkende verscheidene agenten in burger van Moordzaken uit Chicago. Het waren de enige gezichten die hem iets zeiden. En daar was Wendy van Wendy City. Lounds' vriendin. Ze zat onder de overkapping, het dichtst bij de kist. Graham herkende haar nauwelijks. Haar blonde pruik was in haar nek tot een knot gebonden en ze droeg een zwart, getailleerd mantelpakje.

Tijdens de laatste hymne stond ze op, liep wankel naar voren, knielde en legde haar hoofd op de lijkkist, haar armen uitgestrekt over de deken van chrysanten terwijl de cameralampen opflitsten.

Terwijl de mensenmassa zich over het natte gras naar de hekken van het kerkhof begaf, werd er weinig gesproken.

Graham ging naast Wendy lopen. Een menigte van niet-genodigden staarde hen door de tralies van de hoge ijzeren hekken na.

'Hoe voel je je?' vroeg Graham.

Ze bleven tussen de grafstenen staan. Haar ogen waren droog, haar blik vast.

'Beter dan jij,' zei ze. 'Je hebt je bezat, hè?'

'Ja. Word je in de gaten gehouden?'

'De politie heeft wat mensen gestuurd. In de club lopen agenten in burger rond. Het is er nu druk. Meer rare vogels dan anders.'

'Het spijt me dat je dit moest meemaken. Je was... in het ziekenhuis was je geweldig. Bewonderenswaardig.'

Ze knikte. 'Freddy was een fijne vent. Hij had niet op zo'n afschuwelijke manier aan zijn einde moeten komen. Bedankt dat je me bij hem hebt gelaten.' Ze staarde in de verte en knipperde in gedachten verzonken met haar ogen, terwijl de oogschaduw als steengruis op haar oogleden plakte. Ze keek Graham aan. 'Hoor eens, de *Tattler* heeft me betaald. Dat had je vast al begrepen. Voor een interview en die duik op de kist. Ik denk niet dat Freddy het erg zou vinden.'

'Hij zou de pest in hebben gehad als je die kans had laten lopen.'

'Dat dacht ik ook. Het zijn etterbakken, maar ze betalen goed. Waar het om gaat is dat ze hebben geprobeerd me te laten zeggen dat jij dit monster met opzet op Freddy's spoor hebt gebracht door die kameraadschappelijke pose op die foto. Ik heb het niet gezegd. Als ze schrijven van wel, dan is dat gelogen.'

Graham zei niets terwijl ze zijn gezicht afspeurde.

'Je mocht hem niet, misschien... nou ja, het doet er niet toe. Maar als je had vermoed dat dit zou gebeuren, zou je toch de kans hebben aangegrepen om de Tandenfee te pakken, hè?'

'Ja, Wendy, dan zou ik Freddy dag en nacht hebben laten bewaken.'

'Heb je enige aanwijzing? Ik hoor alleen maar geruchten.'

'We hebben niet veel. Wat aanknopingspunten uit het lab. Die dingen trekken we na. Het was goed doordacht en hij heeft geluk gehad.'

'En jij?'

'Wat bedoel je?'

'Heb jij vaak geluk?'

'Dat wisselt.'

'Freddy heeft nooit geluk gehad. Hij vertelde me dat hij hiermee binnen zou lopen. Grootse deals had hij gesloten.'

'Dat zou hem ongetwijfeld gelukt zijn.'

'Hoor eens, Graham. Als je ooit, nou ja, trek hebt in een borrel, die heb ik wel staan.'

'Bedankt.'

'Maar zorg dat je buiten de deur nuchter blijft.'

'Maak je geen zorgen.'

Twee politieagenten maakten de weg vrij voor Wendy tussen de sensatiezoekers door aan de andere kant van het hek. Een van de nieuwsgierigen droeg een t-shirt met opdruk 'JE DOET HET MAAR ÉÉN KEER MET DE TANDENFEE'. Hij floot naar Wendy. De vrouw naast hem gaf hem een klap in het gezicht.

Een forse politieman perste zich naast Wendy in haar wagen en ze begaf zich in het verkeer. Een tweede politieman volgde in een neutrale wagen.

Chicago rook als afgeschoten vuurwerk op een warme namiddag. Graham voelde zich eenzaam en hij wist hoe dat kwam: begrafenissen doen ons vaak verlangen naar seks – als tarting van de dood. De dorre bloemstengels van een bloemstuk op een graf ritselden in de wind. Een moeilijk moment lang herinnerde hij zich de ritselende palmbladeren in de zeewind. Hij wilde verschrikkelijk graag naar huis, maar wist dat hij dit niet zou doen, niet kon doen voordat de Draak dood was.

3 1

De projectieruimte van Baeder Chemicals was klein – vijf rijen vouwstoelen met een looppad ertussen.

Dolarhyde arriveerde laat. Hij stond achterin met zijn armen over elkaar terwijl ze grijze kaarten, gekleurde kaarten en verschillend belichte kubussen vertoonden, op allerlei infrarood-emulsies gefilmd.

Zijn aanwezigheid stoorde Dandridge, de jonge man die met de leiding was belast. Tijdens zijn werk had Dolarhyde een air van gezag over zich. Hij was de erkende doka-expert van de moedermaatschappij naast Baeder en hij stond bekend als een perfectionist.

Dandridge had hem in geen maanden geconsulteerd, een kleingeestige rivaliteit die was ontstaan vanaf het moment dat Gateway Baeder Chemicals had opgekocht.

'Reba, alsjeblieft, de bijzonderheden over monster... acht,' zei Dandridge.

Reba McClane zat aan het einde van een rij stoelen met een klembord op haar schoot. Terwijl haar vingers in het halfduister over het bord gleden, schetste ze met heldere stem de technieken van de ontwikkeling – chemicaliën, temperatuur en tijd alsmede opslagprocedures voor en na het filmen.

Infraroodgevoelige film moest in volslagen duisternis gehanteerd worden. Reba had al het dokawerk verricht, waarbij ze de vele monsters uit elkaar hield door een tastcode en in het donker haar bevindingen noteerde. Haar waarde voor Baeder was overduidelijk.

De filmvertoning duurde tot na einde werktijd.

Reba McClane bleef zitten terwijl de anderen het zaaltje verlieten. Dolarhyde benaderde haar omzichtig. Hij sprak haar vanaf een afstand toe terwijl er nog anderen in het vertrek waren. Hij wilde haar niet het gevoel geven dat ze werd gadegeslagen.

'Ik dacht al dat u het niet had gered,' zei ze.

'Er was storing in een apparaat. Daardoor was ik zo laat.'

De lichten waren aan. Haar schedelhuid glansde in de scheiding van haar kapsel toen hij naast haar stond en op haar neerkeek.

'Heeft u het 1000c-monster gezien?'

'Ja.'

'Ze zeiden dat het er goed uitzag. Daarmee is veel makkelijker te werken dan met de 1200-serie. Denkt u dat die voor uw doeleinden geschikt is?'

'Ja.'

Ze had haar handtas en een regenjas bij zich. Hij ging wat achteruit toen ze opstond. Ze scheen geen hulp te verwachten. Hij bood die ook niet aan.

Dandridge stak zijn hoofd om de deur. 'Reba, liefje, Marcia had haast. Red je het verder zelf?'

Er verschenen rode vlekjes op haar wangen. 'Ik kan me uitstekend redden. Dank je, Danny.'

'Als ik niet al zo laat was, zou ik je wel thuisbrengen. Ach, meneer Dolarhyde, als het niet te veel moeite is, kunt u misschien...'

'Danny, ik heb al een lift naar huis!' Ze hield haar boosheid in. De taal van gelaatsuitdrukkingen was haar niet vergund, dus hield ze haar gezicht ontspannen. Haar blos had ze evenwel niet onder controle.

Dolarhyde bezag haar met zijn kille, gele ogen en kon haar woede maar al te goed begrijpen. Hij wist dat Dandridges stumperige medegevoel voor haar aanvoelde alsof iemand haar in het gezicht spuwde.

'Ik breng u wel naar huis,' zei hij, rijkelijk laat.

'Nee. Maar evengoed bedankt.' Ze had wel gedacht dat hij het zou aanbieden en was ook van plan geweest zijn aanbod te accepteren. Maar ze wilde niet dat het iemand werd opgedrongen. Die vervloekte Dandridge, met zijn vervloekte stunteligheid. Ze zou verdomme met de bus gaan! Ze had kleingeld bij zich en ze kende de weg en ze kon verdorie gaan en staan waar ze wilde!

Ze bleef net zo lang in het damestoilet tot ze dacht dat iedereen weg was. De conciërge liet haar uit.

Ze volgde de opstaande rand langs het parkeerterrein naar de bushalte, haar regenjas over haar schouders, terwijl ze met haar blindenstok voor zich uit en zijwaarts tikte, waardoor ze ook de regenplassen wist te vermijden.

Dolarhyde sloeg haar vanuit zijn busje gade. Zijn gevoelens maakten hem onrustig. Die waren gevaarlijk op klaarlichte dag.

In het licht van de ondergaande zon veranderde het weerkaatste zonlicht op de voorruit, op de plassen en op de stalen kabels hoog boven zijn hoofd heel even in de flits van een schaar.

Haar witte stok stelde hem op zijn gemak. Die vervaagde de schittering van de schaar en wiste de schaar uit zijn gedachten tot alleen het besef dat hij van haar niets te vrezen had overbleef. Hij startte de motor.

Reba hoorde de wagen achter zich. Nu was hij naast haar.

'Bedankt voor de uitnodiging.'

Ze knikte, glimlachte en liep tikkend met haar stok verder.

'Mag ik u een lift aanbieden?'

'Nee, dank u, ik ga altijd met de bus.'

'Dandridge is een dwaas. Stap in...' *wat moet je in zo'n geval zeggen?* – 'het zou mij een plezier doen.'

Ze bleef staan. Ze hoorde hem uit de wagen stappen.

De mensen pakten meestal haar arm beet omdat ze niet wisten wat ze anders moesten doen. Blinde mensen vinden het niet prettig als hun evenwicht op die manier wordt verstoord. Dat is voor hen even onaangenaam als het staan op een wiebelige weegschaal. Net als ieder ander vinden ze het niet prettig om voortgedreven te worden.

Hij raakte haar niet aan. Even later zei ze: 'Het is het makkelijkst als ik uw arm vasthoud.'

Ze had een ruime ervaring met onderarmen, maar de zijne verraste haar vingers. Zijn arm was zo hard als een eikenhouten trapleuning.

Ze kon niet vermoeden hoeveel het van zijn zenuwen vergde zich door haar te laten aanraken.

Het busje voelde groot en hoog aan. Omgeven door weerklanken en echo's die anders waren dan die van een auto, hield ze zich aan de zijkanten van de kuipstoel vast tot Dolarhyde haar veiligheidsgordel had vastgemaakt. De diagonale schoudergordel drukte tegen een van haar borsten. Ze verschoof de gordel zo dat die tussen haar borsten kwam te zitten.

Ze spraken weinig tijdens de rit. Wanneer ze voor de rode stoplichten moesten wachten, kon hij haar goed bekijken.

Ze bewoonde de linkerhelft van een duplexwoning in een rustige straat vlak bij Washington University.

'Kom binnen nog even wat drinken.'

Dolarhyde was in zijn leven in niet meer dan een twaalftal particuliere woningen geweest. Gedurende de afgelopen tien jaar waren dat er vier geweest: zijn eigen huis, heel kort in dat van Eileen, dat van de familie Leeds en dat van de Jacobi's. De huizen van andere mensen waren voor hem uitheems.

Ze voelde de wagen schokken toen hij uitstapte. Haar portier ging open. Het was een hoge stap vanuit de wagen. Ze botste zacht tegen hem aan. Het was alsof ze tegen een boom opliep. Hij was veel zwaarder, veel steviger dan ze aan de hand van zijn stem en zijn voetstappen gedacht had. Stevig en met een lichte pas. Ze had eens een rugbyspeler ontmoet die met een stel blinde kinderen een wervingsfilm wilde maken.

Zodra ze binnen was, zette Reba haar stok in een hoek en bewoog ze zich opeens vrijelijk door het huis. Moeiteloos liep ze rond, zette muziek op en hing haar jas aan de kapstok.

Dolarhyde moest zichzelf eraan herinneren dat ze blind was. Het wond hem op dat hij nu ergens binnen was.

'Een gin-tonic?'

'Alleen tonic, graag.'

'Of hebt u liever vruchtensap?'

'Tonic.'

'U bent geen drinker, hè?'

'Nee.'

'Kom mee naar de keuken.' Ze opende de koelkast. 'Zin in...' snel maakte ze met haar handen de inventaris op, '...een stukje taart? Pecannoten, hij is verrukkelijk.'

'Graag.'

Ze pakte een hele taart uit de koelkast en legde die op het aanrecht.

Met haar handen recht naar beneden spreidde ze haar vingers om de randen van de taart zodat haar middelvingers op negen en drie uur kwamen te liggen. Vervolgens drukte ze de toppen van haar duimen tegen elkaar en bracht ze naar beneden om het midden van de taart te bepalen. Het middelpunt markeerde ze met een tandenstoker.

Dolarhyde probeerde een gesprek op gang te houden zodat ze niet zou voelen dat hij naar haar zat te staren. 'Hoe lang werkt u al voor Baeder?' Geen s'en in dat zinnetje.

'Drie maanden. Wist u dat niet?'

'Ze vertellen me niet veel.'

Ze grinnikte. 'Waarschijnlijk bent u op een paar tenen gaan staan toen u de donkere kamers ontwierp. Maar de technici zijn u er dankbaar voor, hoor. Het sanitair werkt en er zijn voldoende stopcontacten.'

Ze legde de middelvinger van haar linkerhand op de tandenstoker, haar duim op de rand van de taart en sneed een stukje voor hem af, waarbij ze het mes met haar linkerwijsvinger begeleidde. Hij keek toe hoe ze het glanzende mes hanteerde. Gek dat hij nu van zo dichtbij naar een vrouw kon kijken zoveel hij maar wilde. Hoe vaak is het mogelijk om in gezelschap te kijken naar wat je wilt zien?

Ze had voor zichzelf een stevige gin-tonic ingeschonken en ze liepen nu naar de huiskamer. Ze streek met haar hand langs een staande schemerlamp, voelde geen warmte en knipte hem aan.

Dolarhyde had zijn taart in drie happen op en zat stijfjes op de bank, zijn handen op zijn knieën en zijn sluike haar glanzend onder het licht van de lamp.

Ze legde haar hoofd tegen de rugleuning van haar stoel en legde haar voeten op een klein bankje.

'Wanneer gaan ze filmen in de dierentuin?'

'Volgende week misschien.' Hij was blij dat hij de dierentuin had gebeld en de infraroodfilm had aangeboden: Dandridge zou het misschien nagaan.

'Het is een grote dierentuin. Ik ben er met mijn zuster en mijn nichtje geweest toen ze hier waren om me bij de verhuizing te helpen. Ze hebben een ruimte waar je de dieren kunt aanraken, weet u. Ik heb een lama geaaid. Hij voelde prettig aan, maar praat me niet van de geur... Ik had het gevoel dat die lama nog steeds bij me was tot ik andere kleren had aangetrokken!'

Dit was een Gesprek Voeren. Hij moest iets terugzeggen, of weggaan. 'Hoe bent u bij Baeder terechtgekomen?'

'Ze hebben een advertentie opgehangen in het Reiker Institute in Denver, waar ik werkte. Op een dag keek ik op het mededelingenbord en zag toevallig deze baan. Het kwam er eigenlijk op neer dat Baeder het personeelsbestand moest aanpassen, wilde het zijn contract met Defensie houden. Ze kregen het voor elkaar om zeven vrouwen, drie zwarten, drie chicano's, een oosterse, een invalide, en mij aan te nemen voor een totaal van acht posities. Ieder van ons valt namelijk onder twee categorieën.'

'Baeder heeft het bijzonder met u getroffen.'

'Met de anderen ook. Baeder geeft niets cadeau.'

'En voordien?' Hij transpireerde een beetje. Conversatie voeren was moeilijk. Het kijken daarentegen was fijn. Ze had mooie benen. Bij het scheren van haar benen had ze haar enkel opengehaald. Hij voelde het gewicht van haar benen over zijn arm, slap bungelend.

'Na mijn schooltijd heb ik tien jaar lang bij het Reiker Institute in Denver mensen opgeleid die pas blind waren geworden. Dit is mijn eerste baan buiten.'

'Buiten wat?'

'Buiten, in de grote wijde wereld. Bij Reiker leefden we erg geïsoleerd. Ik bedoel, we leidden mensen op om zich te kunnen redden in de wereld van de ziende mensen, terwijl we zelf niet tussen deze mensen woonden. We waren te veel onder elkaar. Ik wilde er weg en eens naar iets anders uitkijken. Eigenlijk was ik van plan spraaklerares te worden bij kinderen met spraak- en gehoorstoornissen. Waarschijnlijk doe ik dat nog weleens.' Ze dronk haar glas leeg. 'Zeg, ik heb nog een krabschotel klaarstaan. Heerlijk! Ik had natuurlijk nooit met zoetigheid moeten beginnen. Zin in een hapje?'

'Graag.'

'Kunt u koken?'

'Ja.'

Er verscheen een smalle rimpel op haar voorhoofd. Ze ging naar de keuken. 'Ook koffie?' riep ze.

'Nee.'

Ze maakte wat opmerkingen over de prijzen van de levensmiddelen en kreeg geen antwoord. Ze kwam terug in de huiskamer en ging op het voetenbankje zitten, haar ellebogen steunend op haar knieën.

'Laten we er even over praten en het dan vergeten. Oké?'

Stilte.

'U doet uw mond niet meer open. Om precies te zijn: nadat ik het over spraaklessen heb gehad, hebt u geen zin meer gesproken.' Haar stem klonk vriendelijk, maar vastberaden. Er klonk geen spoortje van medelijden in door. 'Ik kan u goed verstaan omdat u erg duidelijk spreekt en omdat ik luister. Mensen kunnen niet luisteren. Steeds maar weer vragen ze me: *Wat? Wat zeg je?* Als u niet wilt praten... best. Maar ik hoop dat u wel iets zult zeggen. Want praten kunt u heel goed en ik ben geïnteresseerd in wat u te vertellen hebt.'

'Fijn. Dat is goed,' zei Dolarhyde zachtjes. Kennelijk was deze korte toespraak erg belangrijk voor haar. Inviteerde ze hem soms om toe te treden tot de twee-categorieënclub van haar en die Chinese invalide? Hij vroeg zich af wat zijn tweede categorie was.

Haar volgende opmerking vervulde hem met ongeloof.

'Mag ik uw gezicht aanraken? Ik wil graag weten of u glimlacht of boos kijkt.' Ze klonk nu ironisch. 'Ik wil weten of ik m'n mond moet houden of niet.'

Ze bracht haar hand omhoog en wachtte.

Hoe goed zou ze zich met afgebeten vingers kunnen redden? mijmerde Dolarhyde. Zelfs met zijn oude tanden zou hem dat even gemakkelijk afgaan als het afhappen van soepstengels. Als hij zijn voeten stevig op de grond zette, met zijn hele gewicht tegen de rugleuning van de bank leunde en zijn beide handen om haar pols klemde, zou ze zich nooit op tijd kunnen losrukken. Knauw, knauw, knauw, knauw, misschien zou hij de duim laten zitten. Om de omvang van taarten te meten.

Hij pakte haar pols tussen zijn duim en wijsvinger en draaide haar mooi gevormde, voor haar zo belangrijke hand naar het licht. Er zaten kleine littekens op en een paar verse snij- en schaafwondjes. Een zacht litteken op de rug van de hand zou van een brandwond afkomstig kunnen zijn.

Te dicht bij huis. Te vroeg in zijn Wording. Hij zou niet meer naar haar kunnen kijken.

Om zoiets ongelooflijks te kunnen vragen, wist ze beslist geen persoonlijke dingen van hem. Ze was niet iemand die roddelde.

'U kunt me beslist op mijn woord geloven als ik zeg dat ik glimlach,' zei hij. Zijn s klonk goed. Hij produceerde inderdaad een soort glimlach die het gave gebit waarmee hij zich onder de mensen begaf blootlegde.

Hij hield haar pols boven haar schoot en liet hem los. Ze legde haar hand op haar bovenbeen en haar vingers plukten aan haar kleren als een afgewende blik.

'Ik geloof dat de koffie klaar is,' zei ze.

'Ik ga.' Hij moest gaan. Naar huis om zich te verlichten.

Ze knikte. 'Als ik u beledigd heb... dat was niet mijn bedoeling.

'Nee.'

Ze bleef op het bankje zitten en luisterde of het slot dichtviel toen hij het huis verliet.

Reba schonk zichzelf nog een gin-tonic in. Ze zette muziek van Segovia op en nestelde zich op de bank. Dolarhyde had een warme indruk in het kussen achtergelaten. Sporen van hem hingen nog in de lucht – schoensmeer, een nieuwe leren riem, een goed merk aftershave.

Wat een ongelooflijk gereserveerde man. Ze had op kantoor maar een paar opmerkingen over hem gehoord... Dandridge die het tegenover een van zijn ondergeschikten had over 'die pokkenvent van een Dolarhyde'.

Privacy was belangrijk voor Reba. Als kind, toen ze moest leren zichzelf te kunnen redden nadat ze haar gezichtsvermogen verloren had, had ze nooit enige privacy gekend. En nu ze zich onder de mensen had begeven, kon ze nooit zeker weten of ze gadegeslagen werd. Daarom trok Dolarhydes gevoel voor privacy haar zo aan. Ze had geen greintje medelijden bij hem bespeurd en dat was goed.

En deze gin smaakte goed.

Opeens vond ze de Segovia te lawaaierig. Ze zette een plaat met walvisgeluiden op.

Drie moeilijke maanden in een nieuwe stad. De winter voor de deur en stoepranden vinden in de sneeuw. Reba McClane, langbenig en dapper, verfoeide zelfmedelijden. Ze zou er niet aan toegeven. Ze was zich bewust van de diepgewortelde woede die een invalide vaak eigen is, en omdat ze die niet kwijt kon raken, zou ze er haar voordeel mee doen door er haar drang naar onafhankelijkheid mee te voeden, haar vastberadenheid om het beste van elke dag te maken ermee te versterken.

Op haar manier was ze een taaie. Vertrouwen in enigerlei vorm van vanzelfsprekende rechtvaardigheid was niets meer dan een nachtkaars, dat wist ze. Wat ze ook deed, ze zou op dezelfde manier als ieder ander eindigen: plat op haar rug met een slang in haar neus, zich afvragend: 'Was dit 't nou?'

Ze wist dat ze het licht in haar ogen nooit zou terugkrijgen, maar er waren andere dingen die ze wel kon hebben. Er waren dingen waaraan ze wel plezier kon beleven. Ze had het fijn gevonden haar leerlingen te helpen en dat plezier werd vreemd genoeg gestimuleerd door de wetenschap dat ze voor die hulp noch beloond noch gestraft zou worden.

Bij het maken van vrienden was ze altijd op haar hoede voor mensen die afhankelijkheid kweken en zich erin verlustigen. Ze had er een paar gekend – zij vinden blindheid fascinerend en zij zijn de vijand.

Mannen. Reba wist dat ze lichamelijk aantrekkelijk was voor mannen. Maar al te vaak hadden ze haar borsten met hun knokkels beroerd als ze haar bovenarm beetpakten.

Ze was dol op seks, maar jaren geleden had ze een fundamentele les over mannen geleerd: de meesten deinzen ervoor terug een zware last op zich te nemen. Hun angst werd in haar geval nog versterkt.

Ze moest geen man die steels haar bed in- en uitging als een vos die een kippenren in- en uitsluipt.

Ralph Mandy kwam haar halen om haar mee uit eten te nemen. Hij jammerde altijd lafhartig over het feit dat hij zo door het leven getekend was dat hij niet tot liefde in staat was. Ralph had haar dat maar al te vaak verteld om zich in te dekken en dat maakte haar woedend. Ralph was grappig, maar ze wilde hem niet bezitten.

Ze wilde Ralph nu niet ontmoeten. Ze was niet in de stemming om te praten en het gefluister om haar heen te horen terwijl de mensen keken hoe ze zat te eten.

Wat zou het heerlijk zijn om begeerd te worden door iemand die de moed had zijn biezen te pakken of te blijven, net waar hij zelf zin in had, en die van haar hetzelfde verwachtte. Iemand die niet bezorgd om haar was.

Francis Dolarhyde – terughoudend, met het lichaam van een rugbyspeler en zonder mooie praatjes.

Ze had nog nooit een hazenlip gezien of aangeraakt en had geen visuele associaties met het geluid. Ze vroeg zich af of Dolarhyde dacht dat ze hem makkelijk kon verstaan omdat 'het gehoor van blinden zoveel scherper is dan van zienden'. Dat was een fabeltje. Misschien had ze hem moeten uitleggen dat het niet waar was, dat blinde mensen gewoon meer aandacht schenken aan de dingen die ze horen.

Er waren zoveel misvattingen over blindheid. Ze vroeg zich af of Dolarhyde de algemene overtuiging deelde dat blinden 'zuiverder van geest' zijn dan de meeste mensen, dat ze door hun beproeving tot een soort heiligen geworden zijn. Ze glimlachte in zichzelf. Dat was ook al niet waar.

32

De politie van Chicago werkte, begeleid door de media door middel van een dagelijks 'aftellen' op het journaal, naar de volgende vollemaan toe. Nog elf dagen.

De gezinnen in Chicago waren bang.

Tegelijkertijd steeg het bezoekersaantal bij griezelfilms die normaal gesproken binnen een week uit de bioscoop verdwenen. De ondernemer die de jongerenmarkt veroverde met 'Tandenfee' T-shirts, kwam nu met een nieuwe opdruk: 'JE DOET HET MAAR ÉÉN KEER MET DE RODE DRAAK!' De verkoop van de twee shirts deed niet voor elkaar onder.

Jack Crawford moest na de begrafenis met politiefunctionarissen op een persconferentie verschijnen. Hij had van hogerhand opdracht gekregen om de bemoeienis van de FBI met deze zaak duidelijker tot uitdrukking te brengen; hoorbaar deed hij dit niet, want hij zei geen woord.

Wanneer zwaar bemande onderzoeken weinig houvast hebben, is de kans groot dat ze elkaars terrein gaan betreden, erin rondwoelen tot alle sporen verloren raken. Ze nemen de vorm aan van een rondtollende orkaan en komen weer uit bij het nulpunt.

Overal waar Graham kwam, werd hij geconfronteerd met rechercheurs, camera's, gedrang van mannen in uniform en het onophoudelijke gekraak van radio's. Hij had stilte nodig.

Crawford, geïrriteerd door de persconferentie, vond Graham tegen het vallen van de avond in de rust van een verlaten jurykamer op de verdieping boven het kantoor van de openbare aanklager.

Felle lampen hingen laag boven het groene vilt van de jurytafel waarop Graham zijn papieren en foto's had uitgespreid. Hij had zijn jasje uitgetrokken en zijn das afgedaan en hij zat onderuitgezakt in een stoel naar twee foto's te staren. In een lijstje voor hem stond de foto van de familie Leeds en daarnaast, op een klembord dat tegen een karaf was geplaatst, stond een foto van de Jacobi's.

De foto's van Graham deden Crawford denken aan het opvouwbare altaar van een stierenvechter, klaar om in iedere willekeurige hotelkamer neergezet te worden. Er stond geen foto van Lounds. Hij vermoedde dat Graham geen enkele gedachte aan het geval

Lounds had gewijd. Hij had geen behoefte aan problemen met Graham.

'Het lijkt hier wel een biljartlokaal,' zei Crawford.

'Heb je ze flink van katoen gegeven?' Graham zag bleek, maar hij was nuchter. Hij had een pak sinaasappelsap in zijn hand.

'Jezus!' Crawford plofte in een stoel neer. 'Probeer daarginds maar eens je gedachten bij elkaar te houden. Dat is net zo moeilijk als in een rijdende trein in de pot te pissen.'

'Nog nieuws?'

'De commissaris brak bij een van de vragen in zweet uit en stond voor de tv-camera's aan zijn zak te krabben… dat zijn de enige opmerkelijke dingen die me zijn opgevallen. Als je me niet gelooft, moet je maar naar de journaals van zes en elf uur kijken.'

'Wil je wat sinaasappelsap?'

'Ik slik net zo lief een stuk prikkeldraad door.'

'Best. Dan blijft er meer voor mij over.' Grahams gezicht was afgetobd. Zijn ogen schitterden koortsachtig. 'Weet je iets over de benzine?'

'God zegene Liza Lake. Er zijn eenenveertig Servco Supreme-tank-stations in Chicago. De mannen van districtscommandant Osborne hebben zich hierop gestort en controleren verkopen in jerrycans aan mensen in bestelwagens en busjes. Tot nu toe hebben ze niets gevonden, maar ze zijn nog niet helemaal klaar. Servco heeft nog honderdzesentachtig andere stations, verspreid over acht staten. We hebben de plaatselijke politie om hulp gevraagd. Het zal wel een tijdje in beslag nemen. Als God me gunstig gezind is, heeft hij een creditcard gebruikt. Daar ligt een kans.'

'Niet als hij een hevelslang heeft gebruikt.'

'Ik heb de commissaris gevraagd niet te praten over de mogelijk-heid dat de Tandenfee in dit gebied woont. De mensen hier zijn al bang genoeg. Als hij dat ook nog zou vertellen, zou deze stad van-nacht een slagveld zijn als de dronkaards thuiskomen.'

'Denk je nog steeds dat hij in de buurt zit?'

'Jij niet dan? Alles wijst erop, Will.' Crawford pakte het autop-sierapport van Lounds en tuurde door zijn halve brillenglazen op het papier.

'De buil op zijn hoofd was minder vers dan de verwondingen aan zijn mond. Vijf tot acht uur ouder, zeker weten ze het niet. Toen ze Lounds naar het ziekenhuis brachten, waren de verwondingen aan zijn mond al uren oud. Die waren weliswaar volledig verbrand, maar ze konden het aan de binnenkant van zijn mond nagaan. Er zat chloroform in zijn... jezus, ergens in zijn luchtpijp. Denk jij dat hij buiten bewustzijn was toen de Tandenfee zijn tanden in hem heeft gezet?'

'Nee. Die zal hebben gewild dat hij er met zijn volle verstand bij was.'

'Dat dacht ik ook. Goed dan, hij slaat hem met een klap op zijn hoofd bewusteloos... dat gebeurt in de garage. Hij moet hem met chloroform rustig houden tot hij ergens is waar geluiden hem niet kunnen verraden. Brengt hem uren nadat hij hem gebeten heeft terug.'

'Hij kan het natuurlijk allemaal achter in zijn busje hebben gedaan, ergens op een afgelegen plek,' zei Graham.

Crawford masseerde zijn neusvleugels, waardoor zijn stem de klank van een megafoon kreeg. 'Je vergeet de banden van de rolstoel. Bev heeft pluisjes van twee soorten vloerbedekking gevonden – wol en synthetisch. Synthetische vloerbedekking in een bestelwagen kan nog, maar heb je ooit gehoord van wollen vloerbedekking in zo'n wagen? Hoeveel wollen tapijten heb je ooit in auto's gezien? Verdomd weinig. Wollen tapijt vind je in een huis. En het schimmel en de aarde waren afkomstig van een donkere plek waar de stoel stond opgeslagen, een kelder met een aarden vloer.'

'Misschien.'

'Nu moet je hier eens naar kijken.' Crawford haalde een wegenkaart uit zijn tas. Hij had een cirkel getrokken op de kaart van de Verenigde Staten voor 'afstand in kilometers en rijtijd'. 'Freddy was iets langer dan vijftien uur weg en zijn verwondingen zijn over dat tijdsbestek verdeeld. Laat ik eens een paar veronderstellingen doen. Dat doe ik niet graag, maar vooruit – waarom lach je?'

'Ik moest opeens aan die veldoefeningen in Quantico denken, toen die rekruut jou vertelde dat hij iets *veronderstelde*.'

'Daar weet ik niets meer van. Hier heb je...'

'Je liet hem op het schoolbord "veronderstellen" schrijven. Je pakte het krijtje, onderstreepte het dik en gaf hem er toen van langs. "Als je dingen gaat veronderstellen, zet je JEZELF en MIJ voor SCHUT!" Ik weet nog dat je dat tegen hem zei.'

'Hij had een trap onder zijn kont nodig. Kijk nou even hier. Stel dat hij dinsdagmiddag in het spitsuur van Chicago zat, terwijl hij met Lounds de stad wilde verlaten. Dan volgen een paar uren waarin hij wat pesterijtjes met Lounds uithaalt op de plaats die hij daarvoor had uitgekozen. Tot slot moet hij nog terugrijden. Hij kan dus niet verder zijn geweest dan zes uur rijden vanaf Chicago. Nou, deze cirkel rond Chicago geeft een reistijd van zes uur met de auto aan. Het is geen strakke lijn, want sommige wegen zijn sneller dan andere.'

'Misschien is hij gewoon hier gebleven.'

'Natuurlijk is dat mogelijk. Maar dit geeft de verste afstand aan die hij kon gaan.'

'Je hebt het dus teruggebracht tot Chicago zelf, of binnen een cirkel die Milwaukee, Madison, Dubuque, Peoria, St. Louis, Indianapolis, Cincinnati, Toledo en Detroit beslaat, om maar een paar plaatsen te noemen.'

'Nog beter. We weten dat hij heel snel een *Tattler* te pakken had. Maandagavond waarschijnlijk al.'

'Die kan hij ook in Chicago gekocht hebben.'

'Dat weet ik, maar als je eenmaal de stad uit bent, kun je op maandagavond de *Tattler* niet overal krijgen. Hier is een lijst van de distributieafdeling van de *Tattler* – plaatsen binnen de cirkel waar *Tattlers* op maandagavond per vliegtuig of vrachtwagen bezorgd worden. Kijk, dan blijven over: Milwaukee, St. Louis, Cincinnati, Indianapolis en Detroit. Ze gaan naar de luchthavens en naar misschien negentig kiosken die de hele nacht open blijven, die in Chicago niet meegerekend. Die laat ik door de plaatselijke FBI-kantoren checken. Misschien kan een of andere kioskhouder zich een vreemde klant op maandagavond herinneren.'

'Misschien wel. Dat is een goede zet, Jack.'

Graham was met zijn gedachten duidelijk ergens anders.

Als Graham in vaste dienst was, zou Crawford hem hebben bedreigd met een levenslange verbanning naar de verste uithoek van Alaska. In plaats daarvan zei hij: 'Mijn broer belde vanmiddag. Hij zei dat Molly zijn huis heeft verlaten.'

'Ja.'

'Ze is toch wel naar een veilige plek?'

Graham was ervan overtuigd dat Crawford precies wist waar ze was.

'Bij Willy's grootouders.'

'Ach, die zullen blij zijn de jongen weer eens te zien.' Crawford wachtte.

Graham zei niets.

'Alles in orde, hoop ik?'

'Jack, ik ben aan het werk. Maak je er maar geen zorgen over. Nee, het zit zo, ze kreeg het daar een beetje op haar zenuwen.' Graham trok een plat pakje dat met een touwtje zat vastgebonden onder de stapel begrafenisfoto's uit en begon aan de knoop te plukken.

'Wat is dat?'

'Van Byron Metcalf, de advocaat van de Jacobi's. Brian Zeller heeft het doorgestuurd. Het is in orde.'

'Wacht even, laat me eens even kijken.' Crawford draaide het pakje met zijn behaarde vingers om tot hij het stempel en de handtekening vond van S.F. 'Semper Fidelis' Aynesworth, hoofd van de afdeling Explosieven van de FBI, hetgeen erop duidde dat het pakje was doorgelicht.

'Altijd controleren. Altijd controleren.'

'Ik controleer altijd, Jack.'

'Heeft Chester je dit gebracht?'

'Ja.'

'Heeft hij je het stempel laten zien voor hij het je gaf?'

'Hij heeft het gecontroleerd en het me laten zien.'

Graham knipte het touwtje door. 'Het zijn kopieën van alle testamentaire zaken met betrekking tot de Jacobi-bezittingen. Ik heb Metcalf gevraagd me die op te sturen. We kunnen ze straks vergelijken met de papieren van de familie Leeds als die komen.'

'Daar hebben we een advocaat voor.'

'Ik heb die informatie nodig. Ik ken de Jacobi's niet, Jack. Ze woonden pas in de stad. Een maand geleden ben ik naar Birmingham geweest en toen waren hun spullen al weg. De familie Leeds zegt me wel iets. De Jacobi's niet. Ik móét ze leren kennen. Ik wil praten met mensen in Detroit die hen hebben gekend en ik wil ook nog weer een paar dagen naar Birmingham.'

'Ik heb je hier nodig.'

'Luister, We weten waarom hij Lounds heeft vermoord. Wij hebben gezorgd dat hij kwaad op Lounds was. De enige connectie met Lounds hebben wij gelegd. Er is weinig hard bewijsmateriaal in de zaak Lounds en daar houdt de politie zich mee bezig. Lounds was

voor hem niet meer dan een last, maar de familie Leeds en de Jacobi's *had hij nodig*. We moeten het verband tussen die twee vinden. Als we hem ooit te pakken willen krijgen, zullen we het daar
moeten zoeken.'

'Dus jij hebt de papieren van de Jacobi's hier?' zei Crawford. 'Waar
ben je naar op zoek? Wat voor soort aanwijzing?'

'Doet er niet toe wat, Jack. Op dit moment naar een medische aftrekpost. Graham haalde het aanslagbiljet voor successierecht uit
het pakje. 'Lounds zat in een rolstoel. Medisch. Valerie Leeds heeft
zes weken voor haar dood een operatie ondergaan – weet je nog
wel? Dat stond in haar dagboek. Een kleine cyste in haar borst.
Alweer medisch. Ik vroeg me af of mevrouw Jacobi ook geopereerd is.'

'Ik kan me niet herinneren dat daarover iets in het autopsierapport stond.'

'Nee, maar misschien was het niet direct zichtbaar. Haar medische
dossiers zijn overgegaan van Detroit naar Birmingham. Er kan best
iets verloren zijn gegaan. Als ze een ingreep heeft ondergaan, dan
zullen ze een aftrekpost hebben opgevoerd op hun belastingaan-
gifte en misschien hebben ze iets bij de verzekering geclaimd.'

'Denk je soms aan een of andere verpleger of zo? Een die in beide plaatsen werkte – Detroit of Birmingham en Atlanta?'

'Als je in een zenuwinrichting zit, heb je al gauw de routine door.
Na je ontslag zou je je makkelijk voor verpleger kunnen uitgeven
en als zodanig aan het werk gaan,' zei Graham.

'Wil je wat eten?'

'Later. Ik word zo duf na het eten.'

Toen Crawford wegging, keek hij nog één keer over zijn schouder
naar Graham. Wat hij zag, beviel hem niet. Het licht van de hang-
lampen benadrukte Grahams ingevallen gezicht terwijl hij de papieren bestudeerde en de slachtoffers hem vanaf de foto's aanke-
ken. In het vertrek hing een sfeer van wanhoop.

Zou het voor de zaak beter zijn als hij Graham weer de straat op-
stuurde? Crawford kon het zich niet veroorloven om hem hier-
binnen op niets af te laten ploeteren. Maar was het wel op niets
af?

Crawfords uitmuntende leidersintuïtie stoorde zich niet aan me-
dedogen, en die intuïtie vertelde hem Graham met rust te laten.

33

Tegen tien uur 's avonds had Dolarhyde het uiterste van zichzelf gevergd bij zijn training met de halters, had hij zijn films bekeken en geprobeerd zichzelf te bevredigen. Toch was hij nog rusteloos. De opwinding bonkte als een koud medaillon tegen zijn borst als hij aan Reba McClane dacht. Hij moest niet aan Reba McClane denken.

Rood en opgefokt door de training lag hij languit in zijn leunstoel naar het televisiejournaal te kijken om te zien hoe de politie het geval Freddy Lounds aanpakte. Daar stond Will Graham naast de kist, terwijl dat koor stond te blaten. Graham was mager. Het zou eenvoudig zijn om zijn rug te breken. Dat zou beter zijn dan hem te vermoorden. Zijn rug breken en daar voor alle zekerheid nog een flinke draai aan geven. Dan konden ze hem naar het volgende onderzoek rollen.

Hij had geen haast. Laat Graham maar in de rats zitten.

Dolarhyde voelde zich nu voortdurend almachtig.

De politie van Chicago liet op een persconferentie van zich horen. De essentie achter haar bewering hoe hard ze aan de zaak werkte, was: geen vorderingen in de zaak Freddy. Jack Crawford maakte deel uit van het groepje achter de microfoons. Dolarhyde herkende hem van een foto in de *Tattler*.

Een woordvoerder van de *Tattler*, geflankeerd door twee lijfwachten, zei: 'Door deze wrede en zinloze daad zal de stem van de *Tattler* alleen nog luider gaan klinken.'

Dolarhyde snoof. Misschien wel. In ieder geval had die Freddy tot zwijgen gebracht.

De nieuwslezers noemden hem nu 'de Draak'. Zijn daden waren 'wat de politie had omschreven als de "Tandenfee-moorden".'

Beslist een vooruitgang.

Nu volgde alleen nog plaatselijk nieuws. Een of andere pummel met een markante kaak meldde zich vanuit de dierentuin. Ze hadden hem natuurlijk zomaar ergens naartoe gestuurd om hem kwijt te zijn.

Dolarhyde had zijn hand al naar de afstandsbediening uitgestrekt, toen hij op de beeldbuis opeens iemand zag met wie hij enkele uren tevoren nog gesproken had door de telefoon: de directeur van de dierentuin, dr. Frank Warfield, die bijzonder blij was geweest met de film die Dolarhyde hem had aangeboden.

Dr. Warfield en een tandarts waren bezig met de gebroken tand van een tijger. Dolarhyde wilde de tijger zien, maar de verslaggever stond ervoor. Eindelijk ging de man opzij.

Achterovergeleund in zijn stoel, over zijn eigen machtige torso naar het beeld kijkend, zag Dolarhyde de grote tijger languit op een stevige tafel liggen.

Vandaag, zo meldde de verslaggever, werd de tand voorbereid en over een paar dagen zou daar een kroon op gezet worden.

Dolarhyde keek toe hoe ze rustig werkten tussen de kaken van de afschrikwekkend gestreepte tijgermuil.

'Mag ik uw gezicht aanraken?' had Reba McClane gevraagd.

Hij wilde Reba iets zeggen. Hij wenste dat ze een vermoeden had wat ze bijna had gedaan. Hij wenste dat ze een glimp van zijn Glorie zou opvangen. Maar ze kon die niet zien en tegelijkertijd in leven blijven. Ze moest leven: hij was met haar gezien en ze stond te dicht bij hem.

Hij had geprobeerd met Lecter in zee te gaan en Lecter had hem verraden.

Toch wilde hij zijn geheim graag met iemand delen. Hij zou het zo graag een klein beetje met haar willen delen, op een dusdanige manier dat ze in leven kon blijven.

34

'Ik weet dat het politiek is, jíj weet dat het politiek is, maar het verschilt niet veel van wat je toch al doet,' zei Crawford tegen Graham. Ze liepen door de State Street Mall naar het gebouw van de FBI. 'Doe wat je doen moet, noteer de overeenkomsten en dan zorg ik voor de rest.'

De politie van Chicago had de afdeling Gedragswetenschappen van de FBI gevraagd om een gedetailleerde profielschets van het slachtoffer. Politiefunctionarissen zeiden die te willen gebruiken bij de planning voor het inzetten van extra patrouilles tijdens de periode van vollemaan.

'Ze proberen zich alleen maar in te dekken,' zei Crawford, zwaaiend met zijn zakje chips. 'De slachtoffers waren welgestelde mensen, dus ze moeten de patrouilles wel in de chique wijken concentreren. Ze weten dat daar een boel heibel van komt. De districtshoofden hebben geknokt voor extra mankracht vanaf het moment dat Freddy als een fakkel over de straat rolde. Als ze in de elitewijken patrouilleren en hij slaat in een achterbuurt toe... God helpe de vroede vaderen. Maar als het gebeurt, kunnen ze de FBI de schuld geven. Ik hoor het al... "Zij hebben ons gezegd het zo te doen. Zij hebben het gezegd."'

'Ik geloof dat de kans dat hij in Chicago toeslaat even groot is als waar dan ook,' zei Graham. 'Er is geen enkele reden om dat te denken. Het is onzinnig. Waarom kan Bloom het profiel niet geven? Hij is adviseur voor Gedragswetenschappen.'

'Ze willen het niet van Bloom, ze willen het van ons. Ze zouden er niets mee opschieten om de schuld op Bloom te schuiven. Trouwens, Bloom ligt nog in het ziekenhuis. Ik heb duidelijke instructies gekregen. Iemand van het Congres heeft door de telefoon met Justitie gesproken. Hogerhand zegt: doen. Wil je het dus alsjeblieft doen?'

'Ik zal het doen. Het is precies wat ik toch al doe.'

'Dat weet ik,' zei Crawford. 'Ga er dus gewoon mee door.'

'Ik zou liever teruggaan naar Birmingham.'

'Nee,' zei Crawford. 'Blijf nou maar bij mij in de buurt.'

De vrijdag eindigt brandend in het westen.

Nog tien dagen te gaan.

35

'Krijg ik nog te horen wat voor "uitstapje" dit is?' vroeg Reba McClane Dolarhyde zaterdagmorgen toen ze tien minuten zwijgend hadden gereden. Ze hoopte dat het een picknick was.

Het busje stopte. Ze hoorde hoe Dolarhyde het raampje aan zijn kant naar beneden draaide.

'Dolarhyde,' zei hij. 'Dr. Warfield verwacht me.'

'Ja, meneer. Wilt u dit onder uw ruitenwisser doen als u uw wagen verlaat?'

Langzaam reden ze verder. Reba voelde een lichte bocht in de weg. De wind voerde onbekende en zwoele geuren mee. Een olifant trompetterde.

'De dierentuin,' zei ze. 'Geweldig!' Een picknick had ze leuker gevonden. Ach, wat kon het haar schelen. Dit was ook prima. 'Wie is dr. Warfield?'

'De directeur van de dierentuin.'

'Is hij een vriend van je?'

'Nee. We hebben de dierentuin een plezier gedaan met de film. Nu doen ze iets terug.'

'Wat dan?'

'Je mag de tijger aanraken.'

'Kom nou!'

'Heb je ooit een tijger gezien?'

Ze was blij dat hij die vraag kon stellen. 'Nee. Wel een poema toen ik nog heel klein was. Meer hadden ze niet in de dierentuin van Red Deer. Ik geloof dat we er beter eerst over kunnen praten.'

'Ze zijn bezig met een behandeling van een tand van de tijger. Ze moeten hem... in slaap brengen. Als je wilt, kun je hem dan aanraken.'

'Zijn er veel mensen bij?'

'Nee. Geen publiek. Warfield, ik en nog een paar mensen. De televisieploeg komt pas als wij weg zijn. Wil je het?' Een merkwaardige aandrang in zijn vraag.

'Allemensen, ja! Bedankt. Dit is een fantastische verrassing!'

De wagen stopte.

'Maar... hoe weet ik dat hij slaapt?'

'Kietel hem. Als hij lacht, moet je er als de bliksem vandoor gaan.'

De vloer van de behandelkamer voelde onder Reba's voeten aan als linoleum. Het vertrek was koel, met langgerekte echo's. Warmte werd verspreid door een centrale verwarming aan de andere kant van de kamer.

Ze hoorde het ritmische geschuifel van voetstappen van mensen die een zware last droegen en Dolarhyde leidde haar naar de kant tot ze voelde dat ze in een hoek stond.

Het dier was nu hier. Ze rook het.

Een stem. 'Omhoog nu. Rustig. Zakken. Kunnen we de band onder hem laten liggen, dr. Warfield?'

'Ja. Wikkel dat kussen in een van die groene handdoeken en leg

dat onder zijn kop. Ik zal John naar je toesturen als we klaar zijn.'
Voetstappen verwijderden zich.
Ze wachtte tot Dolarhyde haar iets zou vertellen. Dat deed hij niet.
'Hij is hier,' zei ze.
'Tien mannen hebben hem naar binnen gedragen. Hij is groot. Drie
meter. Dr. Warfield luistert naar zijn hartslag. Nu tilt hij een van
de oogleden op. Daar komt hij.'
Een lichaam dempte het geluid voor haar.
'Dr. Warfield, Reba McClane,' zei Dolarhyde.
Ze stak haar hand uit. Een grote, zachte hand sloot zich om de hare.
'Fijn dat ik mocht komen,' zei ze. 'Het is een hele gebeurtenis voor
mij.'
'Ik ben blij dat je er bent. Dat maakt mijn dag bijzonder. Tussen
twee haakjes, we zijn erg blij met de film.'
De stem van dr. Warfield was van middelbare leeftijd, sonoor, be-
schaafd, zwart. Virginia, vermoedde ze.
'We wachten tot we er zeker van zijn dat zijn ademhaling en hart-
slag krachtig en regelmatig genoeg zijn. Dan kan dr. Hassler beginnen. Hassler staat daar, hij is zijn hoofdspiegel aan het instel-
len. Onder ons gezegd: die draagt hij alleen om zijn toupetje op
zijn plaats te houden! Kom, dan zal ik jullie aan hem voorstellen.
Meneer Dolarhyde?'
'Gaat u maar voor.'
Ze stak haar hand naar Dolarhyde uit. Het duurde even voor hij
er een zacht klopje op gaf. Zijn handpalm liet zweetdruppels op
haar knokkels achter.
Dr. Warfield legde haar hand op zijn arm en ze liepen langzaam
naar voren.
'Hij slaapt nu. Kun je je een voorstelling maken van wat wij zien?
Ik zal mijn best doen om het zo goed mogelijk te beschrijven.' Hij
bleef staan, niet goed wetend hoe hij het zeggen moest.
'Ik herinner me plaatjes uit boeken toen ik nog klein was. En één
keer heb ik in de dierentuin bij ons in de buurt een poema gezien.'
'Deze tijger is een soort superpoema,' zei hij. 'Zijn borst is breder,
zijn kop massiever en zijn beender- en spierstelsel zijn zwaarder
gebouwd. Het is een Bengaalse tijger, een mannetje, vier jaar oud.
Vanaf het puntje van zijn neus tot aan zijn staart meet hij ongeveer drie meter en hij weegt driehonderdzeventig kilo. Hij ligt op
zijn rechterzij onder felle lampen.'

'Ik kan de lampen voelen.'

'Hij is fraai getekend, met oranje en zwarte strepen. Het oranje is zo fel dat het lijkt uit te lopen in de lucht rondom hem.' Opeens was dr. Warfield bang dat het wreed was over kleuren te spreken. Een blik op haar gezicht stelde hem gerust.

'Hij is nu twee meter van ons verwijderd. Kun je hem ruiken?'

'Ja.'

'Meneer Dolarhyde heeft je misschien wel verteld dat een of andere idioot met een spade van een van onze tuiniers door de tralies naar hem heeft gepord. Hij beet in het metaal, waarbij zijn hoektand is afgebroken. Klaar, Hassler?'

'Alles is in orde met hem. We wachten nog een minuut of twee.'

Warfield stelde de tandarts aan Reba voor.

'Kindje, jij bent de eerste *aangename* verrassing die Frank Warfield me ooit bezorgd heeft,' zei Hassler. 'Misschien vind je het leuk om dit eens nader te onderzoeken. Het is een gouden tand, een hoektand om precies te zijn.' Hij legde de tand in haar hand.

'Zwaar, hè? Ik heb de afgebroken tand schoongemaakt en, een paar dagen geleden al, een afdruk genomen. Vandaag zal ik deze tand erover bevestigen. Ik had natuurlijk ook een witte tand kunnen maken, maar ik dacht dat dit leuker zou staan. Dr. Warfield zal je wel vertellen dat ik nooit een gelegenheid voorbij laat gaan om op te vallen. Hij heeft te weinig consideratie met me: ik mag niet eens een advertentie aan de kooi hangen!'

Ze betastte de spits toelopende tand met haar gevoelige vingers. 'Wat een prachtig stukje werk!' Vlakbij hoorde ze een diepe, trage ademhaling.

'Het zal de kinderen verrassen als hij geeuwt,' zei Hassler. 'En ik geloof niet dat het dieven in verleiding zal brengen. Maar zonder gekheid... je bent toch niet bang, hè? Dat gespierde heerschap daar houdt ons als een waakhond in de gaten. Hij dwingt je toch niet om dit te doen?'

'Nee! Nee, dit wil ik zelf.'

'We staan nu voor zijn rug,' zei dr. Warfield. 'Hij ligt op een goede halve meter afstand van je te slapen, op een tafel op heuphoogte. Weet je wat... Ik zal je linkerhand – je bent rechtshandig, hè? – ik zal je linkerhand op de rand van de tafel leggen en dan kun je hem met je rechterhand betasten. Neem rustig de tijd. Ik blijf vlak naast je staan.'

'En ik ook,' zei dr. Hassler. Ze genoten hiervan. Onder de warme lampen geurde haar haar als vers stro in de zon.

Reba voelde de warmte op haar hoofd, haar hoofdhuid begon erdoor te tintelen. Ze kon haar warme haar ruiken, Warfields zeep, alcohol en desinfecterende middelen, en de tijger. Even voelde ze een flauwte in zich opkomen, maar dat gevoel was snel voorbij.

Ze greep de rand van de tafel en stak aarzelend haar hand uit tot haar vingers een pels voelden, warm van de lampen, een koelere laag en toen een gestage diepe warmte van onderen. Ze legde haar hand plat op de dichte vacht en bewoog hem zacht verder. Ze voelde de haren onder haar handpalm doorglijden, voelde hoe de huid over de brede ribben gleed terwijl deze rezen en daalden.

Ze greep in de vacht en de pels drong tussen haar vingers door. De nabijheid van de tijger bracht een blos op haar gezicht en ze vergat haar gelaatstrekken te beheersen.

Warfield en Hassler zagen hoe ze zichzelf vergat en waren er blij om. Ze zagen hoe ze haar gezicht als het ware tegen een golvend venster van nieuwe gewaarwording drukte.

Terwijl hij vanuit de schaduw toekeek, voelde Dolarhyde hoe er een tinteling door de spieren in zijn rug trok. Zweetdruppels gleden naar beneden.

'De andere kant hoort er ook bij,' zei dr. Warfield vlak bij haar oor. Hij leidde haar rond de tafel en bracht haar hand naar de staart.

Dolarhyde voelde zijn borst plotseling samentrekken toen haar vingers over de behaarde testikels streken. Ze sloot haar hand er omheen en ging toen verder.

Warfield tilde een grote klauw op en legde deze in haar hand. Ze voelde de ruwheid van de kussentjes en rook vaag de vloer van de kooi. Hij drukte op een teen zodat de klauw naar buiten kwam. De zware, soepele schouderspieren vulden haar handen.

Ze betastte de oren van de tijger, de omvang van zijn kop en raakte, onder begeleiding van de dierenarts, de ruwe tong aan. Hete adem beroerde de haren op haar onderarmen.

Ten slotte bevestigde dr. Warfield de stethoscoop in haar oren. Met haar handen op de ritmisch op en neer gaande borst, haar gezicht opgeheven, werd ze vervuld van de krachtige hartslag van de tijger.

Toen ze de dierentuin uitreden, was Reba McClane stil. Opgetogen en met een blos zat ze naast hem. Eén keer wendde ze zich naar Dolarhyde toe en zei, langzaam: 'Dank je... heel hartelijk bedankt! Als je er geen bezwaar tegen hebt, zou ik nu best een cocktail lusten.'

'Wil je hier heel even wachten?' vroeg Dolarhyde toen hij de wagen voor zijn huis parkeerde.

Ze was blij dat ze niet naar haar woning waren teruggegaan. Het was muf en veilig. 'Ga nou niet gauw opruimen. Breng me naar binnen en zeg maar dat het er netjes uitziet.'

'Wacht hier even.'

Hij bracht de tas van de slijterij naar binnen en maakte een snelle inspectietocht door het huis. In de keuken bleef hij een tijdje met zijn handen voor zijn gezicht staan. Hij wist niet goed waarmee hij bezig was. Hij voelde gevaar, maar niet van de vrouw. Hij kon niet langs de trap naar boven kijken. Hij moest iets doen en hij wist niet hoe. Hij moest haar eigenlijk naar huis terugbrengen.

Voor zijn Wording zou hij niets van dit alles gedurfd hebben. Nu besefte hij dat hij alles kon. Alles. Alles.

Hij liep naar buiten, in het licht van de ondergaande zon, in de lange blauwe schaduw van het busje. Reba hield zijn schouder vast tot haar voeten de grond voelden.

Ze voelde de omvang van het huis. Ze voelde de hoogte ervan in de echo van het autoportier dat dichtsloeg.

'Vier stappen over het gras. Dan komt er een invalidenoprit,' zei hij.

Ze pakte zijn arm. Een huivering doorvoer hem. Zweetdruppels op zijn kleren.

'Heb je een invalidenoprit? Waarvoor?'

'Er hebben hier bejaarden gewoond.'

'Nu toch niet meer?'

'Nee.'

'Het voelt koel en hoog,' zei ze in de mooie kamer. Een museumsfeertje. En was dat wierook? Ver weg tikte een klok. 'Het is een groot huis, hè? Hoeveel kamers zijn er?'

'Veertien.'

'Het is oud. Alles wat erin staat is oud.' Ze liep rakelings langs een lampenkap met franje en raakte die met haar vingers aan.

Die terughoudende meneer Dolarhyde toch. Ze was zich er duidelijk van bewust geweest dat het hem had opgewonden haar bij de tijger te zien; hij had gesidderd als een paard toen ze bij het verlaten van de behandelkamer zijn arm pakte.

Aardig van hem om dat voor haar te regelen. Misschien ook een veelzeggend gebaar, dat wist ze niet zeker.

'Martini?'

'Laat mij die klaarmaken,' zei ze, terwijl ze haar schoenen uittrok. Ze deed wat vermout in een glas, goot er wat gin over en legde er tot slot twee olijven op. Snel nam ze enkele herkenningspunten in het huis in zich op – de tikkende klok, het gezoem van een airconditioner. Vlak bij de keuken was een warme plek op de vloer waar het zonlicht naar binnen had geschenen.

Hij leidde haar naar zijn grote stoel. Hij ging zelf op de bank zitten. De sfeer was geladen. Als fluorescentie in de zee tekende die bewegingen af; op het tafeltje naast zich vond ze een plaats om haar glas neer te zetten. Hij zette muziek op.

Voor Dolarhyde leek de kamer veranderd. Zij was het eerste vrijwillige gezelschap dat hij ooit in het huis had ontvangen, en nu werd de kamer gesplitst in haar gedeelte en het zijne.

Er was muziek, Debussy, terwijl het langzaam donker werd.

Hij vroeg haar over Denver en ze vertelde hem wat, afwezig, alsof ze aan iets anders dacht. Hij beschreef het huis en de grote tuin met de heg eromheen. Er was niet veel behoefte om te praten.

In de stilte, toen hij een andere plaat opzette, zei ze: 'Die prachtige tijger, dit huis... je zit vol verrassingen, D. Ik geloof niet dat iemand je echt kent.'

'Heb je het weleens aan iemand gevraagd?'

'Aan wie?'

'Wie dan ook.'

'Nee.'

'Hoe weet je dan dat niemand me kent?' Zijn concentratie op de juiste dictie hield de toon van de vraag neutraal.

'O, een van de dames van Gateway zag ons de vorige keer samen in je wagen stappen. Jonge jonge, wat waren ze nieuwsgierig! Opeens had ik bij de frisautomaat bosjes gezelschap.'

'Wat willen ze weten?'

'Ze zijn alleen maar uit op sappige roddeltjes. Toen ze erachter kwamen dat er niets te vertellen viel, gingen ze weg. Ze waren alleen maar aan het vissen.'

'En wat zeiden ze?'

Ze had de nieuwsgierigheid van de vrouwen luchtig op zichzelf willen richten. Hier kreeg ze geen kans voor.

'Van alles,' zei ze. 'Ze vinden je erg mysterieus en interessant. Kom op, dat is een compliment!'

'Hebben ze je verteld hoe ik eruitzie?'

De vraag werd luchtig gesteld, knap gedaan, maar Reba wist dat iemand zoiets nooit voor de grap zou vragen. Ze ging de vraag niet uit de weg.

'Ik heb er niet naar gevraagd. Maar, inderdaad, ze hebben me verteld hoe je er volgens hen uitziet. Wil je het horen? Woordelijk? Als je het niet wilt, vraag het dan niet.' Ze was ervan overtuigd dat hij het zou vragen.

Geen antwoord.

Plotseling had Reba het gevoel dat ze alleen was in de kamer, dat de plaats waar hij had gestaan leger was dan leeg, een zwart gat dat alles verzwolg en niets afgaf. Ze wist dat hij niet weggegaan kon zijn zonder dat ze het gehoord had.

'Ik zal het je maar vertellen,' zei ze. 'Je bezit een soort correctheid die ze aantrekkelijk vinden. Ze zeggen dat je een opmerkelijk lichaam hebt.' Daar kon ze het natuurlijk niet bij laten. 'Ze zeggen dat je gezicht een teer punt voor je is en dat dat helemaal niet nodig is. Bijvoorbeeld die giebel van een Eileen.'

'Eileen.'

Aha, een reactie. Ze voelde zich net een radioastronoom.

Reba kon uitstekend imiteren. Ze zou Eileens spraak perfect kunnen imiteren, maar ze was te verstandig om iemands spraak voor Dolarhyde na te bootsen. Ze citeerde Eileen alsof ze de woorden van een blaadje oplas.

'"Hij ziet er niet slecht uit. Ik kan je wel vertellen dat ik met heel wat mannen uit ben geweest die er heel wat minder goed uitzagen. Ik ben eens met een hockeyer op stap geweest, die een deuk in zijn lip had op de plaats waar zijn tandvlees zich terugtrekt. Dat hebben al die hockeyspelers. Een beetje, je weet wel, *macho*, vind ik. Meneer D. heeft een prachtige huid, en wat zou ik niet geven om zijn haar te hebben!" Tevreden? O, ze vroeg me ook nog of je even sterk bent als je eruitziet.'

'En?'

'Ik heb gezegd dat ik dat niet wist.' Ze dronk haar glas leeg en stond op. 'Waar ben je trouwens, D.?' Ze wist het toen hij tussen haar en een luidspreker ging staan. 'Aha. Daar ben je. Wil je weten wat ik ervan vind?'

Ze zocht zijn mond met haar vingers en drukte er een kus op, waarbij ze haar lippen zachtjes tegen zijn op elkaar geklemde tanden drukte. Ze merkte meteen dat het verlegenheid en geen afkeer was waardoor hij zo star bleef.

Hij was stomverbaasd.

'Wil je me nu even wijzen waar het toilet is?'

Ze pakte zijn arm en liep met hem de hal door.

'Ik vind zelf de weg terug wel.'

In de badkamer streek ze haar haren glad en tastte met haar vingers langs de wastafel op zoek naar tandpasta of mondwater. Ze zocht de deur van het medicijnkastje en ontdekte dat er geen deur was, alleen scharnieren en planken. Voorzichtig betastte ze de voorwerpen die op de planken stonden, op haar hoede voor scheermesjes, tot ze een fles vond. Ze draaide de dop eraf, rook of het inderdaad een mondwater was, en spoelde haar mond ermee. Toen ze in de zitkamer terugkwam, hoorde ze een bekend geluid – het gesnor van een terugspoelende projector.

'Ik moet nog wat huiswerk doen,' zei Dolarhyde, terwijl hij haar nog een verse martini aanreikte.

'Ga je gang,' zei ze. Ze wist niet goed hoe ze dit moest opvatten.

'Als ik je van je werk afhoud, ga ik naar huis. Zal ik een taxi bestellen?'

'Nee. Ik wil dat je blijft. Heus. Ik moet alleen een stukje film controleren. Het is zo gebeurd.'

Hij wilde haar naar de grote stoel leiden. Ze wist waar de bank stond en liep daarheen.

'Is het een geluidsfilm?'

'Nee.'

'Mag de muziek aan blijven?'

'Ja, best.'

Ze voelde zijn aandacht. Hij wilde dat ze bleef, hij was alleen maar bang. Dat was nergens voor nodig. Goed dan. Ze ging zitten.

De martini was heerlijk koel en opwekkend.

Hij ging op het andere uiteinde van de bank zitten en zijn gewicht deed het ijs in haar glas rinkelen. De projector spoelde nog steeds terug.

'Als je het niet erg vindt, ga ik eventjes liggen,' zei ze. 'Nee, blijf zitten. Ik heb ruimte genoeg. Maak me maar wakker als ik in slaap val, afgesproken?'

Ze ging op de bank liggen, het glas op haar buik; haar haren beroerden nog net zijn hand naast zijn been.

Hij drukte het knopje van de afstandsbediening in en de film begon. Dolarhyde had met deze vrouw in de kamer naar zijn film van de familie Leeds of die van de Jacobi's willen kijken. Hij had zijn blik heen en weer willen laten gaan tussen het scherm en Reba. Hij wist dat ze dat niet zou overleven. De vrouwen hadden haar in zijn wagen zien stappen. Geen denken aan. De vrouwen hadden haar in zijn wagen zien stappen.

Hij zou zijn film van de Shermans bekijken, het gezin dat hij de volgende keer zou bezoeken. Hij wilde de belofte zien van de bevrijding die komen zou... in aanwezigheid van Reba, terwijl hij ondertussen naar haar keek zoveel hij maar wilde.

Op het scherm verscheen het beeld van de van munten gevormde woorden: *Het nieuwe huis*. Een lang shot van mevrouw Sherman en de kinderen. Pret in het zwembad. Mevrouw Sherman houdt zich aan het trapje vast en kijkt omhoog in de camera, de welving van haar borsten glinsterend van het water boven het badpak, terwijl ze met haar benen schaarbewegingen maakt.

Dolarhyde was trots op zijn zelfbeheersing. Hij zou aan zijn film denken, niet aan dat andere. Maar in zijn gedachten begon hij al te spreken tegen mevrouw Sherman zoals hij ook had gesproken tegen Valerie Leeds in Atlanta.

Je ziet me nu, ja

Zo voelt het om mij te zien, ja

Pret met oude kleren. Mevrouw Sherman met de hoed met de brede rand op haar hoofd. Ze staat voor de spiegel. Met een glimlach keert ze zich om en neemt een pose aan voor de camera, haar hand in haar nek. Om haar hals hangt een camee.

Reba McClane beweegt zich op de bank. Ze zet haar glas op de grond. Dolarhyde voelt een gewicht en warmte. Ze heeft haar hoofd op zijn bovenbeen gelegd. Haar nek is bleek en het filmlicht speelt erover.

Hij zit doodstil, beweegt alleen zijn duim om de film stil te zetten, terug te spoelen. Op het scherm poseert mevrouw Sherman voor de spiegel met de hoed op. Ze keert zich naar de camera en glimlacht.

Je ziet me nu, ja
Zo voelt het om mij te zien, ja
Voel je me nu? ja
Dolarhyde beeft. Zijn broek spant om hem heen. Hij voelt warmte. Hij voelt warme adem door zijn kleren. Reba heeft een ontdekking gedaan.
Krampachtig glijdt zijn duim over de afstandsbediening.
Je ziet me nu, ja
Zo voelt het om mij te zien, ja
Voel je me nu? ja
Reba heeft zijn broek opengeritst.
Een scheut van angst door zijn lichaam, hij heeft nog nooit een erectie gehad in aanwezigheid van een levende vrouw. Hij is de Draak, hij hoeft niet bang te zijn.
IJverige vingers bevrijden hem.
O
Voel je me nu? ja
Voel je dit ja
Dat doe je dat weet ik ja
Je hart klopt luid ja
Hij moet zijn handen van Reba's nek weghouden. Hou ze ervandaan. De vrouwen hebben hen samen in het busje zien stappen. Zijn hand omknelt de armleuning van de bank. Zijn vingers schieten door de bekleding heen.
Je hart klopt luid ja
En onregelmatig nu
Het fladdert nu
Het probeert naar buiten te springen ja
En nu is het snel en licht en sneller en licht en...
Weg.
O, weg.
Reba laat haar hoofd op zijn dijbeen rusten en keert hem haar gloeiende wang toe. Ze steekt haar hand onder zijn shirt en legt die warm tegen zijn borst.
'Ik hoop dat ik je niet gechoqueerd heb,' zei ze.
Het was de klank van haar levende stem die hem choqueerde en hij voelde met zijn hand of haar hart nog klopte. Het klopte. Ze hield zijn hand daar teder vast.
'Allemensen, je hebt er nog niet genoeg van, hè?'

Een levende vrouw. Hoe bizar. Vervuld van kracht, die van de Draak of van zichzelf, tilde hij haar gemakkelijk van de bank op. Ze woog niets, was zoveel makkelijker te dragen omdat ze niet slap was. Niet naar boven. Niet naar boven. Opschieten nu. Ergens. Snel. Grootmoeders bed, op de satijnen gewatteerde deken. 'O, wacht, ik zal het uittrekken. O, nu is het kapot. Kan me niets schelen. Kom. Mijn God, man. Wat héérlijk! Toe, druk me niet neer. Laat me bovenop jou en hem in me leiden.'

Met Reba, zijn enige levende vrouw, in zijn trillende armen in deze ene zeepbel van tijd, voelde hij voor het eerst dat het goed was: het was zijn leven dat hij vrijgaf, zichzelf die hij langs alle sterfelijkheid in haar met sterren bezaaide duisternis zond, weg van deze planeet vol kwelling, over harmonische verten naar vrede en de belofte van rust.

Naast haar in het donker legde hij zijn hand op haar en oefende een lichte druk uit om de weg terug te verzegelen. Terwijl ze sliep, luisterde Dolarhyde, vervloekte moordenaar van elf mensen, telkens weer naar haar hart.

Beelden. Barokparels die door de welwillende duisternis vlogen. Een pistool dat hij op de maan had afgevuurd. Een groots vuurwerk dat hij in Hongkong had gezien, getiteld: 'De draak strooit zijn parels uit'.

De Draak.

Hij voelde zich verdoofd, gespleten. En de hele lange nacht naast haar luisterde hij, bevreesd, of hij zichzelf in zijn kimono de trap hoorde afkomen.

Ze bewoog zich 's nachts één keer. Slaperig gleed haar hand over het nachtkastje tot ze het glas vond. Grootmoeders tanden rammelden erin.

Dolarhyde haalde water voor haar. Ze omarmde hem in het donker. Toen ze weer sliep, haalde hij haar hand van de grote tatoeage en legde hem op zijn gezicht.

Tegen het aanbreken van de dag viel hij in een diepe slaap.

Reba werd om negen uur wakker en hoorde zijn regelmatige ademhaling. Loom rekte ze zich uit in het grote bed. Hij verroerde zich niet. Ze doorliep nogmaals de herkenningspunten in het huis, de volgorde van vloerbedekking en hout, de richting van de tikkende klok. Toen ze het allemaal goed in haar hoofd had, stond ze zachtjes op en liep ze naar de badkamer.

Toen ze uitgebreid gedoucht had, lag hij nog steeds te slapen. Haar gescheurde ondergoed lag op de grond. Ze vond het met haar voeten en propte het in haar tas. Ze trok haar jurk over haar hoofd, pakte haar stok en liep naar buiten.

Hij had haar verteld dat de tuin groot en vlak was, omgeven door ongesnoeide heggen, maar toch was ze in het begin voorzichtig.

Het morgenbriesje was fris, de zon warm. Ze stond in de tuin en beroerde met haar hand de vlierbes die in de wind ritselde. De wind ontdekte haar lichaamsplooien, fris na de douche. Ze stak haar armen omhoog en de wind blies koel onder haar armen en borsten en tussen haar benen door. Bijen vlogen om haar heen. Ze was niet bang voor ze en ze lieten haar met rust.

Dolarhyde werd wakker. Even was hij in de war omdat hij niet in zijn eigen kamer boven lag. Zijn gele ogen sperden zich wijd open toen hij het zich herinnerde. Met een snelle ruk draaide hij zijn hoofd om naar het andere kussen. Leeg.

Liep ze door het huis te dwalen? Wat zou ze vinden? Of was er 's nachts iets gebeurd? Iets dat opgeruimd moest worden? Hij zou verdacht worden. Misschien moest hij wel vluchten.

Hij keek in de badkamer, in de keuken. Beneden in de kelder, waar zijn andere rolstoel stond. De bovenverdieping. Hij wilde niet naar boven. Hij moest kijken. Zijn tatoeage bewoog toen hij de trap besteeg. De Draak staarde hem aan vanaf de schildering in zijn slaapkamer.

Door een raam op de bovenverdieping zag hij haar in de tuin.

'FRANCIS.' Hij wist dat de stem uit zijn kamer kwam. Hij wist dat het de stem van de Draak was. Deze nieuwe twee-eenheid met de Draak bracht hem van zijn stuk. Hij had die voor het eerst gevoeld toen hij zijn hand op Reba's hart had gelegd.

De Draak had nooit eerder tót hem gesproken. Het was beangstigend.

'FRANCIS, KOM HIER.'

Hij probeerde de stem die hem riep te ontvluchten, de stem die hem riep toen hij de trap af vloog.

Wat kon ze hebben ontdekt? Grootmoeders tanden hadden in het glas gerammeld, maar hij had ze weggezet toen hij water was gaan halen. Ze kon niets zien.

Freddy's bandje. Dat zat in een cassetterecorder in de mooie kamer. Hij ging kijken. De cassette was tot het begin teruggespoeld. Hij kon zich niet herinneren of hij het had teruggespoeld nadat hij het door de telefoon aan de *Tattler* had laten horen.

Ze mocht niet in het huis terugkeren. Hij wist niet wat er in het huis zou kunnen gebeuren. Misschien werd ze verrast. Misschien zou de Draak naar beneden komen. Hij wist hoe breekbaar ze was. De vrouwen hadden haar in zijn busje zien stappen. Warfield zou zich herinneren dat ze samen waren geweest. Gejaagd kleedde hij zich aan.

Reba voelde de koele schaduw van een boomstam en daarna weer de warmte van de zon toen ze verder liep. Door de warmte van de zon en het gezoem van de airconditioner in het raam wist ze steeds waar ze was. Navigatie, haar levensvoorwaarde, was hier gemakkelijk. Ze draaide in het rond, streek met haar handen over de heesters en verwilderde bloemen.

Een wolk gleed voor de zon en ze bleef staan, niet wetend in welke richting ze keek. Ze luisterde of ze de airconditioner nog hoorde. Die was uit. Even voelde ze zich onbehaaglijk, maar toen klapte ze in haar handen en hoorde ze de geruststellende weerkaatsing van het huis. Reba klapte het glas van haar horloge omhoog en voelde hoe laat het was. Ze moest D. zo wakker maken. Ze moest naar huis.

De hordeur viel met een klap dicht.

'Goedemorgen,' zei ze.

Zijn sleutels rinkelden toen hij over het gras naar haar toekwam. Hij naderde haar voorzichtig, alsof de wind van zijn nadering haar omver zou kunnen blazen, en zag dat ze niet bang voor hem was. Ze scheen niet verlegen of beschaamd te zijn over wat ze 's nachts gedaan hadden. Ze leek evenmin boos. Ze rende niet van hem weg en ze bedreigde hem niet. Hij vroeg zich af of dat kwam omdat ze zijn geslachtsorgaan niet gezien had.

Reba sloeg haar armen om hem heen en legde haar hoofd tegen zijn harde borst. Zijn hart klopte snel.

Hij slaagde erin goedemorgen te zeggen.

'Het was verrukkelijk, D.'

Meende ze dat? Wat moest je daarop antwoorden? 'Fijn. Voor mij ook.' *Dat scheen goed te zijn. Breng haar hier vandaan.*

'Maar nu moet ik naar huis,' hoorde hij haar zeggen. 'Mijn zuster komt me ophalen om samen te gaan lunchen. Als je zin hebt, kun je ook wel meegaan.'

'Ik moet naar de zaak,' zei hij, de leugen die hij al klaar had aanpassend.

'Ik zal mijn tas even pakken.'

O, *nee!* 'Ik haal hem wel.'

Nagenoeg blind voor zijn eigen ware gevoelens, niet in staat ze tot uitdrukking te brengen, wist Dolarhyde niet wat hem met Reba McClane overkomen was, of waarom. Hij was in de war. Hij werd gekweld door nieuwe angst nu hij Twee was.

Ze vormde een bedreiging voor hem, ze vormde geen bedreiging voor hem.

Daar was het feit van haar verrassend levende bewegingen van onvoorwaardelijke overgave in grootmoeders bed.

Vaak wist Dolarhyde niet wat hij voelde tot hij tot daden overging. Hij wist niet wat hij voor Reba McClane voelde.

Een vervelend voorval toen hij haar naar huis reed bood hem enig inzicht.

Even voorbij de afslag Lindbergh Boulevard op Interstate 70 stopte Dolarhyde bij een Servco Supreme-tankstation om te tanken.

De pompbediende was een zwaarlijvige, gemelijke man die naar drank stonk. Hij trok een lelijk gezicht toen Dolarhyde hem vroeg het oliepeil te controleren.

Er moest olie bij. De bediende pakte met een nors gezicht de oliekan en vulde het reservoir.

Dolarhyde stapte uit om te betalen.

De bediende scheen met alle geweld de ruiten te willen schoonmaken, en vooral de ruit aan de passagierskant. Hij veegde en veegde.

Reba zat in de hoge kuipstoel, haar benen over elkaar en haar rok tot boven haar knieën opgeschoven. Haar witte stok lag tussen de twee stoelen.

De bediende begon het raam opnieuw schoon te vegen. Hij keek onder haar rok.

Op dat moment keek Dolarhyde op van zijn portemonnee en betrapte de man. Hij stak zijn hand door het raampje en zette de ruitenwissers aan op volle snelheid, zodat ze hard tegen de vingers van de pompbediende sloegen.

'Hé, kijk uit!' Opeens had de man het druk met het wegzetten van de oliekan. Hij wist zich betrapt en hij grijnsde listig tot Dolarhyde om de wagen heen naar hem toe kwam.

'Jij schoft!' Snel voorbij de 's'.

'Wat mankeert je, verdomme?' De bediende had ongeveer hetzelfde postuur als Dolarhyde, maar hij was lang niet zo gespierd. Hij was nog jong, maar had toch al een kunstgebit en hij verzorgde het niet goed.

De groene aanslag vervulde Dolarhyde met afschuw. 'Wat is er met je tanden gebeurd?' vroeg hij zacht.

'Wat gaat jou dat aan?'

'Heb je ze voor je vriendje laten trekken, smerige flikker?' Dolarhyde stond vlak voor hem.

'Donder op!'

Zachtjes: 'Varken. Idioot. Schooier. Klootzak.'

Met één handbeweging smeet Dolarhyde hem tegen het busje. De oliekan en de spuit vielen kletterend op het asfalt.

Dolarhyde raapte ze op.

'Waag het niet ervandoor te gaan. Ik krijg je toch wel te pakken.' Hij trok de spuit uit de kan en keek naar het scherpe uiteinde.

De pompbediende werd lijkbleek. Er was iets in Dolarhydes gezicht wat hij nooit eerder had gezien, bij geen mens.

In een rode flits zag Dolarhyde hoe de spuit in de borst van de man drong en diens hart doorboorde. Hij zag Reba's gezicht door de autoruit. Ze schudde haar hoofd, zei iets. Ze tastte naar de hendel om het portierraampje open te draaien.

'Ooit gebroken botten gehad, klootzak?'

De pompbediende schudde heftig van nee. 'Ik bedoelde er niets kwaads mee. Dat zweer ik!'

Dolarhyde hield de gebogen metalen spuit voor het gezicht van de man. Hij pakte het ding met beide handen beet en, terwijl zijn borstspieren zich spanden, boog hij het staal dubbel. Toen trok hij de broekband van de pompbediende naar zich toe en perste de spuit in zijn broek.

'Hou je varkensogen voor je.' Hij stopte het geld voor de benzine in het borstzakje van de man. 'Nu mag je ervandoor gaan,' zei hij. 'Maar ik kan je altijd nog te grazen nemen, wanneer ik maar wil.'

36

Het bandje werd op zaterdag bezorgd in een klein pakketje ge-adresseerd aan Will Graham, p/a FBI-Hoofdkantoor, Washington. Het was in Chicago gepost op de dag dat Lounds vermoord werd.

Het laboratorium noch de afdeling Verborgen Vingerafdrukken vond iets bruikbaars op het cassettedoosje of de verpakking.

Een kopie van het bandje werd 's middags per koerier naar Chicago gestuurd. Halverwege de middag bracht speciaal agent Chester het bandje naar Graham in de jurykamer. Er was een begeleidend briefje van Lloyd Bowman bijgevoegd.

Bowman schreef: *Elektronische analyse bewijst dat dit de stem van Lounds is. Het is duidelijk dat hij opzegt wat hem is opgedragen. Het is een nieuwe band, vervaardigd in de afgelopen drie maan-den en nog nooit eerder gebruikt. Gedragswetenschappen bestu-deert de inhoud. Eigenlijk zou dr. Bloom het moeten horen als hij voldoende is opgeknapt – dat beslis jij maar.*

Kennelijk probeert de moordenaar jou zenuwachtig te maken.

Ik denk dat hij dat één keer te vaak zal doen.

Een simpel blijk van vertrouwen dat hij zeer waardeerde.

Graham wist dat hij het bandje moest beluisteren. Hij wachtte tot Chester vertrokken was.

Hij wilde er niet mee in de jurykamer opgesloten zitten. De verla-ten rechtszaal was beter – daar viel zonlicht door de hoge ramen naar binnen. De schoonmaaksters hadden hun werk al gedaan en er hingen nog stofdeeltjes in het zonlicht.

De bandrecorder was klein en grijs. Graham zette hem op een raads-tafel en drukte de knop in.

De monotone stem van een technicus: 'Zaak nummer 426238, item 814, gemerkt en geregistreerd, een cassettetape. Dit is een kopie.'

Een verandering in de geluidskwaliteit.

Met beide handen omklemde Graham de balustrade van de jury-tribune.

De stem van Freddy Lounds klonk moe en bang.

'Ik heb een groot voorrecht gehad. Ik heb gezien... Ik heb met ver-bazing en... met verbazing en ontzag... ontzag... de kracht van de Grote Rode Draak gezien.'

De originele opname was tijdens het opnemen herhaaldelijk onderbroken. Het apparaat registreerde elke keer het indrukken van de stopknop. Graham zag de vinger op de knop. Drakenvinger.

'Ik heb over Hem gelogen. Alles wat ik schreef, waren leugens van Will Graham. Ik moest ze van hem schrijven. Ik heb... ik heb godslasterlijke taal over de Draak geschreven. Maar toch... de Draak is barmhartig. Nu wil ik Hem dienen. Hij... heeft me helpen begrijpen... Hij heeft me zijn Grootsheid doen inzien en ik zal Hem eren. Dagbladen, als jullie dit publiceren, druk de H van "Hem" dan altijd met een hoofdletter af.

Hij weet dat jij me hebt gedwongen te liegen, Will Graham. Omdat ik tot leugens gedwongen werd, zal Hij veel... veel barmhartiger zijn voor mij dan voor jou, Will Graham.

Breng je hand naar achteren, Will Graham... en voel de kleine... knobbels boven aan je bekken. Voel je wervelkolom ertussen... dat is de exacte plaats... waar de Draak je ruggengraat zal breken.'

Graham hield zijn handen op de balustrade. Verdomd als ik zal voelen. Kende de Draak de terminologie van de wervelkolom niet of verkoos hij die niet te gebruiken?

'Je hebt veel... te vrezen. Van... van mijn eigen lippen zul je vernemen hoeveel.'

Een stilte, gevolgd door een angstaanjagend gegil. Het werd nog erger toen de jammerende liploze kreet klonk: 'Jij goddergeten astaard, je had het elood!'

Graham ging met zijn hoofd tussen zijn knieën zitten tot de dansende vlekken voor zijn ogen verdwenen. Hij opende zijn mond en haalde diep adem.

Er ging een uur voorbij voor hij het bandje nog eens kon beluisteren.

Hij nam de recorder mee naar de jurykamer en probeerde daar te luisteren. Te dichtbij. Hij liet de bandrecorder lopen en ging terug naar de rechtszaal. Door de open deur kon hij het horen.

'Ik heb een groot voorrecht gehad...'

Er stond iemand in de deuropening van de rechtszaal. Graham herkende de jonge bode van het FBI-kantoor in Chicago en gebaarde hem binnen te komen.

'Er is een brief voor u gekomen,' zei de bode. 'Ik moest hem van meneer Chester naar u toe brengen. Hij zei me u te verzekeren dat de postrecherche de brief heeft doorgelicht.'

De bode haalde de brief uit zijn borstzak. Lila postpapier. Graham hoopte dat het een brief van Molly was.

'Hij is gestempeld, ziet u wel.'

'Bedankt.'

'En het is ook betaaldag.' De man overhandigde hem zijn cheque.

Op de band gilde Freddy.

De jongeman kromp ineen.

'Sorry,' zei Graham.

'Ik begrijp niet hoe u het uithoudt,' zei de jongeman.

'Ga naar huis,' zei Graham.

Hij ging op de jurytribune zitten om zijn brief te lezen. Hij verlangde erdoor opgevrolijkt te worden. De brief was afkomstig van dr. Hannibal Lecter.

Beste Will,

Een paar woorden om je te feliciteren met hetgeen je met meneer Lounds hebt gedaan. Daar heb ik enorme bewondering voor. Wat een sluw baasje ben jij!

Meneer Lounds heeft me vaak beledigd met zijn domme geleuter, maar met één ding heeft hij me een plezier gedaan: jouw opname in het ziekenhuis. Mijn onbekwame advocaat had dat in de rechtszaal naar voren moeten brengen, maar ach, het doet er niet toe.

Weet je, Will, je maakt je veel te veel zorgen. Je zou je veel prettiger voelen als je je wat zou ontspannen.

Wij hebben ons eigen karakter niet bedacht, Will. Dat wordt ons tegelijk met onze longen en alvleesklier en al het andere toebedeeld. Waarom zouden we ons ertegen verzetten?

Ik wil je helpen, Will, en ik zou graag met de volgende vraag willen beginnen: toen je zo depressief was nadat je de heer Garrett Jacob Hobbs had doodgeschoten, was het niet *de daad zelf* waardoor je van de kaart raakte, hè? Voelde je je eigenlijk niet rot *omdat het je zo'n fijn gevoel had gegeven hem te doden?*

Denk daar maar eens over na, maar pieker er niet te veel over. Waarom zou het je geen fijn gevoel geven? God moet het toch ook een fijn gevoel geven – Hij doet niets anders, en zijn we niet naar Zijn beeld geschapen?

Misschien heb je gisteren toevallig in de krant gelezen dat God woensdagavond in Texas een kerkdak op vierendertig van Zijn gelovigen heeft laten vallen – net op het moment dat ze Hem knielend een lofzang brachten. Geloof je niet dat Hem dat een fijn gevoel gaf? *Vierendertig maar liefst.* En jou gaf Hij Hobbs.

Vorige week kreeg hij bij één vliegtuigongeluk honderdzestig Filippino's – Hij laat jou die armzalige Hobbs. Eén miezerige moord misgunt Hij je niet. Twee zijn dat er nu. Dat mag.

Let goed op de kranten. God zal altijd op je voor blijven.

Het beste,

Hannibal Lecter, M.D.

Graham wist dat Lecter het volkomen mis had wat Hobbs betreft, maar gedurende een fractie van een seconde vroeg hij zich af of er een kern van waarheid in Lecters woorden school met betrekking tot Freddy Lounds. Grahams innerlijke vijand was het met elke beschuldiging eens.

Op de foto in de *Tattler* had hij zijn hand op Freddy's schouder gelegd als bewijs dat hij Freddy die beledigende dingen over de Draak inderdaad had ingefluisterd. Of had hij Freddy – een heel klein beetje maar – in gevaar willen brengen? vroeg hij zich af.

De zekerheid dat hij alles op alles zou zetten om de Draak te grijpen, was een verzachtende omstandigheid.

'Ik ben jullie, krankzinnige klootzakken, inmiddels echt spuugzat,' zei Graham hardop.

Hij moest even zijn gedachten verzetten. Hij belde Molly, maar in het huis van Willy's grootouders werd de telefoon niet opgenomen. 'Die zijn er natuurlijk lekker een dagje tussenuit met die vervloekte camper,' mompelde hij.

Hij ging naar buiten om ergens koffie te gaan drinken, deels om zichzelf ervan te overtuigen dat hij niet bezig was zich in de jurykamer te verbergen.

In de etalage van een juwelier zag hij een sierlijke, antieke gouden armband. Het kostte hem het grootste deel van zijn maandsalaris. Hij liet de armband inpakken en frankeren om hem per post te versturen. Pas toen hij zich ervan overtuigd had dat hij de enige in de buurt van de brievenbus was, schreef hij Molly's adres in Oregon erop. Graham besefte niet – zoals Molly – dat hij altijd geschenken uitdeelde als hij kwaad was.

Hij had geen zin om terug te gaan naar zijn jurykamer en daar te werken, maar hij moest wel. De gedachte aan Valerie Leeds spoorde hem aan.

Tot mijn spijt kan ik op het moment niet de telefoon oppakken, had Valerie Leeds gezegd.

Hij wilde dat hij haar had gekend. Hij wilde... wat een zinloze, kinderlijke gedachte.

Graham voelde zich moe, egoïstisch, wraakzuchtig, afgestompt tot een kinderlijk geestesniveau waarop hij allereerst maten en richting had leren beoordelen, waarop Interstate 61 het 'noorden' aangaf en 'een meter drieëntachtig' voor eeuwig verbonden was met de lengte van zijn vader.

Hij dwong zichzelf zich te verdiepen in het minutieus gedetailleerde slachtofferprofiel dat hij aan de hand van een reeks verslagen en zijn eigen observaties in elkaar zette.

Welgesteld. Dat was een parallel. Beide gezinnen waren welgesteld. Vreemd dat Valerie Leeds geld uitspaarde op panty's.

Graham vroeg zich af of ze als kind arm was geweest. Hij vermoedde van wel; haar eigen kinderen waren net iets te verwend.

Graham was vroeger arm geweest, toen hij zijn vader volgde van de scheepswerven in Biloxi en Greenville naar de schepen op het Eriemeer. Op school altijd de nieuwe jongen, altijd de buitenstaander. Hij koesterde een nauw verholen wrok jegens rijke mensen.

Valerie Leeds was als kind wellicht arm geweest. Hij kwam in de verleiding om zijn film van haar opnieuw te bekijken. Hij zou dat in de rechtszaal kunnen doen. Nee. De familie Leeds vormde niet zijn onmiddellijke probleem. Hij kende de familie Leeds. De Jacobi's kende hij niet.

Het irriteerde hem dat hij niet voldoende wist over het persoonlijke leven van de Jacobi's. De huisbrand in Detroit had nagenoeg alles verwoest – familiealbums, waarschijnlijk ook dagboeken. Graham probeerde hen te leren kennen via de voorwerpen die ze hadden gekocht en gebruikt. Meer aanknopingspunten had hij niet. Het testamentaire dossier van de Jacobi's was bijna acht centimeter dik en bestond voor een groot deel uit lijsten van bezittingen – sinds de verhuizing naar Birmingham. *Kijk toch eens wat een spullen allemaal.* Alles was verzekerd, geïnventariseerd met serienummers zoals de verzekeringsmaatschappijen eisten. Reken maar dat iemand die door brand dakloos is geworden de volgende keer een heleboel verzekeringen afsluit.

De advocaat, Byron Metcalf, had hem doorslagen van de verzekeringsdeclaraties gezonden in plaats van fotokopieën. De doorslagen waren onscherp en moeilijk te lezen.

Jacobi had een speedboat, Leeds had een speedboat. Jacobi had een driewieler, Leeds had een crossmotor. Graham bevochtigde zijn duim en sloeg de bladzijde om.

Het vierde item op de tweede bladzijde was een Chinon Pacific filmprojector.

Graham las niet verder. Hoe had hij dit kunnen missen? Hij had iedere krat in het pakhuis in Birmingham onderzocht in de hoop iets te vinden waardoor hij een beter inzicht in het persoonlijke leven van de Jacobi's zou krijgen.

Waar was de projector? Hij kon deze verzekeringsdeclaratie afchecken tegen de inventarislijst die Byron Metcalf als executeur had gemaakt toen hij de spullen van de Jacobi's had opgeslagen. De voorwerpen waren aangekruist door de beheerder van het pakhuis, die het opslagcontract had ondertekend.

Hij had er vijftien minuten voor nodig om de lijst met opgeslagen voorwerpen na te gaan. Geen projector, geen camera, geen film.

Graham leunde achterover in zijn stoel en staarde naar de lachende gezichten van de Jacobi's op de foto voor zich.

Wat hebben jullie er verdorie mee gedaan?

Is hij gestolen?

Heeft de moordenaar hem gestolen?

Als de moordenaar hem gestolen heeft, heeft hij hem dan verpatst?

Lieve God, geef me een bruikbaar spoor naar een heler.

Grahams vermoeidheid was verdwenen. Hij wilde weten of er nog meer ontbrak. Een uur lang zocht hij alles na, waarbij hij de inventarislijst van het pakhuis vergeleek met de verzekeringsdeclaraties. Alles werd verantwoord behalve de kleine kostbare voorwerpen. Die zouden allemaal op Byron Metcalfs eigen kluisinventarislijst moeten staan, de lijst met voorwerpen die hij in de bankkluis in Birmingham had weggeborgen.

Alles stond op de lijst. Op twee dingen na.

'Kristallen snuisterijendoosje, 10 x 7,5 cm, zilveren deksel' stond op de verzekeringsdeclaratie, maar dat lag niet in de kluis. 'Zilveren fotolijst, 22,5 x 27,5 cm, met motief van ranken en bloemen' lag ook niet in de kluis.

Gestolen? Zoekgeraakt? Het waren kleine voorwerpen, die makkelijk te verbergen waren. Gestolen zilver wordt meestal onmiddellijk omgesmolten. Het zou moeilijk na te trekken zijn. Maar op filmapparatuur stonden serienummers. Die konden opgespoord worden.

Was de moordenaar de dief?

Terwijl hij naar zijn besmeurde foto van de Jacobi's staarde, voelde Graham de opwekkende schok van een nieuwe link. Maar toen hij het antwoord in zijn geheel zag, was het sjofeltjes en teleurstellend en nietig.

In de jurykamer stond een telefoon. Graham belde de afdeling Moordzaken van Birmingham. Hij kreeg de wachtcommandant die van drie tot elf uur dienst had.

'Ik zag bij de zaak Jacobi dat jullie hebben bijgehouden wie het huis in en uit is gegaan nadat het verzegeld werd. Klopt dat?'

'Dat zal ik even door iemand laten checken,' zei de wachtcommandant.

Graham wist dat dit werd bijgehouden. Het was een standaardprocedure om iedereen die de plaats delict betrad of verliet te registreren en Graham had met genoegen geconstateerd dat Birmingham deze procedure eveneens volgde. Hij moest vijf minuten wachten voor hij een klerk aan de lijn kreeg.

'Hallo? Wat wilt u precies weten?'

'Staat Niles Jacobi, zoon van de overledene, op de lijst van bezoekers?'

'Ja. Op 2 juli, om zeven uur 's avonds. Hij had toestemming om wat persoonlijke spulletjes te komen halen.'

'Staat erbij of hij een koffer bij zich had?'

'Nee. Het spijt me.'

De stem van Byron Metcalf klonk gehaast en hij hijgde toen hij de telefoon opnam. Graham vroeg zich af wat hij aan het doen was.

'Ik hoop dat ik niet stoor?'

'Wat kan ik voor je doen, Will?'

'Ik heb hulp nodig met betrekking tot Niles Jacobi.'

'Wat heeft hij nu weer uitgespookt?'

'Ik vermoed dat hij wat spullen uit het huis van de Jacobi's heeft meegenomen nadat ze vermoord waren.'

'Aha.'

'Een zilveren fotolijstje ontbreekt op jouw inventarislijst. Toen ik in Birmingham was, heb ik een losse foto van het gezin meegenomen uit de studentenkamer van Niles. Die heeft in een lijstje gezeten – de indrukken zijn nog te zien.'

'Die kleine schooier! Ik heb hem toestemming gegeven om zijn kleren mee te nemen en een paar boeken die hij nodig had,' zei Metcalf.

'Niles heeft dure vriendschappen. Maar het is me voornamelijk te doen om een filmprojector en een filmcamera – die ontbreken ook. Ik wil weten of hij die heeft meegenomen. Vermoedelijk wel, maar als het niet zo is, kan het zijn dat de moordenaar die dingen heeft. In dat geval moeten we de serienummers onder de lommerds verspreiden. We zullen ze op de landelijke lijst van gestolen goed moeten plaatsen. Dat fotolijstje zal inmiddels waarschijnlijk al omgesmolten zijn.'

'Nou, ik zal hem wel even stevig aan de tand voelen.'

'Eén ding... als Niles de projector heeft meegenomen, heeft hij de films misschien gehouden. Daar krijgt hij niets voor. Ik moet die films hebben. Ik wil ze zien. Als je het hem op de man af vraagt, zal hij alles ontkennen en de films – als hij die heeft – vernietigen.'

'Oké,' zei Metcalf. 'Zijn aanspraak op de auto vervalt aan de nalatenschap. Ik ben executeur, dus heb ik geen bevelschrift nodig. Mijn vriend de rechter zal er geen bezwaar tegen hebben zijn kamer voor me te laten nasnuffelen. Je hoort wel van me.'

Graham ging weer aan het werk.

Welgesteld. Welgesteld moet in het profiel dat de politie gaat gebruiken.

Graham vroeg zich af of mevrouw Leeds en mevrouw Jacobi ooit boodschappen deden in hun tenniskleding. In sommige contreien was zoiets in zwang. Elders was dat dom omdat het dubbel provocerend was – het wekte tegelijkertijd klassehaat en begeerte op. Graham stelde zich voor hoe ze hun winkelwagentjes voortduwden, gekleed in korte plooirokjes die langs hun bruine bovenbenen streken – voorbij de dikke man met de begerige ogen die een worstenbroodje kocht om in zijn auto op te eten.

Hoeveel gezinnen waren er met drie kinderen en een huisdier die, als ze 's nachts sliepen, slechts door een eenvoudig slot van de Draak gescheiden waren?

Toen Graham zich mogelijke slachtoffers voorstelde, zag hij knappe, geslaagde mensen in mooie huizen.

Maar de volgende die de Draak het hoofd zou moeten bieden had geen kinderen of huisdieren, en er was geen rijkdom in zijn huis. De volgende die de Draak het hoofd zou moeten bieden was Francis Dolarhyde.

37

Het gebonk van gewichten op de zoldervloer dreunde door het oude huis.

Dolarhyde hief zwaardere gewichten dan hij ooit gedaan had. Hij droeg niet zijn gebruikelijke kleding; een trainingsbroek bedekte zijn tatoeage. Een sweatshirt hing over *De grote rode draak en de vrouw bekleed met de zon*. De kimono hing aan de muur als de afgestroopte huid van een boomslang. Hij bedekte de spiegel.

Dolarhyde droeg geen masker.

Omhoog. Honderdvijfentwintig kilo vanaf de vloer tot zijn borst in één beweging. Nu boven zijn hoofd.

'AAN WIE DENK JE?'

Opgeschrikt door de stem liet hij het gewicht bijna vallen, wankelde eronder. Omlaag. Het metaal dreunde op de vloer.

Met slap neerhangende armen keerde hij zich om en staarde in de richting van de stem.

'AAN WIE DENK JE?'

De stem leek achter het sweatshirt vandaan te komen, maar het gerasp en het volume deed pijn in zijn keel.

'AAN WIE DENK JE?'

Hij wist wie er sprak en hij was bang. Vanaf het begin waren hij en de Draak één geweest. Hij was de Wording en de Draak was zijn hogere ik. Hun lichamen, stemmen, wilskracht waren één.

Niet nu. Niet sinds Reba. Niet aan Reba denken.

'WIE IS ACCEPTABEL?'

'Mevrouw... erhman – Sherman.' Dolarhyde kon het met moeite uitspreken.

'*JE MOET HARDER SPREKEN! IK KAN JE NIET VER-STAAN. AAN WIE DENK JE?*'

Met een strak gezicht boog Dolarhyde zich weer over de halter. Omhoog. Boven zijn hoofd. Veel moeilijker deze keer.

'Mevrouw... erhman nat in het water.'

'*JE DENKT AAN JE VRIENDINNETJE, NIETWAAR? JE WILT DAT ZE JE SPEELKAMERAADJE WORDT, NIET-WAAR?*'

Met een klap kwam het gewicht neer. 'Ik heb geen ien... vriendinnetje.' Door de angst werd zijn spraak onduidelijker. Hij moest zijn neusgaten met zijn bovenlip afsluiten.

'*EEN STOMME LEUGEN.*' De stem van de Draak klonk luid en helder. Hij sprak de 's' zonder moeite uit. '*JE VERGEET DE WORDING. BEREID JE VOOR OP DE SHERMANS. HEF HET GEWICHT.*'

Dolarhyde tilde de halter op en spande zich in. Tegelijk met zijn lichaam spande ook zijn geest zich. Wanhopig probeerde hij aan de Shermans te denken. Hij dwong zich te denken aan het gewicht van mevrouw Sherman in zijn armen. Mevrouw Sherman was de volgende. Ja, mevrouw Sherman. Hij vocht in het donker met meneer Sherman. Hij drukte hem neer tot bloedverlies het hart van meneer Sherman deed fladderen als een vogel. Dit was het enige hart dat hij hoorde. Hij hoorde Reba's hart niet. Dat hoorde hij niet.

Angst verlamde zijn spieren. Hij wist het gewicht tot zijn heupen omhoog te krijgen, maar kon niet doorstoten tot zijn borst. Hij dacht eraan hoe de Shermans rondom hem opgesteld waren, met wijd opengesperde ogen, terwijl hij zijn tol betaalde aan de Draak. Het had geen zin. Het was hol, leeg. Het gewicht viel met een dreun op de grond.

'*NIET ACCEPTABEL.*'

'Mevrouw...'

'*JE KUNT "MEVROUW SHERMAN" NIET EENS UITSPRE-KEN. JE BENT NOOIT VAN PLAN GEWEEST DE SHER-MANS TE PAKKEN. JE WILT REBA MCCLANE. JE WILT HAAR ALS JE MEISJE? HE? JE WILT DAT JULLIE VRIEND-JES WORDEN.*'

'Nee!'

'*JE LIEGT!*'

'Alleen maar voor een poo....'

'ALLEEN MAAR VOOR EEN POOSJE? JIJ SNOTTERENDE
HAZENLIP? WIE WIL ER NU MET JOU BEVRIEND ZIJN?
KOM HIER. IK ZAL JE LATEN ZIEN WAT JE BENT.'
Dolarhyde verroerde zich niet.
'NOG NOOIT HEB IK ZO'N WALGELIJK EN SMERIG
KIND GEZIEN ALS JIJ. KOM HIER.'
Hij ging.
'HAAL HET SWEATSHIRT WEG.'
Hij haalde het weg.
'KIJK ME AAN.'
De Draak staarde hem aan vanaf de muur.
'HAAL DE KIMONO WEG. KIJK IN DE SPIEGEL.'
Hij keek. Hij kon niet anders. Hij kon zijn gezicht niet van het
gloeiende licht afwenden. Hij zag zichzelf kwijlen.
'BEKIJK JEZELF. IK ZAL JE LEUKE VRIENDINNETJE EEN
VERRASSING BEZORGEN. TREK DAT VOD UIT.'
Dolarhydes handen frommelden zenuwachtig aan het koordje van
zijn trainingsbroek. De broek scheurde. Hij trok de broek van zijn
lichaam met zijn rechterhand en drukte hem met zijn linkerhand
tegen zich aan.
Zijn rechterhand rukte de stof uit zijn trillende linkerhand. Hij
smeet de lappen in een hoek en liet zich op de mat vallen, waar
hij als een levend doormidden gehakte kreeft in elkaar kromp. Hij-
gend sloeg hij zijn armen om zijn lichaam en kreunde. Zijn tatoe-
age schitterde onder de felle trainingslampen.
'NOG NOOIT HEB IK ZO'N WALGELIJK EN SMERIG
KIND GEZIEN ALS JIJ. GA HET HALEN!'
'Aayma.'
'GA HET HALEN!'
Hij liep de kamer uit en kwam terug met het gebit van de Draak.
'LEG HET TUSSEN JE HANDPALMEN. STRENGEL JE VIN-
GERS DOOR ELKAAR EN DRUK MIJN TANDEN SAMEN.'
Dolarhydes borstspieren spanden zich.
'JE WEET HOE ZE KUNNEN BIJTEN. HOU ZE NU VOOR
JE ONDERBUIK. LEG JEZELF ERTUSSEN.'
'Nee.'
'DOE HET... KIJK ERNAAR.'
Het gebit begon hem pijn te doen. Speeksel en tranen vielen op
zijn borst.

'Affeblief.'

'*JE BENT UITSCHOT DAT DE WORDING ACHTER ZICH ZAL LATEN. JE BENT UITSCHOT EN IK ZAL ZEGGEN HOE JE HEET. KUTTENKOP. ZEG HET.*'

'Ik ben kuttenkop.' Hij sloot zijn neusgaten met zijn lippen af om het te kunnen zeggen.

'*WELDRA ZAL IK VAN JOU GEZUIVERD ZIJN*, sprak de Draak moeiteloos. '*ZAL DAT GOED ZIJN?*'

'Goed.'

'*WIE ZAL DE VOLGENDE ZIJN ALS DE TIJD DAAR IS?*'

'Mevrouw... ehrman...'

Een scherpe pijn schoot door Dolarhydes lichaam, pijn en een vreselijke angst.

'*IK RUK HEM ERAF.*'

'Reba. Reba. Ik zal u Reba geven.' Zijn spraak werd al beter.

'*JE GEEFT ME NIETS. ZE IS VAN MIJ. ZE ZIJN ALLEMAAL VAN MIJ. REBA MCCLANE EN DAN DE SHERMANS.*'

'Reba en dan de Shermans. De politie zal erachter komen.'

'*IK HEB MIJN MAATREGELEN VOOR DIE DAG GENOMEN. TWIJFEL JE DAARAAN?*'

'Nee.'

'*WIE BEN JE?*'

'Kuttenkop.'

'*LEG MIJN GEBIT WEG. JIJ ARMZALIGE SLAPPE HAZENLIP? JIJ WILDE MIJ JE VRIENDINNETJE ONTHOUDEN? NOU, IK ZAL HAAR VERSCHEUREN EN DE STUKKEN IN JE LELIJKE GEZICHT WRIJVEN. IK ZAL JE AAN HAAR DARMEN OPHANGEN ALS JE JE TEGEN ME VERZET. JE WEET DAT IK DAT KAN. BRENG HET GEWICHT OP HONDERDVIJFENDERTIG KILO.*'

Dolarhyde schoof de gewichten aan de stang. Hij had nooit meer dan honderdvijfentwintig kilo getild.

'*TILLEN.*'

Als hij niet even sterk was als de Draak, zou Reba sterven. Dat wist hij. Hij spande zich in tot de kamer rood werd voor zijn uitpuilende ogen.

'Ik kan het niet.'

'*NEE, JIJ KUNT HET NIET. MAAR IK WEL.*'

Dolarhyde greep de stang met de gewichten. Hij boog door toen hij het gewicht tot zijn schouders tilde. Omhoog. Boven zijn hoofd met gemak. '*VAARWEL, KUTTENKOP,*' zei hij, machtige Draak, trillend in het licht.

38

Op maandagmorgen verscheen Francis Dolarhyde niet op zijn werk.

Hij verliet zijn huis op precies hetzelfde tijdstip als altijd. Zijn uiterlijk was onberispelijk, zijn rijstijl zorgvuldig. Toen hij de afslag naar de brug over de Missouri River nam, zette hij zijn donkere bril op en reed de morgenzon tegemoet.

Zijn piepschuimen koelbox piepte iedere keer als die langs de passagiersstoel schuurde. Hij boog zich opzij en zette hem op de grond, terwijl hij ondertussen bedacht dat hij niet mocht vergeten droog ijs te halen en de film bij...

Nu reed hij de Missouri over. Het water stroomde onder hem door. Hij keek naar de schuimkoppen op het water en opeens had hij het gevoel dat hij zelf voortgleed en de rivier zich niet bewoog. Een vreemd, verwarrend, misselijkmakend gevoel maakte zich van hem meester. Hij liet het gaspedaal opkomen.

Het busje minderde vaart op de buitenste rijbaan en stopte. Het verkeer achter hem kwam eveneens luid toeterend tot stilstand. Hij hoorde het niet.

Terwijl hij langzaam boven de stilstaande rivier noordwaarts gleed, keek hij in de morgenzon. Vanachter zijn zonnebril drupten tranen naar beneden en vielen warm op zijn armen.

Er werd op zijn raampje getikt. Een bestuurder, met een niet uitgeslapen, pafferig gezicht, was uit de wagen achter hem gestapt. Hij schreeuwde iets door het gesloten raampje.

Dolarhyde keek naar de man. Flitsende blauwe lichten kwamen hem vanaf de andere kant van de brug tegemoet. Hij wist dat hij moest doorrijden. Hij vroeg zijn lichaam het gaspedaal in te drukken en het gehoorzaamde. De man naast de bestelwagen sprong achteruit om zijn voeten in veiligheid te brengen.

Dolarhyde reed de parkeerplaats op van een groot motel vlak bij de U.S. 270. Op de parkeerplaats stond een schoolbus, een tuba stak boven de achterbank uit.

Dolarhyde vroeg zich af of er van hem werd verwacht dat hij samen met de oude mensen in de bus zou stappen.

Nee, dat was het niet. Hij keek om zich heen, op zoek naar de Packard van zijn moeder.

'Stap in. Niet met je schoenen op de zitting,' zei zijn moeder. Dat was het ook niet.

Hij stond op een parkeerplaats van een motel aan de westkant van St. Louis en hij wilde kunnen kiezen, maar dat kon niet.

Binnen zes dagen, als hij zo lang kon wachten, zou hij Reba Mc-Clane doden. Hij maakte een onverwacht hoog geluid met zijn neus.

Misschien zou de Draak bereid zijn eerst de Shermans te nemen en tot de volgende maan te wachten.

Nee. Dat zou hij niet.

Reba was niet op de hoogte van het bestaan van de Draak. Ze dacht dat ze met Francis Dolarhyde was. Ze wilde haar lichaam op Francis Dolarhyde leggen. Ze ontving Francis Dolarhyde in grootmoeders bed.

'Het was verrukkelijk, D.,' zei Reba in de tuin.

Misschien vond ze Francis Dolarhyde aardig. Dat was een verdorven, verachtelijk iets voor een vrouw. Hij begreep dat hij haar daarom zou moeten verachten, maar o god, wat was het heerlijk. Reba McClane was schuldig omdat ze Francis Dolarhyde aardig vond. Aantoonbaar schuldig.

Was zijn Wording er niet geweest, was de Draak er niet geweest, dan had hij haar nooit kunnen meenemen naar zijn huis. Hij zou niet tot seks in staat zijn geweest. Of wel?

'Mijn god, man. Wat héérlijk!'

Dat had ze gezegd. Ze had 'man' gezegd.

De mensen die in het motel hadden ontbeten, kwamen naar buiten en liepen langs zijn busje. Hun lege blikken trippelden met talloze nietige voetjes over hem heen.

Hij moest nadenken. Hij kon niet naar huis. Hij liet zich in het motel inschrijven, belde zijn werk en meldde zich ziek. De kamer die hij kreeg was saai en stil. De enige wandversiering bestond uit slechte etsen van stoomboten. Niets staarde hem vanaf de muren aan.

Dolarhyde ging met zijn kleren aan op het bed liggen. In het pleisterwerk van het plafond zaten glinsterende spikkels. Om de paar minuten moest hij opstaan om te gaan plassen. Hij huiverde en lag even later te zweten. Een uur verstreek.

Hij wilde Reba niet aan de Draak afstaan. Hij dacht eraan wat de Draak met hem zou doen als hij haar niet zou opdienen.

Hevige angst komt in golven opzetten; lang achtereen kan het lichaam die niet verduren. In de zware kalmte tussen de golven kon Dolarhyde nadenken.

Hoe kon hij haar uit de handen van de Draak houden? Vaag wist hij dat er maar één manier was. Hij stond op.

Het geluid van het lichtknopje klonk scherp in de betegelde badkamer. Dolarhyde keek naar de roe van het douchegordijn, een stevige stang uit één stuk die aan beide uiteinden aan de muren bevestigd was. Hij haalde het gordijn eraf en hing het over de spiegel.

Hij greep de stang, trok zichzelf aan één arm op tot hij met zijn tenen de rand van de badkuip voelde. De stang was stevig genoeg. Zijn riem was ook stevig genoeg. Hij kon zichzelf ertoe zetten. Daar was hij niet bang voor.

Met een paalsteek bond hij het uiteinde van zijn riem rond de stang. Het uiteinde met de gesp vormde een lus. De dikke riem slingerde niet, maar hing als een stijve strop naar beneden.

Hij ging op het deksel van de wc zitten en keek ernaar. Er was geen ruimte om te vallen, maar dat was niet erg. Hij kon zichzelf dwingen zijn handen van de lus af te houden tot zijn armen te zwak waren om ze omhoog te brengen.

Maar hoe kon hij er zeker van zijn dat zijn dood effect zou hebben op de Draak, nu de Draak en hij Twee waren? Misschien was dat helemaal niet het geval. Hoe kon hij er dan zeker van zijn dat de Draak haar met rust zou laten?

Het kon dagen duren voor ze zijn lijk vonden. Ze zou zich gaan afvragen waar hij was. Zou ze in die tijd naar zijn huis gaan en hem daar op de tast zoeken? Naar boven gaan, rondtasten en voor een verrassing komen te staan?

De Grote Rode Draak zou er wel een uurtje de tijd voor nemen om haar weer naar beneden te spuwen.

Zou hij haar bellen en haar waarschuwen? Wat kon ze tegen Hem beginnen? Ook al was ze gewaarschuwd? Niets. Ze kon hopen op een snelle dood, hopen dat Hij in Zijn woede snel door zou bijten.

Boven in Dolarhydes huis wachtte de Draak op foto's die hij met zijn eigen handen omlijst had. De Rode Draak wachtte in talloze kunstboeken en -tijdschriften, herboren op elk moment dat een fotograaf... ja, wat eigenlijk had gedaan?

In zijn gedachten kon Dolarhyde horen hoe de machtige stem van de Draak Reba vervloekte. Eerst zou hij haar vervloeken, daarna bijten. Hij zou ook Dolarhyde vervloeken... haar vertellen dat hij niets was.

'Dat niet. Doe dat... niet,' zei Dolarhyde tegen de weerkaatsende tegels. Hij luisterde naar zijn stem, de stem van Francis Dolarhyde, de stem die Reba McClane zo makkelijk had verstaan, zijn stem. Zijn hele leven had hij zich ervoor geschaamd, en ermee bittere en kwaadaardige dingen tegen anderen gezegd.

Maar nooit had hij gehoord dat de stem van Francis Dolarhyde hem vervloekte.

'Laat dat!'

De stem die hij nu hoorde had hem nooit, nooit vervloekt, had alleen de beschimpingen van de Draak herhaald. De herinnering maakte hem beschaamd.

Als man stelde hij vermoedelijk niet veel voor, dacht hij. Het kwam bij hem op dat hij dat eigenlijk nooit goed onderzocht had, en nu was hij nieuwsgierig.

Reba had hem een flard trots meegegeven en die vertelde hem dat sterven in een badkamer een droevig einde was.

Wat dan? Welke andere manier was er?

Er was een manier en toen die bij hem opkwam, wist hij dat die godslasterlijk was. Maar het was een manier.

Hij ijsbeerde door de motelkamer, liep van het bed naar de deur en vandaar naar het raam. Onder het lopen oefende hij zijn spraak. De woorden kwamen er goed uit als hij tussen de zinnen door diep ademhaalde en zich niet haastte.

Tussen de vlagen van angst door kon hij prima praten. Nu kwam er een heftige vlaag die hem deed kokhalzen. Daarna kwam er rust. Hij wachtte tot het zover was, snelde naar de telefoon en vroeg een gesprek met Brooklyn aan.

Een schoolorkest stapte in de bus die op het parkeerterrein van het motel geparkeerd stond. De kinderen zagen Dolarhyde komen. Hij moest zich tussen hen door wringen om bij zijn busje te komen.

Een dikke jongen met een vollemaansgezicht zette een hoge borst op en spande zijn biceps toen Dolarhyde voorbij was. Twee meisjes giechelden. De tuba schetterde uit het raampje van de bus toen Dolarhyde er langsreed, maar het gelach achter zich hoorde hij niet.

Twintig minuten later stopte het busje in de laan driehonderd meter van grootmoeders huis.

Hij veegde het zweet van zijn gezicht en haalde een paar keer diep adem. Hij omklemde zijn huissleutel met zijn linker- en het stuurwiel met zijn rechterhand.

Een hoog, jammerend geluid kwam door zijn neus naar buiten. En nogmaals, luider nu. Luider, nog luider. Vooruit, ga.

Het grind spoot onder de banden weg toen het busje vooruitschoot terwijl hij door de voorruit naar het huis keek, dat steeds groter leek te worden. Het busje gleed zijdelings de tuin in en Dolarhyde sprong naar buiten.

Zonder links of rechts te kijken stormde hij de keldertrap af, frommelde aan het hangslot dat de hutkoffer in de kelder afsloot. Hij keek naar zijn sleutels.

De sleutels van de hutkoffer lagen boven. Hij veroorloofde zich geen tijd om na te denken. Met een hoog geneurie door zijn neus om onzinnige gedachten in de kiem te smoren, stemmen te overbluffen, draafde hij in één keer door naar boven.

Nu stond hij voor het bureau, zocht in de lade naar de sleutels, zonder naar de afbeelding van de Draak aan het voeteneinde van het bed te kijken. '*WAT BEN JE AAN HET DOEN?*'

Waar waren de sleutels? Waar waren de sleutels?

'*WAT BEN JE AAN HET DOEN? HOU DAARMEE OP. NOG NOOIT HEB IK ZO'N WALGELIJK EN SMERIG KIND ALS JIJ GEZIEN. HOU OP!*'

Zijn zoekende handen aarzelden.

'*KIJK... KIJK ME AAN!*'

Hij greep de rand van het bureau... probeerde zijn gezicht niet naar de muur te wenden. Met pijn wendde hij zijn ogen af toen zijn hoofd zich toch omdraaide.

'*WAT BEN JE AAN HET DOEN?*'

'Niets.'

De telefoon rinkelde, rinkelde, rinkelde. Met zijn rug naar de schildering nam hij de hoorn van de haak.

'Hallo, D., hoe gaat het ermee?' De stem van Reba McClane.

Hij schraapte zijn keel. 'Goed.' Niet meer dan een gefluister.

'Ik heb geprobeerd je op je werk te bereiken, maar daar zeiden ze dat je ziek was – je stem klinkt afschuwelijk.'

'Praat tegen me.'

'Natuurlijk praat ik tegen je. Waar zou ik anders voor bellen? Wat is er aan de hand?'

'Griep,' zei hij.

'Ga je naar de dokter?... Hallo? Ik zei: ga je naar de dokter?'

'Praat hard.' Hij grabbelde in de la, probeerde toen de la ernaast.

'Is de verbinding zo slecht? D., je zou daar niet in je eentje ziek moeten liggen.'

'ZEG HAAR DAT ZE VANAVOND NAAR JE TOE MOET KOMEN OM VOOR JE TE ZORGEN.'

Dolarhyde slaagde er bijna in om op tijd zijn hand over het mondstuk te leggen.

'Mijn god, wat was dat? Is er iemand bij je?'

'De radio, ik had de verkeerde knop te pakken.'

'Hoor eens, D., zal ik iemand naar je toesturen? Je klinkt knap beroerd. Ik kom zelf wel. Ik zal vragen of Marcia me tussen de middag even brengt.'

'Nee.' De sleutels lagen onder een opgerolde riem in de la. Hij had ze nu. Met de telefoon in zijn hand, liep hij achteruit de gang in. 'Het gaat prima met me. Ik zie je binnenkort wel.' Hij struikelde bijna over de s-klank. Hij rende de trap af. Het telefoonsnoer werd uit de muur gerukt en het toestel kletterde achter hem aan de trap af.

Een in onbeteugelde woede geuite kreet. *'KOM HIER, KUTTENKOP!'*

De trap af naar de kelder. In de hutkoffer, naast zijn kistje dynamiet, lag een klein valies met geld, creditcards en rijbewijzen op verschillende namen, zijn pistool, mes en ploertendoder.

Hij griste het valies uit de hutkoffer en rende terug naar boven, snel langs de trap, klaar om te vechten als de Draak naar beneden kwam. Het busje in en er snel vandoor, een slingerend spoor in het grind achterlatend.

Op de snelweg minderde hij vaart en reed naar de kant. Hij kokhalsde en spuugde gele gal uit. Een deel van de angst vloeide weg. Zich keurig aan de maximumsnelheid houdend en ruim op tijd richting aangevend, reed hij naar het vliegveld.

39

Voor een flatgebouw op Eastern Parkway, twee stratenblokken van het Brooklyn Museum, liet Dolarhyde de taxi stoppen en betaalde hij de chauffeur. De rest van de weg legde hij lopend af. Joggers passeerden hem, op weg naar het Prospect Park.

Vanaf de vluchtheuvel vlak bij het station van de ondergrondse had hij een goed uitzicht op het in Griekse stijl opgetrokken gebouw. Hij had het Brooklyn Museum nog nooit eerder gezien, hoewel hij wel in het bezit was van de gids, die hij had besteld toen hij voor het eerst de kleine lettertjes 'Brooklyn Museum' had ontdekt onder foto's van *De grote rode draak en de vrouw bekleed met de zon*.

Boven de ingang waren de namen van de grote filosofen, van Confucius tot Demosthenes, in steen gehouwen. Het was een imposant gebouw, door botanische tuinen omgeven, een passend onderkomen voor de Draak.

De metro rommelde onder de weg door en prikkelde zijn voetzolen. Muffe lucht steeg uit de roosters op en vermengde zich met de geur van de verf in zijn snor.

Nog maar een uur voor sluitingstijd. Hij stak de straat over en ging naar binnen. Hij gaf zijn valies aan de garderobejuffrouw.

'Is de garderobe morgen open?' vroeg hij.

'Het museum is morgen gesloten.' De garderobejuffrouw had een gerimpeld gezicht en ze droeg een blauw jasschort. Ze wendde zich van hem af.

'Maken de mensen die hier morgen zijn gebruik van de garderobe?'

'Nee. Het museum is gesloten. Dan is de garderobe ook gesloten.' Mooi. 'Dank u.'

'Geen dank.'

Dolarhyde liep langs de grote glazen vitrines in de Oceanic Hall en de Hall of the Americas op de benedenverdieping – aardewerk uit de Andes, primitieve snijwerktuigen, artefacten en indrukwekkende maskers van de Indianen aan de noordwestkust.

Nu duurde het nog maar veertig minuten voor het museum ging sluiten. Er was geen tijd meer om de benedenverdieping te verkennen. Hij wist waar de uitgangen en de openbare liften waren. Hij ging met de lift naar de vierde verdieping. Hij voelde dat hij nu dichter bij de Draak was, maar dat maakte niets uit – hij hoefde niet bang te zijn dat hij opeens voor hem zou staan.

De Draak werd niet in het openbaar tentoongesteld. Sinds het schilderij was teruggekomen van de Tate Gallery in Londen, werd het achter slot en grendel en in het donker bewaard.

Telefonisch had Dolarhyde vernomen dat *De grote rode draak en de vrouw bekleed met de zon* zelden werd tentoongesteld. Het was bijna tweehonderd jaar oud en een aquarel – licht zou het doen verbleken.

Voor *Storm in de Rocky Mountains – Mt. Rosalie 1866* van Albert Bierstadt bleef Dolarhyde staan. Daarvandaan kon hij de gesloten deuren zien van de afdeling waar schilderijen bewaard werden en bestudeerd konden worden. Daar was de Draak. Geen kopie, geen foto: de Draak zelf. Daar zou hij morgen heengaan; de afspraak was al gemaakt.

Hij liep langs de buitenmuren van de vierde verdieping, langs de portrettengalerij, zonder naar de schilderijen te kijken. Alleen de uitgangen interesseerden hem. Hij vond de nooduitgangen en de hoofdtrap en prentte de ligging van de openbare liften in zijn hoofd. De zaalwachters waren beleefde mannen van middelbare leeftijd. Ze droegen schoenen met dikke zolen, jaren van stilstaan sprak uit de stand van hun benen. Geen van hen was gewapend, merkte Dolarhyde op, op een van de bewakers in de lobby na. Misschien was hij een politieagent met een bijbaantje.

Door de intercom klonk de aankondiging dat het sluitingstijd was. Dolarhyde stond op de stoep onder de allegorische gedaante van Brooklyn en keek naar de mensen die de aangename zomeravond in liepen.

Joggers deden looppas op de plaats, wachtend tot de stroom mensen naar de ondergrondse voorbij was.

Dolarhyde bracht nog enkele minuten in de botanische tuin door. Toen hield hij een taxi aan en gaf hij de chauffeur het adres van een winkel die hij in de Gouden Gids had gevonden.

40

Om negen uur 's avonds zette Graham zijn aktetas op de grond voor de flat in Chicago die hij tijdelijk bewoonde en zocht in zijn zak naar de sleutels.

Hij had een lange dag doorgebracht in Detroit met het ondervragen van personeelsleden en het nalopen van werkverslagen in een ziekenhuis waar mevrouw Jacobi vrijwilligerswerk had gedaan voordat het gezin naar Birmingham was verhuisd. Hij was op zoek naar een tijdelijke werkkracht, iemand die mogelijk zowel in Detroit als Atlanta of in Birmingham en Atlanta gewerkt had, iemand die kon beschikken over een busje en een rolstoel en die zowel mevrouw Jacobi als mevrouw Leeds had gezien alvorens in hun huizen in te breken.

Crawford had het tijdverspilling gevonden, maar had hem toch zijn zin gegeven. Crawford had gelijk gehad. Die vervloekte Crawford. Hij had te vaak gelijk.

Graham hoorde de telefoon in zijn appartement overgaan. De sleutels zaten in de voering van zijn broekzak. Toen hij ze te pakken had, kwam er een lange draad mee naar buiten. Kleingeld rolde langs de binnenkant van zijn broekspijp en kletterde op de grond. 'Verdomme!'

Hij was halverwege de kamer toen de telefoon zweeg. Misschien was het Molly geweest.

Hij belde haar in Oregon.

Willy's grootvader beantwoordde de telefoon met volle mond. Het was etenstijd in Oregon.

'Vraag maar of Molly me terugbelt als ze klaar is met eten,' zei Graham tegen hem.

Toen de telefoon opnieuw rinkelde, stond hij onder de douche met shampoo in zijn ogen. Hij spoelde zijn hoofd af en liep druipend naar het toestel. 'Hallo, Hete Bliksem.'

'Hallo, goedgebekte duivel, je spreekt met Byron Metcalf uit Birmingham.'

'Sorry.'

'Ik heb goed nieuws en slecht nieuws. Je had gelijk over Niles Jacobi. Hij heeft die spullen meegenomen. Hij heeft alles verkocht. Ik heb hem onder druk gezet over wat hasj die ik in zijn kamer had gevonden en toen heeft hij alles opgebiecht. Dat is het slechte nieuws... Ik weet dat je hoopte dat de Tandenfee het gestolen had en aan een heler had doorverkocht.

Het goede nieuws is dat er nog wat filmmateriaal is. Ik heb het nog niet. Niles zegt dat hij twee spoelen onder de zitting van zijn auto heeft verborgen. Die wil je toch nog hebben, hè?'

'Ja. Ja, natuurlijk.'

'Nou, zijn boezemvriend Randy is nu met de wagen weg en we hebben hem nog niet te pakken kunnen krijgen, maar dat zal niet lang meer duren. Moet ik de films met het eerste vliegtuig naar Chicago meegeven en je bellen als ze onderweg zijn?'

'Graag. Geweldig, Byron, bedankt.'

'Graag gedaan.'

Molly belde op het moment dat Graham lag weg te dommelen. Nadat ze elkaar verzekerd hadden dat alles goed met hen was, scheen er nog maar weinig te zeggen.

Willy had het best naar zijn zin, zei Molly. Ze liet Willy nog even welterusten zeggen.

Willy had heel wat meer te zeggen dan alleen 'welterusten'. Hij vertelde Will het opwindende nieuws: opa had een pony voor hem gekocht!

Daar had Molly niets over gezegd.

41

Dinsdag is het Brooklyn Museum voor het publiek gesloten, maar klassen van kunstacademies en onderzoekers worden wel toegelaten.

Het museum leent zich bij uitstek voor wetenschappelijk onderwijs. Het personeel heeft verstand van kunst en is inschikkelijk; dikwijls staan ze onderzoekers toe om dinsdags, op afspraak, stukken te komen bekijken die niet in het openbaar tentoongesteld worden.

Dinsdag, even na twee uur 's middags, verliet Francis Dolarhyde het station van de ondergrondse met zijn studiemateriaal. Hij had een notitieboek, een catalogus van de Tate Gallery en een biografie van William Blake onder zijn arm geklemd.

Onder zijn shirt droeg hij een plat 9 mm pistool, een leren knuppel en zijn vlijmscherpe fileermes. De wapens werden met een elastische band tegen zijn platte buik gedrukt. Zijn sportjasje kon hij makkelijk daaroverheen dichtknopen. In de zak van zijn jasje zat een plastic zakje met een in chloroform gedrenkte doek.

In zijn hand droeg hij een nieuwe gitaarkoffer.

Op de vluchtheuvel vlak bij de uitgang van de ondergrondse op Eastern Parkway, stonden drie telefooncellen. Een van de telefoons was vernield; een van de andere twee werkte.

Dolarhyde stopte er kwartjes in tot Reba 'hallo' zei.

Hij hoorde de geluiden uit de donkere kamer op de achtergrond.

'Hallo, Reba,' zei hij.

'Hé, D.! Hoe is het met je?'

Door het verkeer dat langs raasde, kon hij haar moeilijk verstaan.

'Goed.'

'Zo te horen sta je in een telefooncel. Ik dacht dat je ziek in bed lag.'

'Ik wil later met je praten.'

'Oké. Bel me straks dan maar, goed?'

'Ik moet... je zien.'

'Niets liever, maar vanavond kan ik niet. Ik moet werken. Bel je me?'

'Ja. Als er niets...'

'Wat zeg je?'

'Ik bel je.'

'Ik hoop tot gauw, D.'

'Ja. Dag... Reba.'

Goed dan. De angst kroop van zijn borstbeen naar zijn buik. Hij onderdrukte die en stak de straat over.

Op dinsdag was de enige manier om het Brooklyn Museum binnen te gaan via een enkele deur rechts van de hoofdingang, bijna op de hoek van het gebouw. Dolarhyde liep achter vier studenten van de kunstacademie naar binnen. De studenten smeten hun tassen tegen de muur en haalden hun pasjes te voorschijn. De bewaker achter de balie controleerde ze.

Hij kwam naar Dolarhyde toe.

'Hebt u een afspraak?'

Dolarhyde knikte. 'Schilderijenstudie, juffrouw Harper.'

'Wilt u het register even tekenen?' De bewaker gaf hem een pen.

Dolarhyde had zijn eigen pen al in zijn hand. Hij tekende met 'Paul Crane'.

De bewaker draaide een intern nummer. Dolarhyde ging met zijn rug naar de balie staan en bestudeerde *Het wijnfeest* van Robert Blum boven de ingang terwijl de bewaker zijn afspraak verifieerde. Vanuit zijn ooghoek zag hij dat er nog een bewaker in de lobby stond. Ja, dat was de man met het pistool.

'Bij het winkeltje achter in de lobby staat een bank. Vlak naast de liften,' zei de man achter de balie. 'Daar kunt u wachten. Juffrouw Harper komt u zo halen.' Hij overhandigde Dolarhyde een roze met witte plastic badge.

'Mag ik mijn gitaar hier laten staan?'

'Ik zal er wel een oogje op houden.'

Nu de lampen niet voluit brandden, zag het museum er anders uit. Het was schemerig rond de grote glazen vitrines.

Dolarhyde zat drie minuten op de bank te wachten toen Miss Harper uit de lift stapte.

'Meneer Crane? Ik ben Paula Harper.'

Ze was jonger dan haar stem door de telefoon deed vermoeden toen hij vanuit St. Louis had opgebeld; een tengere vrouw met een prettig gezicht. Ze droeg haar blouse en rok als was het een uniform.

'U belde over de aquarel van Blake,' zei ze. 'Kom maar mee naar boven, dan zal ik hem u laten zien. We nemen de personeelslift... deze kant op.'

Ze leidde hem langs het donkere kantoor en door een klein vertrek vol met primitief wapentuig. Hij keek snel om zich heen om de weg te onthouden. In de hoek van de Amerika-afdeling was een gang die naar een kleine lift leidde.

Juffrouw Harper drukte op de knop. Ze sloeg haar armen over elkaar en wachtte. Haar helderblauwe ogen zagen de roze met witte badge op Dolarhydes revers.

'Hij heeft u een pasje voor de vijfde verdieping gegeven,' zei ze. 'Ach, het geeft niet... vandaag zijn er op de vierde verdieping toch geen bewakers. Met wat voor onderzoek bent u bezig?'

Tot nu toe had Dolarhyde zich kunnen redden met glimlachjes en knikjes. 'Een verhandeling over Butts,' zei hij.

'Over William Butts?'

Hij knikte.

'Ik heb niet veel over hem gelezen. Hij wordt alleen maar vermeld in voetnoten als Blakes mecenas. Is hij interessant?'

'Ik ben pas begonnen. Ik zal naar Engeland moeten.'

'Ik geloof dat de National Gallery twee aquarellen heeft die hij voor Butts heeft gemaakt. Hebt u die al gezien?'

'Nog niet.'

'U kunt beter eerst schrijven.'

Hij knikte. De lift kwam.

Vierde verdieping. Hij voelde een lichte tinteling, maar hij had bloed in zijn armen en benen. Weldra zou het alleen nog ja of nee zijn. Als het mis ging, zouden ze hem niet te pakken krijgen.

Ze ging hem voor door de gang met Amerikaanse portretten. Zo was hij de vorige keer niet gelopen, maar hij wist waar hij was. Het was in orde.

Maar er wachtte in de gang iets op hem en toen hij het zag, bleef hij stokstijf staan.

Toen Paula Harper merkte dat hij haar niet volgde, draaide ze zich om.

Hij stond als verstijfd voor een nis in de muur met portretten.

Ze kwam terug en zag waarnaar hij staarde.

'Dat is een portret van George Washington door Gilbert Stuart,' zei ze.

Nee, dat was het niet.

'Een soortgelijk portret staat op het dollarbiljet. Het wordt een Lansdowne-portret genoemd omdat Stuart er een heeft gemaakt voor de markies van Lansdowne als dank voor zijn steun tijdens de Amerikaanse onafhankelijkheidsoorlog – voelt u zich wel goed, meneer Crane?'

Dolarhyde was lijkbleek. Dit was erger dan alle dollarbiljetten die hij ooit had gezien. Washington met zijn omfloerste blik en zijn lelijke kunstgebit staarde hem vanuit de lijst aan. Mijn god, hij leek sprekend op grootmoeder. Dolarhyde voelde zich als een kind met een rubberen mes.

'Meneer Crane, voelt u zich wel goed?'

Geef antwoord of je bederft alles. Doe of er niets aan de hand is. *Mijn god, man, wat héérlijk.* JE BENT HET SMERIGSTE – nee.

Zeg iets.

'Ik slik kobalt,' zei hij.

'Wilt u soms even gaan zitten?' Er hing inderdaad een flauwe medicijngeur om hem heen.

'Nee. Gaat u maar vast. Ik kom eraan.'

En je zult me niet in de wielen rijden, grootmoeder! Ik zweer het, ik zou je vermoorden als je al niet dood was. Al dood. Al dood. Grootmoeder was al dood! Dood voor nu, dood voor altijd! Mijn god, man, wat héérlijk!

Maar die ander was nog niet dood, en Dolarhyde wist het.

Door de duisternis van zijn angst volgde hij juffrouw Harper.

Via dubbele deuren bereikten ze de afdeling Studie en Opslag. Dolarhyde keek vluchtig om zich heen. Het was een lang, vredig vertrek, goed verlicht, met carrouselrekken vol afgedekte schilderijen. Langs de muur zag hij een rij afgeschermde kantoorhokjes. De deur van het kantoortje helemaal achteraan stond open en hij hoorde het getik van een schrijfmachine.

Hij zag niemand behalve Paula Harper.

Ze bracht hem naar een werktafel en gaf hem een kruk.

'Als u hier even wacht, dan haal ik het schilderij voor u.'

Ze verdween achter de rekken.

Dolarhyde maakte een knoop van zijn jasje los.

Daar kwam juffrouw Harper. Ze had een plat, zwart koffertje bij zich, niet groter dan een aktetas. Daar zat het in. Waar haalde ze de kracht vandaan om het schilderij te kunnen dragen? In zijn gedachten was het nooit plat geweest. Hij had de afmetingen in de catalogus gezien – 43,5 x 34,2 cm – maar daar had hij geen aandacht aan besteed. Hij had verwacht dat het immens groot zou zijn. Maar het was klein. Het was klein en het bevond zich hier in een stil vertrek. Hij had nooit beseft hoeveel kracht de Draak had ontleend aan het oude huis in de boomgaard.

Juffrouw Harper zei iets: '... moeten het in deze cassette bewaren, omdat het in het licht zou verbleken. Daarom wordt het ook niet zo vaak tentoongesteld.'

Ze legde het koffertje op de tafel en knipte het slot open. Een geluid bij de dubbele deuren. 'Wilt u me even excuseren? Ik moet de deur opendoen voor Julio.' Ze deed het koffertje weer dicht en nam het mee naar de glazen deuren. Buiten stond een man met een rolwagen. Zij hield de deuren open terwijl hij het naar binnen reed.

'Hier goed?'

'Ja, dank je, Julio.'

De man ging weer weg.

Daar kwam juffrouw Harper met de cassette.

'Vergeef de storing, meneer Crane. Julio moet vandaag afstoffen en aanslag van een aantal lijsten verwijderen.' Ze opende het koffertje en nam er een witte kartonnen map uit. 'U zult begrijpen dat u het niet mag aanraken. Ik zal het voor u omhooghouden – dat zijn de regels. Akkoord?'

Dolarhyde knikte. Hij kon geen woord uitbrengen.

Ze opende de map en verwijderde de plastic omslag.

Daar was het dan. *De grote rode draak en de vrouw bekleed met de zon* – de Man-Draak die zich verhief boven de machteloos uitgestrekte smekende vrouw, die in een kronkeling van zijn staart gevangen werd gehouden.

Goed, het was klein, maar o zo machtig. Adembenemend. De beste reproducties deden geen recht aan de details en de kleuren.

Dolarhyde zag het duidelijk, zag alles in één oogopslag – Blakes handschrift op de randen, twee bruine vlekken op de rechterrand van het papier. Hij kon het nauwelijks omvatten. Het was te veel... de kleuren waren zoveel sterker.

Kijk naar de vrouw, gewikkeld in de staart van de Draak. Kijk.

Hij zag dat ze precies dezelfde kleur haar had als Reba. Hij zag dat hij acht meter van de deur verwijderd was. Hij hield stemmen tegen.

Ik hoop niet dat ik je gechoqueerd heb, zei Reba McClane.

'Het lijkt alsof hij niet alleen waterverf maar ook krijt heeft gebruikt,' hoorde hij Paula Harper zeggen. Ze stond zo dat ze kon zien wat hij deed. Geen moment liet ze met haar blik het schilderij los.

Dolarhyde stak zijn hand onder zijn shirt.

Ergens rinkelde een telefoon. De schrijfmachine zweeg. Een vrouw stak haar hoofd om de hoek van het verst verwijderde kantoortje.

'Paula, telefoon voor je. Het is je moeder.'

Juffrouw Harper wendde haar hoofd niet af. Geen ogenblik lieten haar blikken Dolarhyde of de schildering los. 'Wil je de boodschap aannemen?' vroeg ze. 'Zeg maar dat ik haar straks terugbel.'

De vrouw verdween weer in het kantoor. Even later ratelde de schrijfmachine weer.

Dolarhyde hield het niet langer uit. Het was nu of nooit.

Maar de Draak was sneller. '*NOG NOOIT HEB IK ZO'N...*'

'Wat zegt u?' Juffrouw Harper keek hem met grote, verbaasde, ogen aan.

'... zo'n grote rat gezien!' zei Dolarhyde, terwijl hij wees. 'Hij klimt in die lijst!'

Juffrouw Harper draaide zich om. 'Waar?'

De knuppel gleed onder zijn shirt vandaan. Met een kleine beweging vanuit zijn pols trof hij de achterkant van haar schedel. Toen ze in elkaar zakte, greep Dolarhyde haar vast bij haar blouse en drukte hij de doek met chloroform tegen haar gezicht. Eén keer maakte ze een hoog geluid, niet al te hard, waarna haar lichaam verslapte.

Hij legde haar op de grond tussen de tafel en de rekken met schilderijen, trok de map met de aquarel naar de grond en hurkte naast haar neer. Geritsel, verfrommelen, gehijg en een telefoon die rinkelde.

De vrouw kwam weer uit het kantoortje.

'Paula?' Ze keek om zich heen. 'Het is je moeder weer,' riep ze. 'Ze wil je per se nu spreken!'

Ze liep achter de tafel langs. 'Ik let wel op de bezoeker terwijl jij...'

Toen zag ze hen. Paula Harper op de vloer, haar haren voor haar gezicht, en gehurkt naast haar, een pistool in zijn hand, Dolarhyde, die de laatste hap van de aquarel in zijn mond propte. Hij kwam overeind en zette het, nog steeds kauwend, op een rennen. In haar richting.

Ze schoot haar kantoortje binnen, smeet de weinig bescherming biedende deur dicht, graaide naar de telefoon en stootte die op de grond, liet zich op handen en knieën vallen en probeerde het nummer van de bewaking te draaien, toen haar deur het begaf. De kiesschijf leek alle kleuren van de regenboog aan te nemen toen de knuppel neerkwam achter haar oor. De hoorn kletterde op de grond.

In de personeelslift keek Dolarhyde naar de lichtjes op het paneel die de verdiepingen aangaven. Het pistool hield hij plat tegen zijn buik, aan het oog onttrokken door zijn boeken.

Begane grond.

De verlaten zalen in. Hij liep snel, zijn gejaagde passen fluisterden over de betegelde vloer. Verkeerd. Hij liep langs de walvismaskers, het grote masker van Sisuit, verloor kostbare seconden, rende langs de Haida-totems. Hij was verdwaald. Hij rende terug, keek naar links, zag de primitieve wapens en wist weer waar hij was.

Hij gluurde om de hoek de lobby in.

De man achter de balie stond voor het mededelingenbord, tien meter van de receptie verwijderd.

De gewapende bewaker stond dichter bij de deur. Zijn holster kraakte toen hij zich vooroverboog om een vlek van zijn schoen te wrijven.

Als ze moeilijk gaan doen, eerst hem uitschakelen. Dolarhyde stak het pistool achter zijn riem en knoopte zijn jas erover dicht. Hij liep de lobby door en maakte ondertussen de badge op zijn revers los.

Toen hij de voetstappen hoorde, draaide de man van de balie zich om.

'Dank u,' zei Dolarhyde. Hij hield zijn pasje bij de rand vast en legde het toen op de balie.

De bewaker knikte. 'Wilt u het alstublieft in die gleuf steken?'

De telefoon op de balie rinkelde.

Het pasje liet zich moeilijk van het glazen oppervlak pakken.

De telefoon rinkelde opnieuw. Opschieten!

Dolarhyde kreeg zijn pasje te pakken en drukte het in de gleuf. Hij pakte zijn gitaarkoffer van de stapel rugzakken.

De bewaker liep naar de telefoon.

Nu de deur door, snel naar de botanische tuinen. Hij hield zich gereed om zich om te draaien en te vuren als hij achtervolgd werd. De tuin in en dan naar links. Daar dook Dolarhyde weg in een open ruimte tussen een schuurtje en een heg. Hij opende de gitaarkoffer en draaide die om. Er viel een tennisracket, een tennisbal, een handdoek, een opgevouwen papieren boodschappenzak en een grote bos bladselderij uit.

Knopen vlogen in het rond toen hij zijn jas en shirt in één beweging uittrok en uit zijn broek stapte. Daaronder droeg hij een Brooklyn College T-shirt en een trainingsbroek. Hij propte zijn boeken en kleren in de boodschappenzak, en toen zijn wapens. De bos selderij stak boven de zak uit. Hij veegde het handvat en de sloten van de gitaarkoffer schoon en schoof die onder de heg.

Via de tuinen liep hij nu in de richting van Prospect Park, met de handdoek om zijn nek. Hij kwam uit op Empire Boulevard. Voor hem uit liepen joggers. Toen hij de joggers het park in volgde, raasden de eerste politiewagens met gillende sirenes voorbij. Geen van de joggers besteedde er enige aandacht aan. Dolarhyde evenmin.

Hij wisselde joggen af met lopen, zijn boodschappenzak en tennisracket in zijn handen en stuiterend met zijn tennisbal, een man die na een inspannend partijtje tennis op weg naar huis ging en onderweg boodschappen had gedaan.

Hij dwong zichzelf langzamer te lopen. Het was niet goed om met een volle maag te rennen. Hij kon nu immers zijn eigen tempo bepalen.

Hij kon nu alles zelf bepalen.

42

Crawford zat op de achterste rij van de jurytribune op pinda's te knabbelen terwijl Graham de gordijnen van de rechtszaal dichtdeed.

'Je zou me dinsdag het profiel geven,' zei Crawford. 'Nou, het is vandaag dinsdag.'

'Ja, dat komt af. Eerst wil ik dit bekijken.'

Graham opende de expresenvelop van Byron Metcalf en schudde de inhoud eruit – twee stoffige filmspoelen, elk in een plastic broodzakje verpakt.

'Onderneemt Metcalf stappen tegen Niles Jacobi?'

'Niet voor diefstal – hij erft vermoedelijk toch alles – hij en Jacobi's broer,' zei Graham. 'Wat de hasj betreft, dat weet ik niet. De officier van justitie in Birmingham is geneigd hem daarvoor goed aan te pakken.'

'Mooi zo,' zei Crawford.

Het projectiescherm kwam vanaf het plafond naar beneden en bleef voor de jurytribune hangen, een oplossing om juryleden snel gefilmd bewijsmateriaal te kunnen tonen.

Graham stelde de projector in.

'Wat het controleren van de kiosken betreft, waar de Tandenfee zo snel een *Tattler* op de kop heeft kunnen tikken,' zei Crawford, 'heb ik rapporten teruggekregen uit Cincinnati, Detroit en een hele stapel uit Chicago. Verscheidene vreemde vogels om na te trekken.'

Graham startte de projector. De film was opgenomen tijdens een vispartij.

De kinderen van de Jacobi's zaten op hun hurken aan de oever van een grote plas met bamboehengels en dobbers.

Graham probeerde niet aan hen te denken in hun kistjes onder de grond. Hij probeerde alleen aan hen te denken zoals ze daar aan het vissen waren.

De dobber van het meisje ging onder. Ze had beet.

De zak met pinda's in Crawfords hand knisperde. 'Indianapolis maakt geen haast met het ondervragen van kioskhouders en het controleren van de Servco Supreme stations,' zei hij.

'Wil je dit zien of niet?' vroeg Graham.

Crawford zweeg tot de twee minuten durende film was afgelopen. 'Schitterend, ze heeft een baars gevangen,' zei hij. 'Nu het profiel...'

'Jack, jij bent in Birmingham geweest direct nadat het gebeurd was. Ik was daar pas een maand later. Jij hebt het huis gezien toen het nog hún huis was – ik niet. Toen ik er voor het eerst kwam, was alles eruit gehaald en was het helemaal opnieuw geschilderd en behangen. Laat me nu in vredesnaam naar deze mensen kijken. Daarna zal ik het profiel afmaken.'

Hij startte de tweede film.

Op het scherm in de rechtszaal verscheen een verjaardagsfeestje. De Jacobi's zaten om de eettafel. Ze zongen.

Aan de bewegingen van hun lippen kon Graham zien wat ze zongen: 'Happy birthday to you.'

De elfjarige Donald Jacobi keek in de camera. Hij zat aan het hoofdeinde van de tafel met een grote taart voor zich. De kaarsjes weerkaatsten in zijn brillenglazen.

Aan de lange kant van de tafel stonden zijn broertje en zusje naast elkaar. Ze keken toe terwijl hij de kaarsen uitblies.

Graham schoof ging verzitten op zijn stoel.

Mevrouw Jacobi's donkere haar viel naar voren toen ze zich vooroverboog om de kat te pakken en van de tafel te zetten.

Nu gaf mevrouw Jacobi haar zoon een grote envelop waaraan een lang lint was vastgemaakt. Donald Jacobi maakte de envelop open en haalde er een grote felicitatiekaart uit. Hij keek op naar de camera en draaide de kaart om. Er stond 'Hartelijk gefeliciteerd – volg het lint'.

Schokkend volgde de camera de stoet naar de keuken. Daar door een deur, die openstond. De keldertrap af. Donald voorop, daarna de anderen. Ze volgden het rode lint naar beneden. Het uiteinde van het lint zat vast aan het stuur van een racefiets met tien versnellingen.

Graham vroeg zich af waarom ze hem de fiets niet buiten hadden gegeven.

Een schokkerige overgang naar de volgende scène beantwoordde zijn vraag. Ze stonden nu buiten en het had kennelijk flink geregend. Er stonden waterplassen in de tuin. Het huis zag er anders uit. Na de moorden had makelaar Geehan het in een andere kleur laten overschilderen. De buitendeur naar de kelder ging open en meneer Jacobi kwam met de fiets naar buiten. Voor het eerst kwam hij hier in beeld. Een windvlaag blies de haren overeind die hij over een kale plek had gekamd. Met een plechtig gebaar zette hij de fiets in de tuin.

De film eindigde met Donald, die voorzichtig de nieuwe fiets probeerde.

'Verdomd triest,' zei Crawford. 'Maar dat wisten we al.'

Graham startte de verjaardagsfilm opnieuw.

Crawford schudde zijn hoofd en begon bij het licht van een klein zaklampje een document te lezen dat hij uit zijn aktetas had gehaald.

Op het scherm bracht meneer Jacobi de fiets naar buiten. De buitendeur klapte achter hem dicht. Er hing een hangslot aan.

Graham bevroor het beeld.

'Daar. Daar had hij de betonschaar voor nodig, Jack – om het hangslot open te knippen en via de kelder naar binnen te gaan. Waarom ging hij dan niet langs die weg naar binnen?'

Crawford knipte zijn lampje uit en tuurde over zijn bril naar het scherm. 'Wat zeg je?'

'Ik weet dat hij een betonschaar of zoiets had – daarmee heeft hij die tak uit de boom verwijderd om een beter zicht op het huis te hebben. Waarom heeft hij die niet gebruikt om via de kelder het huis in te gaan?'

'Dat kon hij niet.' Crawford wachtte, met een huichelachtig lachje op zijn gezicht. Hij genoot ervan als hij veronderstellingen van de tafel kon vegen.

'Heeft hij het wel geprobeerd? Heeft hij het overwogen? Ik heb die deur zelfs nooit gezien. Voordat ik daar kwam, had Geehan er een stalen deur in laten zetten.'

Crawford opende zijn mond. 'Je *veronderstelt* dat Geehan dat heeft laten doen. Maar Geehan heeft dat niet laten doen. Die stalen deur was er al toen ze vermoord werden. Jacobi moet hem erin gezet hebben. Hij kwam uit Detroit. Daar zijn ze dol op stalen deuren met pensloten.'

'Maar wanneer heeft Jacobi dat dan gedaan?'

'Dat weet ik niet. In ieder geval na de verjaardag van de jongen... wanneer was dat? Dat zal wel in het autopsierapport staan, dat heb je toch?'

'Zijn verjaardag was op 14 april, een maandag,' zei Graham, terwijl hij met zijn kin in zijn hand naar het scherm staarde. 'Ik wil weten wanneer Jacobi die deur erin heeft gezet.'

Er verschenen rimpels op Crawfords voorhoofd. Toen hij het begreep, trok de huid weer glad. 'Jij denkt dat de Tandenfee het huis van de Jacobi's heeft verkend toen de oude deur met het hangslot er nog in zat,' zei hij.

'Hij had immers een betonschaar bij zich. Waarvoor gebruik je een schaar om ergens in te breken?' vroeg Graham. 'Om hangsloten, ijzeren stangen of kettingen door te knippen. Jacobi had geen hekken of deuren die met stangen of kettingen waren afgesloten, wel?'

'Nee.'

'Dan ging hij er dus heen in de verwachting een hangslot aan te treffen. Een betonschaar is niet zo licht en vrij lang. Hij kwam op klaarlichte dag en vanaf de plaats waar hij zijn wagen parkeerde, moest hij nog een heel eind lopen naar het huis van de Jacobi's. Terwijl hij wist dat hij snel moest kunnen vertrekken als er iets mis zou gaan. Hij zou geen betonschaar hebben meegenomen als hij niet dacht dat hij die nodig zou hebben. Hij verwachtte een hangslot aan te treffen.'

'Volgens jou heeft hij dus het huis verkend vóór Jacobi er een andere deur in heeft gezet. Dan gaat hij daarheen om ze te vermoorden, wacht in het bos...'

'Vanuit het bos heb je geen zicht op deze kant van het huis.'

Crawford knikte. 'Hij wacht in het bos. Zij gaan naar bed en hij loopt met zijn betonschaar naar het huis en komt dan tot de ontdekking dat de oude deur door een stalen deur met pensloten is vervangen.'

'Laten we aannemen dat hij op de nieuwe deur stuit. Hij heeft alles precies uitgedacht en dan dit,' zei Graham, die zijn handen in een wanhoopsgebaar omhoog brengt. 'Hij is door het dolle heen, gefrustreerd. Hij moet en zal naar binnen. Daarom gaat hij naar de patiodeur en bewerkt deze gejaagd en luidruchtig. Door zijn slordige manier van werken is Jacobi wakker geworden en toen moest hij hem op de trap uitschakelen. Dat is niets voor de Draak. Die gaat normaal gesproken niet zo slordig te werk. Hij is voorzichtig en laat geen sporen achter. Toen hij het huis van de familie Leeds binnendrong, heeft hij ook geen enkel spoor achtergelaten.'

'Goed, goed,' zei Crawford. 'Als we erachter kunnen komen wanneer Jacobi die deuren heeft verwisseld, kunnen we misschien vaststellen hoeveel tijd er zat tussen het tijdstip waarop hij het huis heeft verkend en de moorden. In elk geval de minimaal verstreken tijd. Dat lijkt me een nuttig iets om te weten. Misschien komt het overeen met data van het evenementenbureau in Birmingham. We kunnen de autoverhuurbedrijven opnieuw controleren. Ditmaal betrekken we dan ook bestelwagens en busjes erbij. Ik zal contact opnemen met het fbi-kantoor in Birmingham.'

Crawford had kennelijk nogal aangedrongen: in op de kop af veertig minuten stond een fbi-agent uit Birmingham, met Geehan in zijn kielzog, te schreeuwen naar een timmerman die op het dak van een nieuw huis aan het werk was. De door de timmerman verstrekte informatie werd doorgeseind naar Chicago.

'De laatste week van april,' zei Crawford, toen hij de telefoon neerlegde. 'Toen hebben ze de nieuwe deur erin gezet. Mijn hemel, dat is twee maanden voor de Jacobi's vermoord werden. Waarom zou hij de plaats twee maanden van tevoren verkennen?'

'Dat weet ik niet, maar ik kan je wel verzekeren dat hij mevrouw Jacobi of misschien het hele gezin heeft gezien voor hij zijn oog op hun huis heeft laten vallen. Tenzij hij ze van Detroit daarheen is gevolgd, heeft hij mevrouw Jacobi ontdekt op een tijdstip tussen 10 april, toen ze naar Birmingham verhuisden, en eind april, toen de deur werd verwisseld. Ergens in die periode was hij in Birmingham. Is de fbi daar er nog mee aan de gang?'

'De politie ook,' zei Crawford. 'Vertel me één ding: hoe wist hij dat er een verbindingsdeur van de kelder naar het huis was? Dat is lang niet altijd het geval – zeker niet in het zuiden.'

'Hij heeft het huis vanbinnen gezien, geen twijfel mogelijk.'

'Heeft je vriend Metcalf de bankafschriften van de Jacobi's?'

'Vast wel.'

'Laten we de bezoekjes van servicemonteurs en dergelijke tussen
10 en eind april eens bekijken. Ik weet dat die zijn nagetrokken
tot een paar weken voor de moorden, maar misschien zijn we niet
ver genoeg teruggegaan. Hetzelfde geldt voor de familie Leeds.'
'We zijn er altijd van uitgegaan dat hij bij de familie Leeds in het
huis is geweest om de situatie te verkennen,' zei Graham. 'Vanuit
het laantje kan hij het glas in de keukendeur niet hebben gezien.
Er is daar een dichte veranda. Maar hij stond klaar met zijn glassnijder. En in de drie maanden voor hun dood zijn er geen servicemonteurs of klusjesmannen of wie dan ook bij ze over de vloer geweest.'
'Als hij dit lang van tevoren uitkient, zijn we misschien niet ver genoeg teruggegaan met ons onderzoek. Dat zullen we nu wel doen.
Maar bij de familie Leeds – toen hij de meter stond af te lezen in
het laantje achter het huis twee dagen voordat hij ze heeft vermoord, heeft hij ze misschien naar binnen zien gaan. Dan kan hij
naar binnen hebben gekeken toen de verandadeur openstond.'
'Nee, de deuren liggen niet achter elkaar, weet je nog wel? Kijk
maar.'
Graham zette de film van de familie Leeds op de projector.
De hond van de Leeds spitste zijn oren en rende naar de keukendeur. Valerie Leeds en de kinderen komen binnen met boodschappen in hun armen. Door de keukendeur was niets van de om-
heinde veranda te zien.
'Goed, zorg jij dan dat Byron Metcalf met de bankafschrijvingen
van april aan de gang gaat? Alle betalingen aan klusjesmensen of
servicebedrijven, dingen die aan de deur zijn gekocht. Nee... dat
doe ik wel terwijl jij het profiel afmaakt. Heb je het nummer van
Metcalf?'
Zijn gedachten waren nog steeds bij de familie Leeds. Afwezig gaf
hij Crawford drie nummers van Byron Metcalf.
Terwijl Crawford de telefoon in de jurykamer gebruikte, draaide
Graham de films nogmaals af.
Eerst die van de familie Leeds.
Daar was de hond van de Leeds. Het dier droeg geen halsband en
er woonden veel honden in de omgeving, maar de Draak wist wel-
ke hond van de Leeds was.
Daar kwam Valerie Leeds. Bij het zien van haar verschijning kromp
Grahams hart ineen. Achter haar was de deur, kwetsbaar met de

grote glazen ruit. Haar kinderen speelden over het grote scherm in de rechtszaal.

Graham had zich nooit zo verwant gevoeld met de Jacobi's als met de Leeds. Hun film bracht hem nu van streek. Het zat hem niet lekker dat hij de Jacobi's steeds had gezien als krijtstrepen op een bebloede vloer.

Daar waren de kinderen van de Jacobi's, rond de tafel, waar het schijnsel van de verjaardagskaarsjes in hun gezichten werd weerkaatst.

In een flits zag Graham het opgedroogde kaarsvet op het nachtkastje van de Jacobi's, de bloedvlekken in de slaapkamer van de Jacobi's. Er was iets...

Crawford kwam terug. 'Ik moest je van Metcalf vragen...'

'Praat niet tegen me!'

Crawford voelde zich niet beledigd. Doodstil bleef hij staan wachten, terwijl zijn kleine ogen nog kleiner en feller leken te worden.

De film draaide door, het licht van het scherm en schaduwen speelden over Grahams gezicht.

Daar was de kat van de Jacobi's. De Draak wist dat het de kat van de Jacobi's was.

Daar was de binnendeur naar de kelder.

Daar was de buitendeur van de kelder met het hangslot. De Draak had een betonschaar meegebracht.

De film was afgelopen. Het uiteinde liep van de spoel en fladderde rond.

Alles wat de Draak moest weten stond op de twee films.

Ze waren niet in het openbaar vertoond, ze waren geen lid van een filmclub, er was geen filmfesti...

Graham keek naar de bekende groene doos waarin de Leeds-film was bezorgd. Hun naam en adres stonden erop. En ook Gateway Film Laboratorium, St. Louis, Mo. 63102.

Zijn geest herkende St. Louis, zoals het elk telefoonnummer dat hij ooit had gezien herkende. Wat was er met St. Louis? Het was een van de plaatsen waar de *Tattler* op maandagavond verkrijgbaar was, op dezelfde dag dat de krant van de persen rolde... de dag voordat Lounds werd ontvoerd.

'Lieve help!' zei Graham. 'God nog aan toe!'

Hij perste zijn handen tegen zijn slapen alsof hij bang was dat de gedachte hem zou ontvluchten.

'Heb je Metcalf nog aan de telefoon?'
Crawford overhandigde hem de hoorn.
'Byron, met Graham. Luister, die spoelen met de films van de Jacobi's die je me hebt gestuurd, zaten die in een verpakking?... Ja,
ja, ik weet dat je die dan zou hebben meegestuurd. Ik heb dringend hulp bij iets nodig. Heb je de bankafschriften van de Jacobi's daar? Mooi. Ik wil weten waar ze hun films lieten ontwikkelen. Waarschijnlijk hebben ze de films bij een winkel afgegeven die
ze naar een ontwikkelcentrale heeft opgestuurd. Als er betalingen
zijn aan drogisterijen of fotohandelaren, kunnen we daar misschien
achter komen. Het is dringend, Byron! Zodra de gelegenheid zich
voordoet, zal ik je alles uitleggen. De FBI in Birmingham gaat onmiddellijk de diverse zaken af. Als je iets ontdekt, laat het hun dan
eerst weten en daarna ons. Wil je dat doen? Geweldig. Nee, ik stel
je niet voor aan Hete Bliksem.'
FBI-agenten van het kantoor in Birmingham waren bij vier foto-
zaken geweest voordat ze de zaak vonden waarmee de Jacobi's zaken deden. De bedrijfsleider zei dat de films van alle klanten naar
een en hetzelfde adres werden gestuurd om ontwikkeld te worden.
Crawford had de films twaalf keer bekeken toen Birmingham te-
rugbelde. Hij nam de boodschap aan.
Merkwaardig formeel schudde hij Graham de hand. 'Het is Gateway,' zei hij.

43

Crawford roerde juist een Alka-Seltzer door het water in een plas-
tic glas toen de stem van de stewardess door de intercom van de
727 klonk.
'Passagier Crawford, alstublieft?'
Toen hij zijn hand opstak, kwam ze naar hem toe. 'Meneer Craw-
ford, wilt u even meekomen naar de cockpit?'
Crawford bleef vier minuten weg, waarna hij zijn plaats naast Gra-
ham weer innam.
'De Tandenfee is vandaag in New York geweest.'
Graham kromp ineen en zijn tanden klikten op elkaar.

'Nee. Hij heeft alleen een paar vrouwen in het Brooklyn Museum neergeslagen en – moet je dit horen! – *hij heeft een schilderij opgegeten!*'

'Opgegeten?'

'Opgegeten! Toen ze ontdekten wát hij had opgegeten, is de Kunstbrigade ingeschakeld. Op het plastic pasje dat hij heeft gebruikt, hebben ze twee gedeeltelijke vingerafdrukken ontdekt. Die hebben ze doorgespeeld aan Price. Price ontdekte dat het dezelfde duimafdruk was die we op het oog van de zoon van Leeds hebben gevonden.'

'New York,' zei Graham.

'Dat zegt niets. Waarschijnlijk was hij alleen vandaag in New York. Daarom kan hij nog best bij Gateway werken. Als dat zo is, is hij vandaag niet op zijn werk. Dat maakt het eenvoudiger.'

'Wat heeft hij opgegeten?'

'Iets dat *De grote rode draak en de vrouw bekleed met de zon* heet. Geschilderd door William Blake, zeiden ze erbij.'

'En de vrouwen?'

'Hij heeft zich vrij rustig gehouden. De jongste vrouw is naar het ziekenhuis voor observatie. De andere heeft vier hechtingen. Lichte hersenschudding.'

'Konden ze een beschrijving geven?'

'De jongste wel. Rustig, forse kerel, donkere snor en haar – een pruik, denk ik. De bewaker bij de deur zei hetzelfde. De oudere vrouw – nou ja, die wist eigenlijk niets.'

'Maar hij heeft niemand gedood?'

'Vreemd,' zei Crawford. 'Het zou voor hem beter zijn geweest als hij ze uit de weg had geruimd. Dan had hij ongezien kunnen verdwijnen en had niemand een beschrijving van hem kunnen geven. Gedragswetenschappen heeft Bloom erover gebeld in het ziekenhuis. Weet je wat hij zei? Bloom zei dat het mogelijk is dat hij probeert te stoppen.'

44

Dolarhyde hoorde hoe de remkleppen kreunend neergelaten werden. De lichtjes van St. Louis zwenkten onder de donkere vleugel door. Onder zijn voeten rolde het landingsgestel met een klap naar buiten.

Hij draaide met zijn hoofd in een poging de stijfheid in zijn machtige nek te verlichten.

Naar huis.

Hij had een groot risico genomen en de prijs die hij mee naar huis nam, was de macht om te kiezen. Hij kon kiezen voor een levende Reba McClane. Hij kon haar hebben om tegen te praten en hij kon haar heftige bewegingen, waarvan geen enkele dreiging uitging, in zijn bed hebben.

Hij hoefde zijn huis niet te vrezen. De Draak zat nu in zijn buik. Hij kon zijn huis binnengaan, naar de gekopieerde Draak op de muur lopen en hem tot een prop knijpen als hij dat zou willen.

Hij hoefde zich geen zorgen te maken als hij liefde voor Reba voelde. Als hij liefde voor haar voelde, kon hij de Shermans aan de Draak geven en op die manier zijn geweten sussen. Daarna kon hij rustig en ontspannen naar Reba teruggaan en haar goed behandelen.

Vanaf het vliegveld belde Dolarhyde haar woning. Ze was nog niet thuis. Hij probeerde het bij Baeder Chemicals. De nachtlijn was in gesprek. Hij dacht aan Reba, hoe ze na het werk naar de bushalte liep, tikkend met haar stok, haar regenjas over haar schouders. Door het rustige avondverkeer reed hij in nog geen vijftien minuten naar het filmlaboratorium.

Ze stond niet bij de bushalte. Hij parkeerde in de straat achter Baeder Chemicals, bij de ingang die het dichtste bij de donkere kamers was. Hij zou haar laten weten dat hij er was, wachten tot ze met haar werk klaar was en haar dan naar huis rijden. Hij was trots op zijn nieuwe macht om te kiezen. Hij wilde er gebruik van maken. Terwijl hij wachtte, kon hij nog wel even wat spulletjes uit zijn kantoor halen.

Er brandden maar een paar lampen bij Baeder Chemicals.

De donkere kamer van Reba was afgesloten. Het licht boven de deur was uit. Hij drukte op de zoemer. Geen reactie.

Misschien had ze een boodschap in zijn kantoor achtergelaten.

Hij hoorde voetstappen in de gang.

De bedrijfsleider van Baeder, Dandridge, liep voorbij. Hij keek niet op of om. Onder zijn arm droeg hij een dikke stapel personeelsdossiers. Hij had kennelijk haast.

Er verscheen een kleine rimpel op Dolarhydes voorhoofd.

Dandridge was halverwege het parkeerterrein en liep in de richting van het Gateway-gebouw, toen Dolarhyde naar buiten kwam en hem volgde.

Op het parkeerterrein stonden twee bestelwagens en een half dozijn personenauto's. Die Buick was van Fisk, de personeelschef van Gateway. Wat waren ze aan het doen?

Bij Gateway werd niet in ploegendiensten gewerkt. Het gebouw was grotendeels in duisternis gehuld. Dolarhyde vond zijn weg in het rode schijnsel van de verlichte UITGANG-bordjes in de gang toen hij naar zijn kantoor liep. Achter de matglazen deur van Personeelszaken brandde licht. Dolarhyde hoorde stemmen, eerst die van Dandridge, toen die van Fisk.

Hij hoorde de voetstappen van een vrouw naderen. De secretaresse van Fisk liep de gang voor Dolarhyde in. Ze had een sjaal over haar krulspelden gebonden en ze had ordners van de boekhouding bij zich. Ze had haast. De ordners waren zwaar en het was een hele armvol. Met haar voet tikte ze tegen de deur van Fisks kantoor. Will Graham deed de deur voor haar open.

Dolarhyde bleef als aan de grond genageld in de donkere gang staan. Zijn pistool lag in zijn busje.

De deur van het kantoor ging weer dicht.

Snel kwam Dolarhyde in beweging en rende geruisloos door de gang. Hij gluurde door de glazen deur naar buiten en zocht het parkeerterrein af. Hij zag iets bewegen in het schijnsel van de buitenverlichting. Een man. Hij stond naast een van de bestelwagens en hij had een zaklantaarn. Hij was met iets bezig. Hij onderzocht de buitenspiegel op vingerafdrukken.

Achter Dolarhyde, ergens in een van de gangen, liep iemand. Weg van die deur! Gebukt schoot hij een hoek om, de trap af naar de kelder en de ketelruimte aan de andere kant van het gebouw.

Door op een werkbank te klimmen, kon hij de hoge ramen bereiken die uitkwamen op de begane grond achter een rij heesters. Hij liet zich over de vensterbank rollen en kwam op handen en knieën in de bosjes terecht, klaar om te vluchten of te vechten.

Er bewoog niets aan deze kant van het gebouw. Hij stond op, stak een hand in zijn zak en slenterde de weg over. Rennend als het donker was en rustig lopend als er auto's langskwamen, beschreef hij een grote boog om de gebouwen van Gateway en Baeder Chemicals. Zijn wagen stond langs de trottoirrand achter Baeder. Er was geen geschikte plaats om zich er vlakbij te verbergen. Best. Hij rende de straat over, sprong de wagen in en graaide naar zijn valies.

Volle patroonhouder in het automatische pistool. Hij schoof een patroon in de kamer en legde het pistool op het dashboard, verborgen onder een T-shirt.

Langzaam reed hij weg – laat het licht niet op rood springen – rustig de hoek om en het schaarse verkeer in.

Nu moest hij nadenken en dat viel niet mee.

Het moesten de films zijn. Op de een of andere manier was Graham achter de films gekomen. Graham wist waar. Hij wist niet wie. Als hij wist wie, dan had hij geen personeelsdossiers nodig. Waarom ook de ordners van de boekhouding? Gemiste dagen, daarom! Leg de gemiste dagen naast de datums waarop de Draak heeft toegeslagen. Nee, dat waren zaterdagen, behalve Lounds. Wie was niet komen opdagen op de datums voorafgaande aan die zaterdagen; daar zou hij naar zoeken. Nou, daar zouden ze niet wijzer van worden – de vrije dagen van mensen met een managersfunctie werden immers niet bijgehouden.

Dolarhyde reed langzaam Lindbergh Boulevard op, terwijl hij met zijn vrije hand alle belangrijke punten wegtikte.

Ze waren op zoek naar vingerafdrukken. Hij had ervoor gezorgd nergens vingerafdrukken achter te laten – behalve misschien op het plastic pasje van het Brooklyn Museum. In zijn haast had hij het opgepakt, maar alleen bij de randen.

Ze moeten over een vingerafdruk beschikken. Waarom zouden ze anders op zoek zijn naar afdrukken als ze geen vergelijkingsmateriaal hadden?

Die bestelwagen waren ze aan het onderzoeken op vingerafdrukken. Er was geen tijd om te zien of ze ook personenauto's onderzochten.

Bestelwagen. De rolstoel met Lounds erin – dat heeft hen op het spoor gezet. Of misschien heeft iemand in Chicago zijn busje opgemerkt. Bij Gateway waren heel wat bestelwagens en busjes, zowel van het bedrijf als van particulieren.

Nee, Graham wist gewoon dat hij een busje had. Graham wist het omdat hij het wist. Graham wist het. Graham wist het. De schoft was een monster.

Van alle personeelsleden bij Gateway en Baeder zouden ze vingerafdrukken nemen. Als ze er vanavond niet achterkwamen dat ze hem moesten hebben, dan morgen wel. Hij was gedoemd tot een eeuwige vlucht, met zijn gezicht op elk aanplakbord in elk postkantoor en elk politiebureau. De stukjes van de legpuzzel lagen bijna op hun plaats. Tegenover hen was hij nietig en zwak.

'Reba,' zei hij hardop. Reba kon nu niets meer voor hem doen. Ze zaten hem te dicht op de hielen en hij was niets meer dan een miezerige hazenlip...

'HEB JE NU SPIJT DAT JE ME VERRADEN HEBT?'

De stem van de draak kwam vanuit zijn binnenste omhoog, hij borrelde op uit zijn ingewanden waarin zich de snippers van het schilderij bevonden.

'Dat heb ik niet gedaan. Ik wilde alleen maar kunnen kiezen. U noemde me...'

'GEEF ME WAT IK WIL EN DAN ZAL IK JE REDDEN.'

'Nee. Ik ga ervandoor.'

'GEEF ME WAT IK WIL EN DAN ZUL JE GRAHAMS RUGGENGRAAT HOREN KNAPPEN.'

'Nee.'

'IK HEB BEWONDERING VOOR WAT JE VANDAAG HEBT GEDAAN. WIJ ZIJN NU DICHT BIJ ELKAAR. WE KUNNEN WEER EEN WORDEN. VOEL JE MIJ IN JE LICHAAM? JA, JE VOELT ME, HÈ?'

'Ja.'

'EN JE WEET DAT IK JE KAN REDDEN. JE WEET DAT ZE JE NAAR EEN PLAATS ZULLEN STUREN WAAR HET NOG ERGER IS DAN BIJ BROEDER BUDDY. GEEF ME WAT IK WIL EN JE ZULT VRIJ ZIJN.'

'Nee.'

'ZE ZULLEN JE DODEN. JE ZULT LIGGEN SCHOKKEN OP DE GROND.'

'Nee.'

'ALS JE WEG BENT, ZAL ZE MET ANDERE MANNEN NEUKEN, ZAL ZE...'

'Nee! Kop dicht!'

'ZE ZAL ANDERE MANNEN NEUKEN, KNAPPE MANNEN, ZE ZAL...'
'Hou op! Kop dicht!'
'ALS JE VAART MINDERT, ZAL IK HET NIET ZEGGEN.'
Dolarhydes voet drukte het gaspedaal minder diep in.
'ZO IS HET GOED. GEEF ME WAT IK WIL, DAN KAN HET NIET GEBEUREN. GEEF HET MIJ EN DAN ZAL IK JE ALTIJD LATEN KIEZEN. JE ZULT ALTIJD KUNNEN KIEZEN EN JE ZULT GOED KUNNEN SPREKEN. IK WIL DAT JE GOED SPREEKT. MINDER VAART, GOED ZO. ZIE JE DAT TANKSTATION? STOP DAAR EN LAAT ME MET JE PRATEN...'

45

Graham kwam het kantoor uit en liet zijn blik een ogenblik door de duistere gang dwalen. Hij was ongedurig, had een onbehaaglijk gevoel. Dit nam allemaal te veel tijd in beslag.

Crawford ziftte de driehonderdtachtig personeelsleden van Gateway en Baeder zo snel en zo nauwkeurig als maar mogelijk was – bij dit soort karweitjes was de man geweldig – maar de tijd verstreek en geheimhouding was niet eindeloos mogelijk.

Crawford had zo weinig mogelijk manschappen bij Gateway aan het werk gezet. ('We willen hem vinden, niet op de vlucht jagen,' had Crawford hun gezegd. 'Als we vanavond achter zijn identiteit komen, kunnen we hem buiten de fabriek arresteren, misschien in zijn huis of op het parkeerterrein.')

De politie van St. Louis verleende alle medewerking. Inspecteur Fogel van de afdeling Moordzaken van St. Louis kwam, samen met een brigadier, onopvallend in een gewone personenauto voorrijden. Hij bracht een Datafax mee.

Aangesloten op een telefoon van Gateway stuurde de Datafax in enkele minuten het personeelsbestand gelijktijdig door aan de identificatieafdeling van de FBI in Washington en de motorrijtuigenregistratie van Missouri.

In Washington zouden de namen worden vergeleken met alle geregistreerde vingerafdrukken. Namen van Baeder-personeelsleden met een vertrouwensfunctie werden aangekruist en zouden met voorrang behandeld worden.

De motorrijtuigenregistratie zou de eigenaren van bestelwagens en busjes nalopen.

Er werden slechts vier personeelsleden ingeschakeld – de personeelschef, Fisk, zijn secretaresse, Dandridge van Baeder Chemicals en de hoofdboekhouder van Gateway.

De personeelsleden werden voor deze nachtelijke bespreking niet telefonisch opgeroepen. Agenten bezochten hun huisadres en zetten de zaak onder vier ogen uiteen. ('Neem ze eerst goed op voordat jullie vertellen waarover het gaat,' zei Crawford. 'En zorg dat ze daarna geen gebruik meer maken van de telefoon. Dit soort nieuws verspreidt zich als een lopend vuurtje.')

Ze hadden gehoopt aan de hand van het gebit tot een snelle identificatie te komen. Geen van de vier personeelsleden kon de tanden thuisbrengen.

Graham liet zijn blik door de lange gang dwalen, die verlicht werd door de rode lampen in de UITGANG-bordjes. Verdomme, hij voelde dat hij op het goede spoor zat!

Wat konden ze vanavond nog meer doen?

Crawford had gevraagd om de vrouw van het Brooklyn Museum – juffrouw Harper – zodra ze tot reizen in staat was op een vliegtuig te zetten. Dat zou waarschijnlijk morgenochtend zijn. De politie van St. Louis beschikte over een uitstekend surveillancebusje. Van daaruit kon ze de aankomende personeelsleden gadeslaan.

Als ze vannacht niets ontdekten, zouden alle sporen van de operatie morgen bij Gateway verwijderd zijn voordat de werkdag begon. Graham maakte zichzelf niets wijs – ze mochten van geluk spreken als ze een hele dag ongestoord konden werken zonder dat er in het bedrijf iets uitlekte. De Draak zou op zijn hoede zijn voor alles wat hem verdacht voorkwam. Hij zou vluchten.

46

Een etentje in de avonduren met Ralph Mandy was haar als de juiste aanpak voorgekomen. Reba McClane wist dat ze het hem toch eens moest vertellen en ze hield niet van uitstel.

Eigenlijk dacht ze dat Mandy wel wist wat er komen ging toen ze erop aandrong dat ieder voor zich zou betalen.

Ze vertelde het hem toen hij haar in de auto naar huis bracht; dat ze elkaar niets beloofd hadden, dat ze altijd veel plezier met hem had en graag met hem bevriend wilde blijven, maar dat ze nu iemand anders had.

Misschien voelde hij zich een beetje gekwetst, maar ze wist dat hij toch ook opgelucht was. Hij nam het vrij sportief op, vond ze.

Voor haar deur vroeg hij niet of hij nog even mee naar binnen mocht. Wel vroeg hij of hij haar ten afscheid mocht kussen en dat stond ze hem graag toe. Hij opende de deur voor haar en gaf haar de sleutels. Hij wachtte tot ze binnen was en de deur had dichtgedaan en op slot had gedraaid.

Toen hij zich omdraaide, schoot Dolarhyde hem in de keel en tweemaal in de borst. Drie plofjes uit het pistool met de geluiddemper. Een scooter maakt meer lawaai.

Met gemak tilde Dolarhyde Mandy's lichaam op, legde het tussen de struiken en het huis en liet hem daar achter.

Toen hij zag hoe Mandy Reba kuste, had Dolarhyde een felle steek in zijn borst gevoeld. Daarna verliet de pijn hem voor altijd.

Zijn stem klonk nog steeds als die van Francis Dolarhyde en hij zag er ook als zodanig uit – de Draak was een voortreffelijk acteur. De rol van Dolarhyde was hem op het lijf geschreven.

Reba was haar gezicht aan het wassen toen ze de deurbel hoorde. Vier keer rinkelde de bel voor ze bij de deur was. Ze legde haar hand op de veiligheidsketting, maar maakte hem niet los.

'Wie is daar?'

'Francis Dolarhyde.'

Ze deed de deur op een kier, nog steeds met de ketting erop. 'Zeg het nog eens.'

'Francis Dolarhyde. Ik ben het.'

Ze wist dat hij het was. Ze maakte de ketting los.

Reba hield niet van verrassingen. 'Je had toch gezegd dat je zou bellen, D.'

'Dat was ik ook van plan. Maar dit is een noodgeval, heus,' zei hij. Hij drukte de doek met chloroform tegen haar mond en liep naar binnen.

De straat was verlaten. In de meeste huizen waren de lichten uit. Hij droeg haar naar het busje. De voeten van Ralph Mandy staken door het struikgewas de tuin in. Dolarhyde maakte zich om hem niet langer druk.

Tijdens de rit werd ze wakker. Ze lag op haar zij, haar wang op het stoffige tapijt van het busje. Het geluid van de motor gierde in haar oren.

Ze probeerde haar handen naar haar gezicht te brengen. De beweging drukte haar borsten samen; haar onderarmen waren samengebonden.

Ze beroerde ze met haar gezicht. Ze waren van haar ellebogen tot haar polsen vastgebonden met iets dat als zachte lappen stof aanvoelde. Haar benen waren op dezelfde wijze gebonden, van haar knieën tot haar enkels. Ook zat er iets voor haar mond.

Wat... wat... D. stond voor de deur en toen... Ze herinnerde zich hoe ze haar gezicht had weggetrokken en zijn enorme kracht. O, god... wat was dat... D. stond voor de deur, en toen was het alsof ze stikte in iets kouds. Ze probeerde haar gezicht weg te draaien, maar haar hoofd was gevangen in een ijzeren greep.

Ze lag nu in D.'s busje. Ze herkende de geluiden. De wagen reed. De angst welde in haar op. Haar instinct zei haar kalm te blijven, maar dampen zaten in haar keel, chloroform en benzine. Ze kokhalsde tegen de mondprop.

D.'s stem. 'Het is nu niet ver meer.'

Ze voelde dat ze een bocht omgingen. Ze reden nu over grind, steentjes ratelden tegen de onderkant van de wagen.

Hij is krankzinnig. Dat is het: krankzinnig.

Krankzinnig is een beangstigend woord.

Wat was er gebeurd? Ralph Mandy. Hij moet hen samen voor het huis gezien hebben. Daardoor was hij woedend geworden.

Christene ziele, ze moest iets bedenken. In het Reiker Institute had een man een keer geprobeerd haar te slaan. Ze had zich stil gehouden en hij had haar niet kunnen vinden – hij was net als zij blind geweest. Deze kon jammer genoeg wel zien. Bereid je voor.

Bedenk iets wat je tegen hem kunt zeggen. God, met die prop in mijn mond zou hij me zo kunnen vermoorden. Jezus, hij zou me kunnen vermoorden zonder te horen wat ik wilde zeggen.
Bereid je voor. Bereid je voor en begin niet te stamelen. Zeg hem dat hij nog terug kan, dat hem niets zal overkomen. Dat ik niets zal zeggen. Blijf zo lang mogelijk passief. Als je niet passief kunt zijn, wacht dan tot je zijn ogen kunt vinden.

Het busje stopte. Het voertuig schokte toen hij uitstapte. De deur aan de zijkant werd opengeschoven. De geur van gras en warme banden. Krekels. Hij kwam de wagen in.

Toen hij haar aanraakte, wendde ze haar gezicht af en begon ze onwillekeurig te briesen in de mondprop.

Vriendelijke klopjes op haar schouder brachten haar niet tot bedaren. Een striemende klap in het gezicht wel.

Ze probeerde achter de mondprop iets te zeggen. Ze werd opgetild, gedragen. Zijn voetstappen op de invalidenoprit. Nu wist ze waar ze was. Zijn huis. Waar in zijn huis? Rechts tikte de klok. Tapijt, toen plankenvloer. De slaapkamer waar ze het gedaan hadden. Ze daalde in zijn armen, voelde het bed onder zich.

Opnieuw probeerde ze iets te zeggen. Hij ging weg. Buiten klonken geluiden. De deur van het busje sloeg dicht. Daar komt hij. Hij zet iets op de grond – metalen blikken.

Ze rook benzine.

'Reba.' Ja, dat was D.'s stem, maar hij klonk verschrikkelijk kalm. Heel verschrikkelijk kalm en vreemd. 'Reba, ik weet niet wat ik tegen je moet… zeggen. Het leek zo goed met jou, en je weet niet wat ik omwille van jou heb gedaan. Ik heb het verkeerd gezien, Reba. Jij hebt me zwak gemaakt en daarna heb je me pijn gedaan.'

Ze probeerde iets te zeggen achter de mondprop.

'Als ik je losmaak en je rechtop laat zitten, zul je je dan rustig houden? Probeer niet te vluchten. Ik krijg je toch te pakken. Zul je braaf zijn?'

Ze draaide haar hoofd in de richting van de stem om te knikken. Ze voelde koud staal tegen haar huid, een mes dat door stof gleed en toen waren haar armen vrij. Nu haar benen. De mondprop werd losgemaakt. Haar wangen waren nat waar die had gezeten.

Langzaam, heel voorzichtig, ging ze rechtop zitten. *En nu je best doen, een beetje paaien.*

'Ach, D.,' zei ze. 'Ik wist niet dat je zoveel om me gaf. Ik ben er blij om, maar weet je, je maakt me hiermee wel bang.'

Geen antwoord. Ze wist dat hij er nog was.

'D., was het die suffe Ralph Mandy? Heb je je daarom zo kwaad gemaakt? Heb je hem bij mijn huis gezien? Dat is het, hè? Ik heb hem verteld dat ik hem niet meer wilde zien. Omdat ik bij jou wil zijn. Ralph zal nooit meer bij me komen.'

'Ralph is dood,' zei Dolarhyde. 'Ik geloof niet dat hij het leuk vond.'

Fantasie. Hij verzint dit. Lieve god, laat dat alsjeblieft zo zijn. 'Ik heb je nooit pijn gedaan, D... Dat heb ik nooit gewild. Laten we gewoon vrienden zijn en samen naar bed gaan en lol maken en dit allemaal vergeten.'

'Hou je mond,' zei hij bedaard. 'Ik zal je iets vertellen. Het belangrijkste dat je ooit hebt gehoord. Zo belangrijk als de bergrede. Zo belangrijk als de tien geboden. Begrepen?'

'Ja, D.. Ik...'

'Kop dicht. Reba, er zijn een paar opmerkelijke dingen gebeurd in Birmingham en Atlanta. Weet je waarover ik het heb?'

Ze schudde haar hoofd.

'Het is uitgebreid op het journaal geweest. Twee groepen mensen zijn veranderd. Leeds. En Jacobi. De politie denkt dat ze werden vermoord. Weet je het nu?'

Ze wilde haar hoofd schudden. Toen wist ze het opeens en langzaam knikte ze.

'Weet je hoe ze het Wezen noemen dat die mensen bezocht? Je mag het zeggen.'

'De Tanden...'

Een hand greep haar gezicht, brak het geluid af.

'Denk goed na en geef het goede antwoord.'

'Iets met Draak. Draak... Rode Draak.'

Hij stond vlakbij. Ze kon zijn adem op haar gezicht voelen.

'IK BEN DE DRAAK.'

Ze schrok van het volume en het timbre van de stem en deinsde achteruit en sloeg hard tegen het hoofdeinde van het bed aan.

'De Draak wil jou, Reba. Dat heeft hij altijd gewild. Ik wilde je Hem niet geven. Vandaag heb ik iets gedaan om jou uit Zijn handen te houden. Dat was verkeerd.'

Dit was D., ze kon tegen D. praten. 'Alsjeblieft. Alsjeblieft, laat hij mij niet krijgen. Doe het toch niet, alsjeblieft, doe het niet – ik ben voor jóú. Laat me bij jou blijven. Je vindt me aardig, ik wéét dat je me aardig vindt!'

'Ik heb mijn besluit nog niet genomen. Misschien kan ik niet anders. Misschien móét ik je wel aan Hem geven. Ik weet het niet. Eerst moet ik zien of je zult doen wat ik zeg. Zul je dat? Kan ik op je rekenen?'

'Ik zal mijn best doen. Ik zal vreselijk mijn best doen. Maar als je me nog banger maakt, kan ik het misschien niet.'

'Sta op, Reba. Ga naast het bed staan. Weet je waar je je in de kamer bevindt?'

Ze knikte.

'Je weet waar je in het huis bent, nietwaar? Je hebt door het huis gelopen toen ik lag te slapen, nietwaar?'

'Toen je lag te slapen?'

'Hou je niet van de domme. Toen we hier samen de nacht hebben doorgebracht. Toen heb je rondgesnuffeld in het huis, nietwaar? Heb je toen iets vreemds ontdekt? Heb je dat toen meegenomen en het aan anderen laten zien? Heb je dat gedaan, Reba?'

'Ik ben alleen maar naar buiten gelopen. Jij lag te slapen en ik ben naar buiten gelopen. Dat zweer ik!'

'Dan weet je dus waar de voordeur is, nietwaar?'

Ze knikte.

'Reba, voel op mijn borst. Breng je handen langzaam omhoog.'

Een uitval naar zijn ogen doen?

Zijn duim en wijsvinger beroerden vluchtig de zijkanten van haar luchtpijp. 'Als je doet wat je denkt, dan knijp ik. Voel alleen op mijn borst. Vlak bij mijn hals. Voel je de sleutel aan de ketting? Doe hem over mijn hoofd af. Voorzichtig... zo, ja. Nu zal ik eens zien of ik je kan vertrouwen. Doe de voordeur dicht, draai hem op slot en breng de sleutel dan bij me terug. Vooruit. Ik zal hier wachten. Probeer niet te vluchten. Ik krijg je toch te pakken.'

Ze hield de sleutel in haar hand, de bungelende ketting tikte tegen haar dij. Op haar schoenen kon ze zich moeilijker oriënteren, maar ze hield ze toch aan. De tikkende klok hielp haar.

Tapijt, hout, opnieuw tapijt. De sofa. Naar rechts.

Wat kan ik het beste doen? Wat? Het spelletje blijven meespelen of ervandoor gaan? Hebben de anderen zijn spelletje meegespeeld?
Ze haalde zo diep adem dat ze duizelig werd. Niet duizelig zijn.
Niet dood zijn.

Het hangt ervan af of de deur open is. Probeer erachter te komen waar hij is.

'Loop ik zo goed?' Ze wist dat ze in de goede richting liep.

'Nog ongeveer vijf stappen.' Mooi, de stem kwam uit de slaapkamer.

Ze voelde een luchtstroom langs haar gezicht. De deur stond op een kier. Ze zorgde ervoor dat haar lichaam tussen de deur en de stem achter zich bleef. Ze stak de sleutel in het sleutelgat onder de deurknop. Aan de buitenkant.

Nu! Snel de deur door, dichttrekken en de sleutel omdraaien. De invalidenoprit af, geen stok, zich proberen te herinneren waar het busje stond, rennen. Rénnen! Wat is dit? Een struik, gillen. Schreeuwen: 'Help! Help! Help! Help!' Rennen over grind. De claxon van een vrachtwagen in de verte. De snelweg; die kant op. Snel lopen, struikelen, lopen, zo snel als ze kon, van richting veranderen als ze gras voelde in plaats van grind, zigzaggend over de oprit.

Achter zich hoorde ze snelle voetstappen in het grind. Ze bukte zich en raapte een handvol steentjes op, wachtte tot hij dichterbij was en smeet ze toen naar hem toe. Ze hoorde hoe de steentjes zijn lichaam raakten.

Een duw tegen haar schouder. Ze struikelde. Een stevige arm onder haar kin, rond haar hals, die kneep en kneep... bloed suisde in haar oren. Ze schopte naar achteren, raakte een scheen en toen werd het stil.

47

Binnen twee uur was de lijst van blanke, mannelijke werknemers tussen de twintig en vijftig jaar, die in het bezit waren van een bestelwagen of busje, voltooid. Er stonden zesentwintig namen op de lijst.

Het Bureau voor Mottorrijtuigenregistratie van Missouri diepte uit de rijbewijsgegevens de haarkleur van de betreffende wagenbezitters op, maar die factor werd niet als doorslaggevend beschouwd; de Draak droeg misschien een pruik.

Fisks secretaresse, juffrouw Trillman, maakte kopieën van de lijst en deelde die uit.

Inspecteur Fogel was de lijst aan het nalopen toen zijn pieper afging.

Hij sprak kort door de telefoon met zijn hoofdkantoor, waarna hij zijn hand over de hoorn legde en zei: 'Meneer Crawford – Jack, een paar minuten geleden is in University City – dat ligt in het centrum van de stad, vlak bij de Washington University – het lichaam gevonden van ene Ralph Mandy, blanke man, achtendertig. Hij is doodgeschoten. Hij lag in de voortuin van een huis dat bewoond wordt door een vrouw, Reba McClane genaamd. Volgens de buren werkt ze bij Baeder. Haar deur is niet afgesloten en ze is niet thuis.'

'Dandridge!' riep Crawford. 'Reba McClane. Ken je haar?'

'Ze werkt in de donkere kamer. Ze is blind. Ze komt uit Colorado...'

'Ken je ene Ralph Mandy?'

'Mandy?' zei Dandridge. 'Randy Mandy.'

'*Ralph* Mandy. Werkt hij hier?'

Een blik op de personeelslijst toonde aan dat dit niet het geval was.

'Misschien toeval,' zei Fogel.

'Misschien,' zei Crawford.

'Ik hoop niet dat Reba iets overkomen is,' zei juffrouw Trillman.

'Kent u haar?' vroeg Graham.

'Ik heb haar een paar keer gesproken.'

'En Mandy?'

'Hem ken ik niet. De enige man met wie ik haar heb gezien is – ik heb haar in het busje van meneer Dolarhyde zien stappen.'

'Het busje van meneer Dolarhyde, juffrouw Harper? Welke kleur heeft het busje van meneer Dolarhyde?'

'Even denken. Donkerbruin, of misschien zwart.'

'Waar werkt meneer Dolarhyde?' vroeg Crawford.

'Hij is productiechef,' zei Fisk.

'Waar is zijn kantoor?'

'Aan het einde van de gang.'

Crawford draaide zich om naar Graham om iets te zeggen, maar die was al onderweg.

Het kantoor van meneer Dolarhyde was afgesloten. Een loper van de schoonmaakploeg paste op het slot.

Graham deed het licht aan. Roerloos bleef hij in de deuropening staan terwijl hij zijn blik door de kamer liet gaan. Het was er uitzonderlijk netjes. Nergens stonden persoonlijke voorwerpen. Op de boekenplank stonden alleen technische handboeken.

De bureaulamp stond aan de linkerkant van de stoel, dus was hij rechtshandig. Hij moest een afdruk van de linkerduim van een rechtshandige man hebben.

'Laten we een klembord zoeken,' zei hij tegen Crawford, die achter hem in de gang stond. 'Hij gebruikt natuurlijk zijn linkerduim voor de klem.'

Ze waren bezig met het doorzoeken van de laden toen Grahams oog op de bureaukalender viel. Hij sloeg de beschreven bladzijden terug tot zaterdag 28 juni, de dag van de moorden op de Jacobi's. De kalender was onbeschreven op de donderdag en vrijdag vóór dat weekend.

Hij bladerde vooruit naar de laatste week van juli. De donderdag en vrijdag waren blanco. Bij de woensdag stond een aantekening: 'Am 552 3.45-6.15.'

Graham kopieerde de aantekening. 'Ik wil uitzoeken waar deze vlucht naar toe gaat.'

'Laat mij dat maar doen, dan kun jij hier verder gaan,' zei Crawford. Hij liep naar een telefoon in de gang.

Graham stond te kijken naar een hechtmiddel voor kunstgebitten in de onderste bureaulade toen Crawford vanuit de deuropening riep. 'Dat was een vlucht naar Atlanta, Will. Eropaf!'

48

Koud water op Reba's gezicht, dat in haar haar liep. Duizelig. Iets hards onder haar, hellend. Ze draaide haar hoofd. Hout onder haar. Een koude, natte handdoek werd over haar gezicht gehaald.

'Alles goed met je, Reba?' Dolarhydes rustige stem.

Ze schrok van het geluid. 'Uhhhh.'

'Haal diep adem.'

Er ging een minuut voorbij.

'Denk je dat je kunt opstaan? Probeer eens overeind te komen.'

Met zijn arm om haar heen kon ze staan. Haar maag protesteerde. Hij wachtte tot de misselijkheid voorbij was.

'De invalidenoprit op. Weet je nu weer waar je bent?'

Ze knikte.

'Haal de sleutel uit de deur, Reba. Kom mee naar binnen. Doe nu de deur op slot en hang de sleutel om mijn hals. Hang hem om mijn hals. Goed zo. Laten we even controleren of hij echt op slot is.'

Ze hoorde het gerammel van de deurknop.

'Prima. Ga nu naar de slaapkamer. Je kent de weg.'

Ze struikelde en viel op haar knieën, haar hoofd gebogen. Hij tilde haar bij de armen op en loodste haar de slaapkamer in.

'Ga op deze stoel zitten.'

Ze ging zitten.

'GEEF HAAR NU AAN MIJ.'

Ze probeerde overeind te komen; grote handen op haar schouders beletten haar dat.

'Zit stil, anders kan ik Hem niet bij je vandaan houden,' zei Dolarhyde.

Haar hoofd werd weer helder. Het wilde niet helder zijn.

'Doe alsjeblieft je best,' zei ze.

'Reba, voor mij is alles afgelopen.'

Hij stond rechtop, was met iets bezig. De geur van benzine was sterk.

'Steek je hand uit. Voel dit. Niet pakken, alleen voelen.'

Ze voelde iets dat leek op metalen neusgaten, glad van binnen. De mond van een dubbelloopsgeweer.

'Dit is een geweer, Reba. Een 12 kaliber magnum. Weet je wat zo'n wapen kan aanrichten?'

Ze knikte.

'Laat je hand zakken.' De kille mond rustte in het kuiltje van haar hals.

'Reba, had ik je maar kunnen vertrouwen. Ik wilde je zo graag vertrouwen.'

Zijn stem klonk alsof hij huilde.

'Je hebt me zo'n fijn gevoel gegeven.'

Hij huilde werkelijk!

'Jij mij ook, D. Ik vond het zo fijn. Toe, doe me nu geen pijn.'

'Voor mij is alles afgelopen. Ik kan je niet bij Hem achterlaten. Weet je wat Hij met je zal doen?'

Hij brulde van het huilen.

'Weet je wat Hij zal doen? Hij zal je doodbijten! Je kunt beter met mij meegaan.'

Ze hoorde hoe een lucifer afgestreken werd, rook de zwavel, hoorde gesis. Hitte in de kamer. Rook. Brand. Dat wat ze meer dan wat ook vreesde. Brand. Alles was beter dan dat. Ze hoopte dat het eerste schot haar zou doden. Ze spande haar spieren om het op een lopen te zetten.

Gesnotter.

'O, Reba, ik kan het niet aanzien dat jij verbrandt.'

De mond verdween van haar hals.

Zodra ze overeind sprong, ging het geweer af.

Haar oren waren verdoofd en ze dacht dat ze getroffen was, dacht dat ze dood was. Ze voelde de zware plof op de vloer meer dan ze die hoorde.

Rook nu, en het geknetter van vlammen. Brand. Het vuur bracht haar bij haar positieven. Ze voelde de hitte op haar armen en haar gezicht. Naar buiten! Ze trapte op benen, struikelde en liep naar adem snakkend tegen het voeteneind van het bed.

Laag blijven, zeiden ze altijd, onder de rook blijven. Niet rennen, want dan loop je tegen van alles op en ga je dood.

Ze was ingesloten. Ingesloten! Ze boog zich diep voorover, tastte onder het lopen met haar vingers de vloer af. Ze vond benen – naar de andere kant – ze vond haar, een harige flap, ze stak haar hand in iets zachts onder het haar. Een brijachtige massa, scherpe botsplinters en daartussen een verdwaald oog.

De sleutel rond zijn hals... snel! Beide handen aan de ketting, zich schrap zetten, knáp! De ketting brak en ze viel achterover, krabbelde vlug weer overeind. Ze draaide zich om, helemaal in de war.

Ze probeerde te voelen, probeerde te luisteren. Met haar verdoofde oren probeerde ze boven het geknetter van de vlammen geluiden op te vangen. De zijkant van het bed, welke zijkant? Ze struikelde over het lichaam, probeerde te luisteren.

Bong, bong, de klok sloeg. Bong, bong, de mooie kamer in, bong, bong, naar rechts.

Haar keel was verschroeid door de rook. Bong, bong. Hier de deur. Onder de knop. Laat hem niet vallen. Draai de sleutel om. Zwaai de deur open. Lucht! De invalidenoprit af. Lucht! In elkaar zakken in het gras. Op handen en voeten overeind komen, kruipend verder.

Ze ging op haar knieën zitten en klapte in haar handen. Ze ving de echo van het huis op en kroop ervan weg, diep inademend tot ze kon staan, lopen, rennen tot ze tegen iets opliep, en opnieuw rennen.

49

Het was niet zo eenvoudig om het huis van Francis Dolarhyde te vinden. Bij Gateway stond als zijn adres een postbusnummer in St. Charles.

En zelfs het kantoor van de sheriff van St. Charles moest contact opnemen met het elektriciteitsbedrijf, waar ze het adres in hun klantenbestand konden opsporen.

De sheriff en zijn mannen wachtten het SWAT-arrestatieteam uit St. Louis aan de andere kant van de rivier op, waarna de stoet lang- zaam State Highway 94 opreed. De hulpsheriff naast Graham in de voorste wagen wees de weg. Crawford, die op de achterbank zat, leunde tussen hen in naar voren en zoog op iets dat tussen zijn tanden zat. In Noord-St. Charles kwamen ze af en toe een auto te- gen: een pick-up vol kinderen, een Greyhound-bus, een takelwa- gen.

Ze zagen de gloed toen ze de noordelijke stadsgrens passeerden.

'Daar is het!' riep de hulpsheriff. 'Daar moeten we zijn!'

Graham drukte het gaspedaal in. De gloed werd feller en zwol aan toen ze met plankgas over de snelweg vlogen.

Crawford knipte met zijn vingers ten teken dat hij de microfoon moest hebben.

'Aan alle wagens, die brand, dat is zijn huis! Voorzichtig nu! Mis- schien komt hij naar buiten. Sheriff, laten we hier de weg blokke- ren.'

Een dikke kolom van vonken en rook boog af over de velden naar het zuidoosten en hing nu ook boven hen.

'Hierin,' zei de hulpsheriff, 'dat grindpad op.'

Toen zagen ze de vrouw. Haar silhouet stak donker af tegen het vuur. Ze zagen haar op het moment dat zij hen hoorde komen en haar armen omhoogstak.

En toen barstte het enorme vuur uiteen en brandende spanten en raamkozijnen beschreven trage bogen in de nachthemel. Het brandende busje viel op zijn kant en de oranje gloed van de brandende bomen werd weggevaagd en doofde. De grond sidderde toen de explosie de politiewagens deed trillen.

De vrouw lag voorover op de weg. Crawford, Graham en de hulpsheriffs sprongen uit de auto's en renden naar haar toe terwijl een regen van vonken op het wegdek neerdaalde. Een paar mannen liepen haar met getrokken wapens voorbij.

Crawford nam Reba over van een hulpsheriff, die de vonken uit haar haren sloeg.

Hij hield haar armen stevig vast, zijn gezicht dicht bij het hare, dat rood zag in het schijnsel van het vuur.

'Francis Dolarhyde,' zei hij. Hij schudde haar zachtjes door elkaar. 'Francis Dolarhyde, waar is hij?'

'Binnen,' zei ze, terwijl ze haar met bloed besmeurde hand naar de hitte uitstrekte en hem toen slap liet vallen. 'Hij is binnen en hij is dood.'

'Weet u dat zeker?' Crawford keek in haar niets-ziende ogen.

'Ik was bij hem.'

'Vertel me alstublieft wat er is gebeurd.'

'Hij heeft zich in het gezicht geschoten. Ik heb mijn hand in de wond gestoken. Hij heeft het huis in brand gestoken. Hij heeft zichzelf doodgeschoten. Ik heb mijn hand in de wond gestoken. Hij lag op de grond. Ik heb mijn hand in de wond gestoken. Mag ik gaan zitten?'

'Ja,' zei Crawford. Hij ging met haar achter in de politiewagen zitten. Hij sloeg zijn armen om haar heen en liet haar tegen zijn wang uithuilen.

Graham stond op de weg en keek naar de vlammen tot zijn gezicht rood en pijnlijk was.

De hoge wind joeg rook voor het gezicht van de maan.

50

De ochtendwind was warm en vochtig. Hij blies wolkenslierten over de geblakerde schoorstenen waar Dolarhydes huis had gestaan. IJle rook hing boven de akkers.

Regendruppels vielen op kooltjes en explodeerden in piepkleine wolkjes stoom en as.

Een brandweerwagen met draaiende zwaailichten, bleef stand-by. S.F. Aynesworth, hoofd van de afdeling Explosieven van de FBI, stond met Graham bij de ruïne en schonk koffie uit een thermosfles.

Aynesworth huiverde toen de commandant van de plaatselijke brandweer met een hark in de asresten porde.

'Goddank is het daarbinnen nog te heet voor hem,' zei hij vanuit zijn mondhoek. Hij was behoedzaam en vriendelijk met de plaatselijke autoriteiten omgesprongen. Tegen Graham sprak hij zijn gedachten uit. 'Ik moet er doorheen, verdomme. Als alle hulpsheriffs en politiemensen klaar zijn met hun gerommel zal deze plek eruitzien als een kippenfarm. Ze helpen ons van de wal in de sloot.'

Tot Aynesworths geliefde bommenwagen uit Washington arriveerde, moest hij zich behelpen met de spullen die hij in het vliegtuig had kunnen meenemen. Uit de kofferbak van een patrouillewagen haalde hij een oude plunjezak, waaruit hij zijn Nomex-ondergoed en asbest laarzen en jas pakte.

'Hoe zag het eruit toen het de lucht in vloog, Will?'

'Een verblindende lichtflits die wegstierf. Daarna leek het onderaan donkerder. Een heleboel brokstukken vlogen de lucht in, raamkozijnen, stukken dak en houtblokken vlogen over de weilanden. Er was een enorme schokgolf en daarna kwam een wind opzetten die eerst aanwakkerde en toen weer ging liggen. Het was bijna alsof die het vuur uitblies.'

'Het vuur bleef goed branden toen de wind blies?'

'Ja. De vlammen sloegen door het dak en uit de ramen van de boven- en benedenverdieping. Ook de bomen brandden.'

Aynesworth vroeg twee brandweermannen om met een slang stand-by te gaan staan en een derde in asbest kleding stond klaar met een windas voor het geval er iets bovenop hem zou vallen. Hij daalde de keldertrap af, die nu in open verbinding met de buitenlucht stond, en begaf zich tussen de chaos van geblakerd hout. Hij kon maar een paar minuten beneden blijven. Hij maakte de afdaling acht keer.

Het enige wat zijn inspanningen hem opleverden, was een plat stukje verwrongen metaal, maar daar leek hij blij mee te zijn.

Met een rood gezicht en nat van het zweet trok hij zijn asbest kleding uit en ging op de treeplank van de brandweerwagen zitten, de regenjas van een brandweerman om zijn schouders geslagen.

Hij legde het platte stukje metaal op de grond en blies het laagje as eraf.

'Dynamiet,' zei hij tegen Graham. 'Kijk, zie je dat nerfpatroon in het metaal? Dit spul is afkomstig uit een koffer of een afgesloten kist. Dat is het waarschijnlijk. Dynamiet in een kist. Maar het is niet in de kelder ontploft. De benedenverdieping lijkt me. Zie je waar de boom is beschadigd op de plaats waar dat marmeren tafelblad ertegenaan sloeg? Dat is zijdelings weggeblazen. Het dynamiet lag ergens in waar het vuur het niet direct bereiken kon.'

'En het stoffelijk overschot?'

'Daar is misschien niet veel van terug te vinden, maar er is altijd wel iets. We zullen heel wat moeten ziften. We vinden hem wel. Je krijgt hem in een klein zakje.'

Kort na het aanbreken van de dag was Reba McClane met behulp van een kalmerend middel eindelijk in slaap gevallen in het De-Paul Ziekenhuis. Ze wilde dat de politieagente dicht bij haar bed bleef zitten. Ze werd die ochtend verschillende keren wakker en tastte dan naar de hand van de agente.

Toen ze om ontbijt vroeg, werd dit door Graham gebracht.

Welke houding moest hij aannemen? Voor sommige mensen was het makkelijker als je je zakelijk opstelde. Hij dacht niet dat dit bij Reba het geval was.

Hij vertelde haar wie hij was.

'Kent u hem?' vroeg ze aan de agente.

Graham toonde haar zijn identiteitsbewijs. Ze hoefde het niet te zien.

'Ik weet dat hij van de FBI is, juffrouw McClane.'

Uiteindelijk vertelde ze hem alles. Alles over haar tijd met Francis Dolarhyde. Haar keel was rauw en ze zweeg telkens even om op schaafijs te sabbelen.

Hij stelde haar de onaangename vragen en ze hielp hem erdoorheen, waarbij ze hem één keer gebaarde de kamer te verlaten terwijl de agente het bakje voor haar ophield om haar ontbijt op te vangen.

Ze was bleek en haar gezicht was gewassen en glom toen hij in de kamer terugkwam.

Hij stelde de laatste vragen en klapte zijn notitieboekje dicht.

'Je hoeft dit niet nog eens door te maken,' zei hij, 'maar ik wil graag nog een keertje langskomen. Alleen maar om gedag te zeggen en te zien hoe het met je gaat.'

'Allicht – zo'n verleidster als ik.'

Voor het eerst zag hij tranen en toen besefte hij waar de schoen wrong.

'Wilt u ons even alleen laten, mevrouw?' vroeg Graham. Hij pakte Reba's hand.

'Nu moet je eens goed luisteren. Er was een heleboel mis met Dolarhyde, maar aan jou mankeert niets. Je zei dat hij jegens jou vriendelijk en attent was. Dat geloof ik. Dat heb jij in hem naar boven gebracht. Uiteindelijk kon hij je niet doden en niet toezien hoe je stierf. Mensen die dit soort zaken bestuderen, geloven dat hij probeerde te stoppen. Waarom? Omdat jij hem hielp. Dat heeft vermoedelijk een aantal levens gered. Je hebt geen monster aangetrokken; je hebt een man aangetrokken met een monster op zijn rug. Er is niets mis met jou, meisje. Als je denkt van wel, ben je een onnozele gans. Over een paar dagen kom ik terug om te zien hoe je het maakt. Ik moet de hele tijd maar tegen politiemensen aankijken en ik heb ook wat ontspanning nodig – doe dus maar wat aan je haar.'

Ze schudde haar hoofd en gebaarde dat hij weg moest gaan. Hij meende een flauw glimlachje te zien, maar dat wist hij niet zeker.

Graham belde Molly vanuit het FBI-kantoor in St. Louis. Willy's grootvader beantwoordde de telefoon.

'Het is Will Graham, moeder,' zei hij. 'Hallo, meneer Graham.'

Willy's grootouders noemden hem altijd 'meneer Graham'.

'Moeder zei dat hij zelfmoord heeft gepleegd. Ze zat naar Donahue te kijken toen het programma daarvoor onderbroken werd. Wat een geluk! Dat bespaart jullie een hoop werk. En wij, belastingbetalers, zijn niet langer het kind van de rekening. Was hij echt blank?'

'Ja, dat was hij. Blond. Scandinavisch uiterlijk.'

Willy's grootouders waren Scandinaviërs.

'Mag ik Molly even spreken?'

'Ga je nu terug naar Florida?'

'Binnenkort. Is Molly daar?'

'Moeder, hij wil Molly spreken. Ze is in de badkamer, meneer Graham. Mijn kleinzoon zit alweer te ontbijten. Hij is in de gezonde buitenlucht aan het rijden geweest. U moest die kleine aap eens zien eten! Ik wed dat hij wel tien pond is aangekomen. Hier komt ze.'

'Hallo.'

'Hallo, kanjer.'

'Goed nieuws, hè?'

'Dat kun je wel stellen.'

'Ik was in de tuin. Omama kwam naar buiten om me te vertellen wat ze op de televisie had gezien. Wanneer zijn jullie erachter gekomen?'

'Gisteravond laat.'

'Waarom heb je me niet gebeld?'

'Ik dacht dat omama wel zou slapen.'

'Nee, ze zat naar Johnny Carson te kijken. Ik weet niet hoe ik het zeggen moet, Will. Ik ben zo blij dat je hem niet hoefde te pakken.'

'Ik moet hier nog eventjes blijven.'

'Vier of vijf dagen?'

'Dat weet ik niet precies. Misschien niet eens zo lang. Ik verlang naar je, meissie.'

'Ik ook naar jou, zodra je klaar bent met alles wat je nog moet doen.'

'Vandaag is het woensdag. Vrijdag zal ik wel...'

'Will, omama heeft voor volgende week al Willy's ooms en tantes uit Seattle uitgenodigd, en...'

'Omama kan het heen-en-weer krijgen. Waar slaat dat "omama" eigenlijk op?'

'Toen Willy heel klein was, noemde hij haar altijd zo...'

'Ga met mij mee naar huis.'

'Will, ik heb ook op jou gewacht. Zij zien Willy nooit en die paar dagen langer...'

'Kom jij dan mee. Laat Willy daar, dan kan je ex-schoonmoeder hem volgende week op het vliegtuig zetten. Ik heb een idee – laten we in New Orleans een tussenstop maken. Ik weet daar een...'

'Beter van niet. Ik heb een baantje – parttime maar, hoor – in een western-winkel en ik kan daar niet zomaar op stel en sprong opstappen.'

'Wat is er aan de hand, Molly?'

'Niets. Er is niets aan de hand... Ik ben nogal down geweest, Will. Je weet dat ik hierheen ben gegaan na de dood van Willy's vader.' Ze zei altijd 'Willy's vader' alsof het om een functie ging. Nooit gebruikte ze zijn naam. 'En toen waren we allemaal bij elkaar – ik heb weer greep op mezelf gekregen, ik heb rust gevonden. Dat is nu weer gebeurd en ik...'

'Dit is wel even iets anders: ik ben niet dood.'

'Praat niet zo.'

'Zo? Hoe bedoel je: "zo"?'

'Je bent gek.'

Graham sloot een ogenblik zijn ogen.

'Hallo.'

'Ik ben niet gek, Molly. Doe maar wat je wilt. Ik bel je wel als de zaken hier afgewikkeld zijn.'

'Je kunt ook hierheen komen.'

'Nee, beter van niet.'

'Waarom niet? Er is ruimte genoeg. Omama zou...'

'Molly, ze mogen me niet en je weet waarom. Iedere keer als ze naar me kijken, roep ik herinneringen bij hen op.'

'Dat is niet eerlijk. En niet waar ook.'

Graham was doodop.

'Goed dan. Het zijn een stelletje ouwe zeuren en ik word doodziek van ze... zo beter?'

'Zeg dat niet.'

'Het gaat ze om de jongen. Misschien mogen ze jou ook wel, waarschijnlijk is dat wel zo, als ze daar tenminste ooit over nadenken. Maar het gaat ze om de jongen en jou nemen ze op de koop toe. Mij willen ze niet en dat zal me een zorg zijn. Ik wil jou. In Florida. Willy ook, als hij genoeg heeft van zijn pony.'

'Je voelt je vast een stuk beter als je een poosje geslapen hebt.'

'Dat betwijfel ik. Luister, ik bel je wel als ik hier wat meer weet.'

'Best.' Ze hing op.

'Wat een puinzooi!' zei Graham. 'Wat een vervloekte puinzooi.'

Crawford stak zijn hoofd om de deur. 'Zei je "vervloekte puinzooi"?'
'Ja!'
'Nou, kop op. Aynesworth belde vanaf het terrein. Hij heeft iets
voor je. Hij zei dat we naar hem toe moesten komen. Hij heeft ge-
donder met de plaatselijke dienders.'

51

Aynesworth was bezig nieuwe verfblikken met asresten te vullen
toen Graham en Crawford arriveerden bij de geblakerde ruïne die
eens Dolarhydes huis was geweest.
Hij was bedekt met een laag roet en onder zijn oor zat een grote
blaar. Speciaal agent Janowitz van Explosieven was in de kelder
aan het werk.
Naast een stoffige Oldsmobile in de oprit stond een lange, kleur-
loze man. De ergernis was van zijn gezicht af te lezen. Hij hield
Graham en Crawford staande toen die het grasveld overstaken.
'Bent u Crawford?'
'Ja.'
'Ik ben Robert L. Dulaney, de lijkschouwer, en dit valt onder mijn
jurisdictie.' Hij toonde hun zijn kaartje. Daarop stond 'Stem op
Robert L. Dulaney'.
Crawford wachtte.
'Uw collega hier heeft bewijsmateriaal gevonden, dat hij aan mij
had moeten overdragen. Ik sta al bijna een uur te wachten.'
'Mijn excuses voor het ongemak, meneer Dulaney. Hij handelde
volgens mijn instructies. Gaat u maar even in uw wagen zitten,
dan zal ik zien wat ik kan doen.'
Dulaney volgde hen.
Crawford draaide zich om. 'U zult nog even geduld moeten heb-
ben, meneer Dulaney. Wacht u maar in uw wagen.'
Aynesworth stond te grijnzen, zijn tanden glansden wit in zijn
met roet besmeurde gezicht. Hij had de hele ochtend as staan zeven.
'In mijn bevoegdheid doet het me bijzonder veel plezier...'

'Rond te wroeten. Dat weten we allemaal,' zei Janowitz, die uit de zwarte puinhoop van de kelder naar boven klauterde.

'Stilte in de gelederen, indiaan Janowitz. Haal de bewuste voorwerpen uit de auto.' Hij wierp Janowitz een bos autosleutels toe.

Uit de kofferruimte van een FBI-sedan haalde Janowitz een langwerpige kartonnen doos. Op de bodem lag een dubbelloopsgeweer, waarvan de lade was weggebrand en de lopen door de hitte waren verwrongen. Een kleinere doos bevatte een geblakerd automatisch pistool.

'Het pistool is er iets beter van afgekomen,' zei Aynesworth. 'Daar kan Ballistiek misschien nog iets mee doen. Vooruit, Janowitz, laat het maar zien.'

Aynesworth pakte drie plastic diepvrieszakken van hem aan.

'Geef acht, Graham.' Aynesworths gezicht vertoonde even geen enkele vorm van humor meer. Dit was het ritueel van een jager, als het insmeren van Grahams voorhoofd met bloed.

'Dit was een zeer geraffineerde vertoning, kerel.' Aynesworth legde de zakken in Grahams handen.

De ene zak bevatte tien centimeter van een verkoold menselijk dijbeen en de kogel van een heupgewricht. De andere een polshorloge. In de derde zak zaten de tanden.

De plaat was geblakerd en gebroken en er was nog maar de helft van over, maar die helft bevatte de onmiskenbaar vastgeschroefde laterale snijtand.

Graham veronderstelde dat hij iets moest zeggen. 'Bedankt. Reuze bedankt.'

Het duizelde hem even en toen voelde hij hoe zijn lichaam zich helemaal ontspande.

'... museumstuk,' hoorde hij Aynesworth zeggen. 'We zullen het aan die halve gare moeten overdragen, hè Jack?'

'Ja. Maar bij het bureau van de lijkschouwer in St. Louis werken een aantal bekwame mensen. Zij kunnen goede afdrukken maken. Die krijgen wij.'

Crawford en de anderen liepen naar de lijkschouwer.

Graham was alleen met het huis. Hij luisterde naar de wind in de schoorstenen. Hij hoopte dat Bloom hierheen zou komen zodra hij zich goed voelde. Waarschijnlijk zou hij dat wel doen.

Graham wilde meer weten over Dolarhyde. Hij wilde weten wat

hier gebeurd was, waaruit de Draak was voortgekomen. Maar op dit moment had hij er genoeg van.

Een spotvogel streek boven op de schoorsteen neer en floot.

Graham floot terug.

Hij ging naar huis.

52

Graham glimlachte toen hij voelde hoe de grote straalmotoren van het vliegtuig hem optilden, weg van St. Louis, eindelijk naar huis. Daar zouden Molly en Willy zijn.

'Laten we niet moeilijk doen over wie waarvan spijt heeft. Ik kom je in Marathon afhalen, knul,' had ze door de telefoon gezegd.

Hij hoopte dat hij zich over een tijdje de weinige goede momenten zou herinneren – de voldoening uiterst bekwame mensen aan het werk te zien die zich vol overgave over hun taak bogen. Hij veronderstelde dat je die voldoening overal wel kon smaken als je genoeg inzicht had in datgene waarnaar je keek.

Het zou aanmatigend zijn Lloyd Bowman en Beverly Katz te bedanken, daarom had hij hun door de telefoon alleen maar gezegd dat hij het heel fijn had gevonden weer met hen samen te werken.

Eén ding zat hem toch nog dwars: het gevoel dat hem had overspoeld toen Crawford in Chicago na het telefoontje had gezegd: 'Het is Gateway.'

Een dergelijke intense, woeste vreugde had hij nooit eerder geproefd. Het was verontrustend dat het gelukkigste moment in zijn leven zich op dat moment had voorgedaan, in die muffe jurykamer in Chicago. *Nog voor hij het had geweten, had hij het geweten.*

Hij vertelde Lloyd Bowman niet hoe het voelde; dat hoefde hij niet.

'Weet je, toen zijn stelling anderen eindelijk duidelijk was, offerde Pythagoras honderd ossen aan de muzen,' zei Bowman.

'Wat een gevoel, hè? Zeg maar niets... het blijft langer hangen als je het niet met praten verspilt.'

Hoe dichter hij bij huis en bij Molly kwam, hoe ongeduldiger Graham werd. In Miami moest hij overstappen op de *Aunt Lula*, de oude DC-3 die naar Marathon vloog.

Hij vond DC-3's fijn. Vandaag vond hij alles fijn.

De *Aunt Lula* was gebouwd toen Graham vijf jaar oud was en haar vleugels waren altijd bedekt met een smerig laagje olie dat uit de motoren naar achteren geslingerd werd. Hij stelde groot vertrouwen in haar. Hij rende haar tegemoet alsof ze hem uit een gevaarlijk oerwoud kwam redden.

De lichtjes van Islamorada gingen aan toen het eiland onder de vleugel doorgleed. Graham kon de schuimkoppen aan de kant van de Atlantische Oceaan nog zien. Enkele minuten later daalden ze af naar Marathon.

Het was net zoals de eerste keer dat hij naar Marathon was gekomen. Toen had hij ook met de *Aunt Lula* gevlogen, en sindsdien was hij tegen het vallen van de avond nog vaak naar het vliegveld gegaan om haar te zien binnenkomen, langzaam en betrouwbaar, de remkleppen neergelaten, terwijl het vuur uit haar uitlaten vlamde en alle passagiers veilig achter hun verlichte ramen zaten.

Ook het vertrek van het vliegtuig was een mooi schouwspel, maar als het oude toestel zijn grote boog naar het noorden beschreef, bleef hij met een droevig en leeg gevoel achter en was de sfeer vervuld van vaarwels. Hij had de gewoonte aangenomen om alleen naar de landingen en begroetingen te kijken.

Dat was voor hij Molly leerde kennen.

Met een laatste kreun taxiede het vliegtuig het platform op. Graham zag Molly en Willy onder de schijnwerpers achter het hek staan.

Willy stond vastberaden voor haar. Hij zou daar blijven staan tot Graham zich bij hen had gevoegd. Pas daarna zou hij zijn eigen gang gaan en kijken naar alle dingen die hem interesseerden. Graham waardeerde dat in hem.

Molly was even lang als Graham. Een kus zo oog in oog in het openbaar geeft een aangename schok, misschien omdat een kus op gelijke hoogte meestal alleen in bed plaatsvindt.

Willy bood aan zijn koffer te dragen. In plaats daarvan gaf Graham hem de kledinghoes waarin zijn pak zat.

Onderweg naar huis, naar Sugarloaf Key, Molly achter het stuur, herkende Graham de dingen die hij in de lichten van de koplampen zag en stelde zich de rest erbij voor.

Toen hij in de tuin het autoportier opende, hoorde hij de zee.

Willy liep het huis in, de kledinghoes boven op zijn hoofd; de onderkant sloeg tegen de achterkant van zijn benen.

Graham stond in de tuin en veegde afwezig de muskieten van zijn gezicht.

Molly legde haar hand tegen zijn wang. 'Ga naar binnen voor je opgevreten wordt.'

Hij knikte. Zijn ogen waren vochtig.

Ze wachtte nog even, hield haar hoofd schuin en keek hem met veelbetekenend opgetrokken wenkbrauwen aan. 'Tanqueray-martini's, biefstuk, geknuffel enzovoorts. Deze kant op... en de elektriciteitsrekening en de waterrekening en lange gesprekken met mijn kind,' voegde ze er vanuit haar mondhoek aan toe.

53

Graham en Molly wensten vurig dat alles tussen hen weer net zo zou zijn als vroeger, ze wilden niets liever dan op de oude voet verder gaan.

Toen ze merkten dat het niet hetzelfde was, vergezelde deze onuitgesproken wetenschap hen als ongewenst gezelschap. De wederzijdse vertrouwelijkheden die ze in het donker en overdag uitwisselden hadden niet het gewenste effect en schoten hun doel voorbij.

Nog nooit had Molly er in zijn ogen zo aantrekkelijk uitgezien. Vanaf een pijnlijke afstand bewonderde hij haar onbewuste gratie.

Zij probeerde goed voor hem te zijn, maar ze was in Oregon geweest en had de doden tot leven gewekt.

Willy voelde het en hij bejegende Graham koeltjes, akelig beleefd.

Er kwam een brief van Crawford. Molly bracht hem met de andere post naar binnen en sprak er niet over.

Er zat een foto van het gezin Sherman in, gekopieerd van een amateurfilm. Niet alles was in vlammen opgegaan, zo verklaarde Crawfords briefje. Bij het onderzoeken van het terrein rond het huis was deze foto gevonden, samen met nog wat andere dingen die door de explosie buiten bereik van het vuur waren geslingerd.

'Deze mensen stonden vermoedelijk op zijn lijstje,' schreef Crawford. 'Nu zijn ze veilig. Dacht dat je dat wel zou willen weten.'
Graham liet de foto aan Molly zien.
'Begrijp je? Daarom,' zei hij. 'Daarom was het alles waard.'
'Dat weet ik,' zei ze. 'Dat begrijp ik. Heus.'
Scholen blauwbaarzen spartelden onder de maan. Molly maakte lunchpakketten en ze visten en bouwden kampvuren, maar de stemming kwam er niet in.
Grootvader en omama stuurden Willy een foto van zijn pony en die hing hij aan de muur in zijn kamer.
De vijfde dag thuis was de laatste dag vóór Graham en Molly weer in Marathon aan het werk zouden gaan. Ze visten in de branding, liepen een halve kilometer over het strand naar de plek waar ze eerder geluk hadden gehad.
Graham had besloten met beiden samen te praten.
De visexpeditie begon niet erg goed. Willy legde nadrukkelijk de hengel weg die Graham voor hem had opgetuigd en nam in plaats daarvan de nieuwe werphengel mee die hij van zijn grootvader had gekregen.
Drie uur lang visten ze zwijgend. Verschillende keren opende Graham zijn mond om iets te zeggen, maar hij kon de juiste woorden niet vinden.
Hij had er genoeg van de gebeten hond te zijn.
Graham gebruikte vlokreeftjes als aas en ving vier snappers. Willy ving niets. Hij wierp een grote Rapala-hengel uit met drievoudige haken die zijn grootvader hem had gegeven. Hij viste te snel, wierp telkens opnieuw uit en haalde te vlug weer op. Na verloop van tijd was zijn gezicht vuurrood en plakte zijn t-shirt aan zijn lichaam.
Graham waadde het water in, schepte met zijn handen wat zand en hield ten slotte twee vlokreeftjes over, hun pootjes bungelden uit hun schalen.
'Waarom probeer je niet een van deze, maatje?' Hij hield Willy een vlokreeftje voor.
'Ik gebruik liever de Rapala. Die is van mijn vader geweest, wist je dat?'
'Nee,' zei Graham. Hij keek Molly aan.
Ze zat met haar armen om haar knieën geslagen, en volgde met haar blik een fregatvogel, die hoog de lucht in vloog.

Ze stond op en klopte het zand van zich af. 'Ik ga wat sandwiches klaarmaken,' zei ze.

Toen Molly vertrokken was, kwam Graham even in de verleiding om onder vier ogen met de jongen te praten. Nee. Willy zou hetzelfde voelen als zijn moeder. Hij zou wachten en met hen samen praten als ze terugkwam. Deze keer moest hij het doen.

Ze bleef niet lang weg en ze kwam terug zonder de sandwiches. Ze liep op een drafje over het harde zand.

'Jack Crawford is aan de telefoon. Ik zei hem dat je wel zou terugbellen, maar hij zei dat het dringend was,' zei ze, terwijl ze een van haar nagels bestudeerde. 'Schiet maar op.'

Graham kreeg een kleur. Hij stak het uiteinde van zijn hengel in het zand en verdween in de richting van de duinen. Dit was een kortere weg dan over het strand als je niets bij je had dat in de beplanting verward kon raken.

Hij hoorde een zacht snorrend geluid op de wind en, bedacht op een ratelslang, speurde hij de grond af toen hij tussen de dwergceders door liep.

Onder de struiken zag hij laarzen, de glinstering van een lens en een flits van overeind komend kaki.

Hij keek in de gele ogen van Francis Dolarhyde en angst bonkte luid in zijn keel.

De klik van een pistool, een automatisch wapen dat omhoogkwam, en Graham trapte ernaar en raakte het op het moment dat de mond zachtgeel opflitste in de zon. Het pistool vloog het struikgewas in. Graham viel en gleed op zijn rug, met een brandende pijn in de linkerkant van zijn borst, met zijn hoofd naar beneden het duin af en het strand op.

Met een sprong landde Dolarhyde met beide voeten op Grahams maag. Hij had zijn mes getrokken en stoorde zich niet aan het gegil dat hem vanaf de waterkant tegemoet kwam. Hij drukte Graham met zijn knieën tegen de grond, hief het mes hoog op en gromde toen hij het liet neerkomen. Het lemmet miste Grahams oog en drong diep in zijn wang.

Dolarhyde leunde voorover en drukte zijn gewicht op het handvat van het mes om het door Grahams hoofd te drukken.

De hengel suisde door de lucht toen Molly daarmee naar Dolarhydes gezicht uithaalde. De grote haken van de Rapala haakten zich stevig in zijn wang vast en de werpmolen gaf gierend meer lijn vrij toen ze de hengel naar achteren haalde om nogmaals toe te slaan.

Hij gromde, greep naar zijn gezicht toen ze hem raakte, terwijl de grote haken zich nu ook in zijn hand boorden. Met zijn vrije hand – de andere zat aan zijn gezicht vastgehaakt – trok hij het mes uit Grahams gezicht en ging haar achterna.

Graham liet zich omrollen, wist zich op zijn knieën en vervolgens op zijn voeten te werken. Met wild rollende ogen en hevig bloedend vluchtte hij, vluchtte voor Dolarhyde, vluchtte tot hij in elkaar zakte.

Molly rende naar de duinen, met Willy voor zich uit. Dolarhyde naderde, de hengel achter zich aanslepend. Deze raakte verward in een struik en dwong hem gillend van de pijn stil te staan, tot hij op het idee kwam de lijn door te snijden.

'Rennen, jongen! Rennen! Niet achterom kijken!' hijgde ze. Ze had lange benen en ze duwde de jongen voor zich uit, terwijl het gekraak in de bosjes achter hen steeds dichterbij kwam.

Ze hadden honderd meter voorsprong op hem toen ze de duinen achter zich lieten, zeventig meter toen ze het huis bereikten. Ze vlogen de trap op. Molly griste iets uit Wills kast.

Tegen Willy zei ze: 'Hier blijven.'

Naar beneden om hem het hoofd te bieden. Naar de keuken. Ze was nog niet klaar, klungelde onhandig met de patroonhouder.

Ze vergat de juiste houding, en ze vergat te richten, maar ze had het pistool stevig met twee handen vast en toen de deur met een knal naar binnen vloog, schoot ze een flink gat in zijn dij – 'Moeher!' – en ze schoot hem in het gezicht toen hij langs de deurpost naar beneden gleed en ze schoot hem in het gezicht toen hij op de grond zat en ze rende naar hem toe en schoot hem twee keer in het gezicht toen hij met gespreide armen tegen de muur sloeg; zijn scalp hing over zijn kin en zijn haar stond in brand.

Willy scheurde een laken in repen en ging op zoek naar Will. Zijn benen trilden en hij struikelde een paar keer toen hij de tuin door liep.

Hulpsheriffs en ambulances waren er al nog voor het bij Molly was opgekomen ze te waarschuwen. Ze stond onder de douche toen ze met getrokken pistolen het huis binnenkwamen. Grondig boende ze haar lichaam om de bloedvlekken en botsplinters uit haar gezicht en haren te krijgen. Ze kon geen woord uitbrengen toen een van de hulpsheriffs door het douchegordijn met haar probeerde te praten.

Ten slotte pakte een van de hulpsheriffs de bungelende telefoonhoorn op en sprak met Crawford in Washington, die de schoten had gehoord en hen had gewaarschuwd.

'Dat weet ik niet. Ze nemen hem net mee,' zei de hulpsheriff. Hij keek uit het raam toen de brancard passeerde. 'Het ziet er niet zo best uit,' voegde hij eraan toe.

54

Tegen de muur aan het voeteneinde van het bed hing een klok met cijfers die groot genoeg waren om door de mist van verdovende middelen en pijn te onderscheiden.

Toen Will Graham zijn rechteroog kon openen, zag hij de klok en wist hij waar hij was – op de intensivecareafdeling van een ziekenhuis. Hij bleef naar de klok kijken. Het verschuiven van de wijzers verzekerde hem dat dit maar tijdelijk was, dat dit voorbij zou gaan.

Daarom hing hij daar.

De klok zei dat het vier uur was. Hij had geen idee of het vier uur 's morgens of vier uur 's middags was. Het kon hem eigenlijk niets schelen zolang de wijzers zich maar verplaatsten. Hij doezelde weg. Volgens de klok was het acht uur toen hij zijn ogen weer opende. Er zat iemand naast hem. Voorzichtig draaide hij zijn oog. Het was Molly, die naar buiten zat te kijken. Ze was mager. Hij probeerde iets te zeggen, maar er schoot een hevige pijn door de linkerkant van zijn hoofd toen hij zijn kaak bewoog. Zijn hoofd bonsde en zijn borst ook, maar niet gelijktijdig. Ze leken elkaar af te wisselen. Hij maakte een geluid toen ze de kamer verliet.

Het raam was licht toen ze aan hem trokken en rukten en allerlei dingen deden waardoor de pezen zich in zijn hals aftekenden.

Geel licht toen hij Crawfords gezicht boven zich zag.

Graham slaagde erin te knipogen. Toen Crawford grijnsde, zag Graham een stukje spinazie tussen zijn tanden.

Vreemd. Crawford at bijna nooit groenten.

Graham maakte schrijfbewegingen op het laken onder zijn hand. Crawford schoof zijn notitieboek onder Grahams hand en stak een pen tussen zijn vingers.

'Willy oké?' schreef hij.

'Ja, hij maakt het best,' zei Crawford. 'Molly ook. Ze is hier geweest toen jij lag te slapen. Dolarhyde is dood, Will. Ik zweer je: hij is dood! Ik heb persoonlijk zijn vingerafdrukken genomen en ze door Price laten vergelijken. Er is geen twijfel mogelijk. Hij is dood.'

Graham tekende een vraagteken op het papier.

'Later. Ik blijf hier. Zodra je je wat beter voelt, krijg je het hele verhaal te horen. Ik mag nu niet langer dan vijf minuten bij je blijven.'

'Nu,' schreef Graham.

'Heeft de dokter al met je gesproken? Nee? Dan eerst wat jou betreft... het komt allemaal in orde. Je oog is alleen opgezwollen van een diepe steekwond in je gezicht. Ze hebben die gehecht, maar het heeft tijd nodig. Ze hebben je milt verwijderd. Maar wie heeft er nu een milt nodig? Price is de zijne in Birma kwijtgeraakt, in 1941.'

Een verpleegster tikte tegen het glas.

'Ik moet gaan. Ze hebben hier geen respect voor geloofsbrieven, nergens voor. Ze smijten je er gewoon uit als de tijd om is. Tot later.'

Molly zat in de wachtkamer. En met haar vele vermoeide mensen. Crawford liep naar haar toe. 'Molly...'

'Hallo, Jack,' zei ze. 'Jíj ziet er fantastisch uit. Wil je hem jouw gezicht niet geven?'

'Molly, doe dit nou niet.'

'Heb je naar hem gekeken?'

'Ja.'

'Ik dacht niet dat ik naar hem zou kunnen kijken, maar ik heb het wel gedaan.'

'Ze lappen hem wel op. De dokter heeft het me zelf verteld. Dat lukt ze wel. Wil je dat er iemand bij je blijft, Molly? Ik heb Phyllis meegebracht. Ze...'

'Nee. Doe alsjeblieft niets meer voor mij.'

Ze wendde zich af en rommelde in haar tas op zoek naar een zak-

doekje. Hij zag de brief toen ze haar tas opende: duur lila postpapier dat hij al eerder had gezien.

Crawford verfoeide dit, maar hij moest het doen.

'Molly.'

'Wat is er?'

'Will heeft een brief gekregen.'

'Ja.'

'Heeft de verpleegster die aan jou gegeven?'

'Ja, die heeft ze inderdaad aan mij gegeven. Ze hebben ook nog
bloemen van al zijn *vrienden* in Washington.'

'Mag ik die brief zien?'

'Ik zal hem die geven als hij eraan toe is.'

'Alsjeblieft, laat hem mij lezen.'

'Waarom?'

'Omdat het beter is als hij niets hoort van... van de persoon in
kwestie.'

Er was iets verontrustends in de uitdrukking van zijn gezicht en ze
keek naar de brief en liet die met tas en al, vallen. Een lippenstift
rolde over de grond.

Terwijl hij zich bukte om Molly's spulletjes op te rapen, hoorde
Crawford het rappe getik van haar hakken toen ze van hem wegliep, haar tas achterlatend.

Hij gaf de tas aan de afdelingszuster.

Crawford wist dat het voor Lecter nagenoeg onmogelijk was te
krijgen waarop hij zijn zinnen had gezet, maar met Lecter nam hij
geen enkel risico.

Hij liet de brief door een inwonend assistent op de röntgenafdeling
doorlichten.

Met een zakmes sneed Crawford alle kanten van de envelop open
en onderzocht de binnenkant ervan alsmede de brief zelf op vlekken of stof... in het Chesapeake Hospital hadden ze wel loog en
bovendien was er een apotheek.

Eindelijk overtuigd las hij:

Beste Will,
Hier zijn we dan, jij en ik, wegkwijnend in onze
ziekenhuizen. Jij hebt je pijn en ik heb geen boeken meer...
daarvoor heeft onze weledelgeleerde dr. Chilton gezorgd.
We leven in een primitieve tijd – nietwaar, Will? – een tijd

die woest noch wijs is. De vloek van onze tijd is het
halfslachtige gedoe. Elke weldenkende maatschappij zou
mij of doden of mij mijn boeken teruggeven.

Ik wens je een voorspoedig herstel toe en hoop dat je er
niet al te lelijk uit komt.

Mijn gedachten zijn dikwijls bij je.

– Hannibal Lecter.

De assistent keek op zijn horloge. 'Hebt u me nog nodig?'

'Nee,' zei Crawford. 'Waar is de verbrandingsoven?'

Toen Crawford vier uur later voor het volgende bezoekuur terugkwam, zat Molly niet in de wachtkamer en was ze evenmin op de
intensive care.

Graham was wakker. Onmiddellijk tekende hij een vraagteken op
het notitieblok. 'Hoe is D. gestorven?' schreef hij eronder.

Crawford vertelde het hem. Graham bleef een volle minuut doodstil liggen. Toen schreef hij: 'Hoe is hij ontsnapt?'

'Oké dan,' zei Crawford. 'St. Louis. Dolarhyde is vermoedelijk op
zoek geweest naar Reba McClane. Hij kwam het lab binnen toen
wij daar ook waren en ontdekte ons. Zijn vingerafdrukken stonden op het openstaande raam in de kelder van de verwarmings-
ketels – dat hoorden we gisteren pas.'

Graham tikte op de blocnote. 'En dat lijk?'

'We vermoeden dat het ene Arnold Lang was – die wordt vermist.
Zijn auto is in Memphis gevonden. Alle vingerafdrukken waren
eruit geveegd. Nog even en ze sturen me weg. Laat me alles in de
juiste volgorde vertellen.

Dolarhyde wist dat we daar waren. We hebben hem bij het lab net
gemist. Hij reed vandaar naar een Servco Supreme station bij Lindbergh en de U.S. 270. Arnold Lang werkte daar.

Reba McClane zei dat Dolarhyde ruzie had met een pompbediende. Dat was afgelopen zaterdag. We vermoeden dat dat Lang was.
Hij maakte Lang koud en nam zijn lijk mee naar huis. Daarna ging
hij bij Reba langs. Voor haar deur kuste ze Ralph Mandy ten afscheid. Hij heeft Mandy doodgeschoten en hem onder de heg geschoven.'

De verpleegster kwam binnen.

'Verdomme, dit zijn politiezaken!' zei Crawford. Hij sprak snel
door terwijl zij hem aan de mouw van zijn jas naar de deur trok.

'Hij verdoofde Reba met chloroform en bracht haar naar zijn huis. Het lijk lag daar al,' zei Crawford vanuit de gang.

Graham moest vier uur wachten om de rest van het verhaal te horen.

'Hij heeft wat met haar gesold. Je weet wel, in de trant van "Zal ik je doden of niet?",' zei Crawford toen hij de kamer binnenkwam.

'Je weet hoe het gegaan is met de sleutel om zijn nek – dat was om er zeker van te zijn dat ze het lijk zou voelen. Op die manier kon ze óns vertellen dat ze echt een lichaam had gevoeld. Goed. Ten slotte zei hij: "Ik kan niet toekijken hoe jij verbrandt," en heeft hij Langs hoofd kapotgeschoten met een kaliber-12.

Lang was de aangewezen persoon. Hij had helemaal geen tanden meer. Misschien wist Dolarhyde dat de brug van de bovenkaak goed tegen vuur bestand is… wie zal het zeggen wat hij wist? Hoe dan ook, toen Dolarhyde met Lang klaar was, was er van een eventueel kunstgebit niets meer over. Hij schoot Langs hoofd van diens romp en heeft waarschijnlijk een stoel of iets dergelijks omgegooid om de bons van een vallend lichaam na te bootsen. De sleutel had hij om Langs nek gehangen.

Nu ging Reba op zoek naar de sleutel. Dolarhyde staat in de hoek toe te kijken. Haar oren zijn verdoofd van het geweerschot. De zachte geluiden die hij maakt zal ze niet horen.

Hij heeft iets in brand gestoken, maar er nog geen benzine op gegooid. De benzine staat klaar. Ongedeerd wist ze het huis te verlaten. Als ze in paniek was geraakt of tegen een muur of zoiets was opgelopen of helemaal niets had gedaan, zou hij haar vermoedelijk bewusteloos geslagen en naar buiten gedragen hebben. Dan zou ze nooit geweten hebben hoe ze buiten terecht was gekomen. Maar om zijn plan te doen slagen, moest ze er ongedeerd vanaf komen. O, verdomme, daar komt die verpleegster alweer!'

Graham schreef snel: 'En de wagen?'

'Dat zul je moeten bewonderen, of je wilt of niet,' zei Crawford. 'Hij wist dat hij zijn busje bij het huis zou moeten achterlaten. Hij kon niet met twee voertuigen naar huis rijden en hij had een vluchtwagen nodig. Hij deed het volgende: hij liet Lang de takelwagen van het benzinestation vasthaken aan zijn busje. Hij maakte Lang koud, sloot het benzinestation en sleepte zijn busje naar zijn huis. Vervolgens liet hij de takelwagen op een landweggetje in de weilanden achter zijn huis achter, ging terug naar zijn busje en ging achter Reba aan. Toen ze ongedeerd uit het huis was gekomen, haalde hij zijn dynamiet te voorschijn, goot de benzine rond de brandhaard en verliet het huis via de achterdeur. Hij reed de takelwagen terug naar het benzinestation, liet hem daar achter en verdween in Langs wagen. Hij had niets over het hoofd gezien.

Ik werd er stapelgek van tot we alles op zijn plaats hadden. Ik weet zeker dat het zo gegaan is, want hij heeft een paar vingerafdrukken in de takelwagen achtergelaten.

Waarschijnlijk zijn we hem onderweg naar zijn huis tegengekomen – ja, zuster. Ik ga al. Ja, zuster.'

Graham wilde een vraag stellen, maar het was te laat.

De volgende vijf minuten bezoektijd waren voor Molly.

Graham schreef 'Ik hou van je' op Crawfords blocnote.

Ze knikte en hield zijn hand vast.

Een minuut later schreef hij weer.

'Willy oké?'

Ze knikte.

'Hier?'

Ze keek te snel van de blocnote naar hem op. Ze vormde een kus met haar mond en gebaarde naar de naderende verpleegster.

Hij trok aan haar duim.

'Waar?' schreef hij, met een dubbele streep onder het woord.

'Oregon,' zei ze.

Crawford kwam nog één keer.

Graham lag klaar met zijn notitie. Er stond: 'Gebit?'

'Van zijn grootmoeder,' zei Crawford. 'Het gebit dat we in het huis vonden, was van zijn grootmoeder. De politie van St. Louis kwam op het spoor van een zekere Ned Vogt – Dolarhydes moeder was Vogts stiefmoeder. Vogt heeft mevrouw Dolarhyde als kind ontmoet en was haar gebit nooit vergeten.

Daarover belde ik je toen je Dolarhyde tegen het lijf liep.

Het Smithsonian had me juist gebeld. Ze hadden eindelijk het gebit van de politie in Missouri gekregen, om dat zelf te onderzoeken. Ze ontdekten dat het bovenste deel van het gebit was vervaardigd uit eboniet in plaats van acryl zoals tegenwoordig wordt gebruikt. Ebonieten gehemelteplaten worden al in geen vijfendertig jaar meer gemaakt.

Dolarhyde had een nieuw acryl gebit, precies zoals ze die vroeger maakten, op maat laten vervaardigen. Het nieuwe werd op zijn lichaam gevonden. Het Smithsonian onderzocht een aantal kenmerken – de groeven, zeiden ze, en de welving. Chinese makelij. Het oude was Zwitsers.

Hij had ook een sleutel bij zich, van een kluis in Miami. Daarin lag een groot boek. Een soort dagboek... een duivelsding. Als je het wilt zien, zal ik het halen.

Luister, ouwe jongen, ik moet terug naar Washington. Als het me lukt, kom ik in het weekend weer. Red je je zo lang?' Graham tekende een vraagteken, kraste het door en schreef 'natuurlijk'.

Toen Crawford vertrokken was, kwam de verpleegster. Ze spoot Demerol in zijn infuus en de klok vervaagde. Hij kon de secondewijzer niet bijhouden.

Hij vroeg zich af of Demerol ook je gevoelens beïnvloedde. Hij zou Molly bij zich kunnen houden met zijn gezicht. Tot ze dat hadden opgelapt, althans. Maar dat zou een rotstreek zijn. Bovendien, vasthouden waarvoor? Hij dreef weg en hoopte dat hij niet zou gaan dromen.

Hij zweefde tussen herinnering en droom, maar dat was niet zo erg. Hij droomde niet dat Molly wegging en hij droomde niet van Dolarhyde. Het was een lange herinneringsdroom aan Shiloh, onderbroken door lampen die in zijn gezicht schenen en het geblaas en gesis van het bloeddrukapparaat...

Het was voorjaar, kort nadat hij Garrett Jacob Hobbs had neergeschoten, toen hij een bezoek bracht aan Shiloh, waar in 1862 een van de bloedigste veldslagen van de burgeroorlog had plaatsgevonden.

Op een warme dag in april liep hij over de asfaltweg naar Bloody Pond. Langs de waterkant groeide het jonge, nog lichtgroene gras. Het heldere water was tot over het gras gestegen en het gras was in het water zichtbaar, alsof het op de bodem van de plas groeide. Graham wist wat zich daar in april 1862 had voltrokken.

Hij ging op het gras zitten en voelde de vochtige grond door de stof van zijn broek heen.

Een toerist reed in zijn wagen voorbij en toen hij gepasseerd was, zag Graham iets bewegen op de weg. De auto had een slang overreden. Stuiptrekkend beschreef het dier eindeloze achten over het midden van de weg, waarbij het nu eens zijn zwarte rug, dan weer zijn witte buik toonde.

Shilohs ontzagwekkende aanwezigheid omhulde hem met koude, hoewel hij transpireerde in de warme voorjaarszon.

Graham stond op van het gras, de kont van zijn broek was vochtig. Hij was duizelig.

De slang maakte van zijn lijf een lus. Hij boog zich over het beest heen, pakte het uiteinde van de zachte droge staart en sloeg hem met een lange vloeiende beweging als een zweep uit.

De hersenen van het dier vervloeiden in de poel. Een brasem schoot toe.

Hij had toen het gevoel gehad dat Shiloh door geesten werd geteisterd, had de schoonheid van de plek sinister gevonden.

Nu, zwevend tussen herinnering en de bedwelmende roes van de slaap, zag hij dat Shiloh niet sinister was; het was onpartijdig. Shiloh kon in haar schoonheid overal getuige van zijn. Haar onvergeeflijke schoonheid onderstreepte alleen maar de onpartijdigheid van de natuur, de Groene Machine. De lieflijkheid van Shiloh bespotte ons lijden.

Hij werd wakker en keek naar de geesteloze klok, maar hij kon zijn gedachten niet stilzetten.

De natuur kent geen barmhartigheid; wijzelf maken barmhartigheid, verwerken het in dat deel vanzelf dat ons reptielenbrein is ontstegen.

De natuur kent geen moord. We mensen maken moord, en die heeft alleen voor ons betekenis.

Graham besefte maar al te goed dat hij alles in zich had om moord te maken; misschien ook barmhartigheid.

Niettemin begreep hij moord onplezierig goed.

Hij vroeg zich af of, in de grote ziel van de mensheid, in de geesten van mensen die beschaving nastreefden, de verdorven prikkels die we in onszelf onderdrukken en het duistere instinctieve inzicht in deze prikkels, functioneren als het gebrekkige virus waartegen het lichaam zich wapent.

Hij vroeg zich af of oude, afschuwelijke prikkels het virus vormen waarmee een vaccin gemaakt kon worden.

Ja, hij had het bij het verkeerde eind gehad wat Shiloh betreft. Shiloh is niet door geesten bezeten – mensen zijn door geesten bezeten.

Shiloh bekommert zich daar niet om.

... zo heb ik er mijn hart op gezet om wijsheid te kennen, verdwaasdheid en onverstand te leren kennen. Ik heb ingezien dat ook dit is najagen van wind.

Prediker 1:17